改訂3版

グロービス
MBA
マネジメント・ブック
MANAGEMENT

グロービス経営大学院 [編著]
ダイヤモンド社

はじめに

　1995年7月に本書の旧版を上梓してから13年が過ぎた。もともと、「現実のビジネスに活用可能な形で、MBAで学ぶエッセンスをコンパクトにまとめよう」と考えたのが、旧版出版のきっかけである。上梓前は「日本ではそんな書籍に対するニーズは少ないだろう」という人間がほとんどであったが、いざふたを開けてみると、2002年の改訂第2版（新版）も含め、13年の間に50刷弱を重ね、およそ30万部を売り上げる、ビジネス書としては画期的なベストセラーとなった。

　その成功をきっかけに、「MBAアカウンティング」や「MBAマーケティング」など各論をまとめたグロービスMBAシリーズもスタートした。多くのビジネスリーダーの方から、本書の旧版、新版をはじめとするグロービスMBAシリーズの書籍を座右に置かれ、活用されているというお褒めと励ましの言葉をいただいた。2007年には、本シリーズは、累計で100万部を突破した。非常に光栄なことである。

　改訂第3版となる本書は、2002年の新版をベースに、旧くなった事例等を変更するとともに、最近の経営環境を踏まえていくつかの項目内容について加筆・修正をした。とくに、2006年の会社法施行を受けてアカウンティングの内容をルール面を中心にアップデートし、また、昨今の情報技術の進化を反映して、マーケティングとITの内容を刷新した。

　加えて、近年注目されているトピックスを新たに8つ選び、新項目として増補追加している。

　執筆、構成にあたっては、過去の版同様、下記の点に配慮した。
1）MBAのコアコースで学ぶ内容を網羅した
　MBAの1年目の必修科目のうち、とくに重要と思われる経営戦略、マーケティング、アカウンティング、ファイナンス、組織・人、情報技術、ゲーム理論・交渉術の7科目を網羅した。

2）現実のビジネスに活用可能な形で、経営理論のエッセンスをわかりやすく簡潔にまとめた

　各科目のうち現実のビジネスに応用可能なもののみを取り上げ、1科目15ないし20強のテーマに絞り込んだ。各テーマを見開き2ページにまとめ、左上に「ポイント」、引き続き「本文」、そして右下に「図表」を載せるという統一フォーマットでわかりやすくコンパクトに説明した。

3）経営分析の手法と戦略立案のフレームワークに重点を置いた

　経営学の知識・分類に重点を置くのではなく、「移り変わりゆく経営環境にどのように対処すべきか」という課題を解決するのに必要な分析手法と戦略立案の枠組み（フレームワーク）を提示した。

　グロービスは1992年に社会人を対象としたビジネススクール「グロービス・マネジメント・スクール（GMS）」を開校し、以来、一貫して実践的な経営教育を行ってきた。受講生の方々に支えられ、現在では年間延べ1万人を超える方が受講する日本でも最大規模の経営教育機関に成長した。

　2003年4月には、独自の修了証書であるGDBA（Graduate Diploma in Business Administration）を授与する「社会認知型ビジネススクール」をスタートさせた。その後、小泉内閣により、構造改革特別区制度が創設され教育特区が誕生し、また「専門職大学院制度」が創設されたのを受け、2005年春には東京都千代田区および大阪市に特区申請を行い、2006年4月よりMBAが取得できる「グロービス経営大学院」が開学した。さらにグロービス経営大学院は、2008年4月からは、学校法人立の経営大学院へと移行した。これからも、「アジアNo.1のビジネススクール」を目指して邁進していくつもりだ。

　グロービスではまた、1993年から、企業の組織能力強化を手助けすることを目的に、実践的なトレーニング・プログラムをさまざまな企業に提供するグロービ

ス・オーガニゼーション・ラーニング（GOL）事業を開始し、企業の要望に応じてMBAで学ぶ経営フレームワークや論理思考、リーダーシップ開発などの講座を開講している。

　グロービスはその他にも、第1号ファンド、第2号ファンド、第3号ファンドを手がけるベンチャー・キャピタル事業、実践的な経営に関する知を発信する出版やオンライン経営情報誌「GLOBIS.JP」といった事業を展開している。

　いま、世の中は非常に大きな変革期を迎えている。グローバル競争の激化、少子高齢化に伴う国内消費の低迷、産業構造の変化、日本的雇用慣行の終焉等、経営を取り巻く環境は急速に複雑化、多様化している。この変革期に的確かつスピーディに意思決定するために、1人でも多くの経営者やビジネスパーソンが本書を手に取り、日々の仕事の一助にしていただくことを願っている。そして、本章の内容を評価してくださる方には、知人や上司、部下の方々などにご推薦いただければ幸甚である。

　本書の出版にあたっては数多くの方々のご協力をいただいた。本書の出版に多大な熱意を示し、貴重な助言をくださったダイヤモンド社の木山政行氏、小暮晶子氏に感謝する。

グロービス経営大学院学長
堀 義人

◆目次

はじめに

第1部 経営戦略

1 経営戦略の意義
1. 経営戦略の意義と企業の目的　2
2. 経営理念と戦略レベル　4
3. 戦略策定プロセス　6

2 全社戦略
4. 全社戦略の構成要素(1)：ドメイン　8
5. 全社戦略の構成要素(2)：コア・コンピタンスと資源配分　10
6. 事業ポートフォリオと事業ライフサイクル　12
7. ポートフォリオ・マトリクス　14
8. 事業拡大と多角化の基本戦略　16

3 事業戦略
9. 競争優位を築くための基本戦略　18
10. 事業の経済性分析　20
11. 外部環境分析　22
12. 業界分析：業界構造と「5つの力」　24
13. 業界分析：アドバンテージ・マトリクス　26
14. 内部分析：バリューチェーン（価値連鎖）　28
15. 競争上の地位に応じた戦略　30
16. 事業ライフサイクルに応じた戦略　32

4 経営戦略トピックス
17. 戦略形成に関する見方　34
18. M&Aとアライアンス　36
19. バリューチェーンの再構築　38
20. グローバル化と規格競争　40
21. CSR（増補）　42
22. 社会起業家（増補）　44

第2部 マーケティング

1 マーケティングとは何か
- 1 マーケティングの発想　48
- 2 マーケティングの役割　50
- 3 マーケティング・マネジメント　52

2 マーケティング環境分析
- 4 市場の機会の発見　54
- 5 マーケティング・リサーチ　56

3 市場戦略
- 6 セグメンテーションとターゲティング　58
- 7 ポジショニング　60

4 マーケティング・ミックス
- 8 製品特性　62
- 9 ブランド　64
- 10 新製品開発　66
- 11 製品ライフサイクル　68
- 12 価格と事業経済性　70
- 13 戦略的価格設定　72
- 14 流通チャネルの意義　74
- 15 流通チャネルの構築プロセス　76
- 16 購買決定プロセスとコミュニケーション手段　78
- 17 広告戦略　80
- 18 セールス・プロモーションと販売戦略　82

5 新しいマーケティング潮流
- 19 顧客維持型マーケティング　84
- 20 B to Bマーケティング　86
- 21 レピュテーション（増補）　88

第3部 アカウンティング

1 企業経営とアカウンティング
1 企業経営とアカウンティング　92
2 アカウンティングの目的　94

2 アカウンティングの基礎
3 収益および費用の認識　96
4 財務諸表の成り立ち　98
5 損益計算書　100
6 貸借対照表（資産）　102
7 貸借対照表（負債＋純資産）　104
8 キャッシュフロー計算書　106

3 会計トピックス
9 連結会計　108
10 税効果会計と退職給付会計　110
11 有価証券（時価会計）　112

4 指標分析
12 総合力分析：ROAとROE　114
13 収益性分析　116
14 安全性分析　118
15 株式市場が企業を評価する指標　120

5 財務諸表分析の注意点
16 たな卸資産　122
17 減価償却と固定資産　124

6 管理会計
18 損益分岐点分析　126
19 原価計算　128
20 マネジメント・コントロール　130
21 内部統制（増補）　132

第4部 ファイナンス

1 企業経営と企業財務
1. 企業経営と企業財務　136

2 ファイナンスの基本概念
2. ファイナンス理論の体系　138
3. 金銭の時間的価値：現在価値　140
4. DCF法　142

3 投資の意思決定
5. 投資評価のさまざまな方法　144
6. 分散投資の効果(1)：ポートフォリオ理論　146
7. 分散投資の効果(2)：効率的フロンティアと資本市場線　148
8. 分散投資の効果(3)：CAPM（資本資産価格モデル）　150

4 資金調達と資本政策
9. 企業の資金調達手段　152
10. 資本コスト　154
11. 株主資本コストの推定　156
12. 市場の効率性　158
13. 企業の最適資本構成(1)：理論　160
14. 企業の最適資本構成(2)：実際　162
15. 配当政策　164

5 企業価値
16. フリー・キャッシュフロー　166
17. 企業価値の算出　168
18. 株式評価モデル　170

6 今後の企業財務
19. EVA®　172
20. オプション理論の基礎　174
21. 企業買収防衛策（増補）　176
22. 投資ファンド（増補）　178

第5部 人・組織

1 企業経営と人・組織のマネジメント
1. 企業経営と人・組織のマネジメント　182
2. 人・組織のマネジメントに影響を及ぼす要因　184
3. 組織行動学と人的資源管理　186

2 リーダーシップ
4. リーダーシップとマネジメント　188
5. エンパワーメント　190
6. パワー　192

3 個人と集団の行動
7. モチベーションとインセンティブ　194
8. 集団のメカニズム　196
9. チーム・マネジメント　198
10. コミュニケーション　200
11. コンフリクト　202

4 組織と人事システム
12. 組織文化と企業経営　204
13. 組織設計　206
14. 組織形態　208
15. 人員配置　210
16. 報奨　212
17. 評価　214
18. 能力開発　216

5 これからの人・組織のマネジメント
19. 変革のマネジメント　218
20. 組織学習　220
21. ワーク・ライフ・バランス（増補）　222
22. メンタルヘルス（増補）　224

第6部 IT

1 企業経営とIT
  1 企業経営とIT 228
  2 企業活動とIT利用領域 230
  3 技術進化のとらえ方 232
  4 情報リテラシーと情報構造 234

2 業務システムの革新
  5 BPR 236
  6 ERP 238
  7 サプライチェーン・マネジメント 240
  8 ロジスティクス 242

3 インターネット
  9 インターネットのインパクト 244
  10 インターネット・ビジネス 246
  11 バーチャルとリアル 248
  12 マーケティングへの影響 250
  13 情報時代の顧客関係構築 252

4 ナレッジ・マネジメント
  14 ナレッジ経営と競争優位 254
  15 ナレッジ経営の要件 256

第7部 ゲーム理論・交渉術

1 企業経営とゲーム理論
1 企業経営とゲーム理論　260

2 ゲーム理論の基礎概念
2 ゲームの類型　262
3 同時進行ゲーム(1)：絶対優位の戦略・絶対劣位の戦略　264
4 同時進行ゲーム(2)：囚人のジレンマ　266
5 同時進行ゲーム(3)：男女の争い　268
6 同時進行ゲーム(4)：混合戦略　270
7 ミニマックス定理　272
8 交互進行ゲーム　274

3 ゲーム理論の応用
9 情報非対称ゲームの考え方　276
10 ゲームの転換　278

4 企業経営と交渉
11 ビジネスパーソンと交渉　280

5 交渉の基礎概念
12 交渉の構造と類型　282
13 交渉構造分析の基本概念　284
14 複数争点交渉　286

6 効果的な交渉
15 交渉と説得の3層構造　288

7 心理バイアス
16 交渉の準備プロセス：4ステップ・アプローチ　290
17 合理的な交渉を妨げる心理バイアス(1)　292
18 合理的な交渉を妨げる心理バイアス(2)　294

8 交渉の応用
19 交渉の諸戦術　296
20 交渉スタイル　298

参考文献　301
索引　305

第1部

経営戦略

● 1 経営戦略の意義

1 経営戦略の意義と企業の目的

> **POINT**
> 企業を成長・存続させるためには、企業が進むべき方向性を示し、自社の競争優位を持続させる実現可能な方策（戦略）を打ち出さなくてはならない。経営に関する理解を深め、リーダーシップを発揮することは、トップ・マネジメントだけではなく、企業を支えるミドル・マネジメントや将来のマネジメント層にも求められる。

◘経営戦略の意義

戦略にはさまざまな定義があるが、本書では戦略を「企業あるいは事業の目的を達成するために、持続的な競争優位を確立すべく構造化されたアクション・プラン」と定義する。明確な経営戦略を打ち出すことは、勝ち組の企業になるための条件の1つである。企業が保有する経営資源には限りがあり、選択と集中について考えなくてはならないからだ。経営戦略を策定することにより、何を行い何を行わないか、どのような強みを磨いていくのかが明らかになる。さらに、企業としての方向性をはっきりと示すことで、企業活動を支える内外関係者の共感を得たり、従業員の能力を十分に引き出したりすることが可能になる。

戦略を策定する場合はまず、どの分野へいかにして進むのかを決める。そして、環境変化や競合企業の動きに対して、自社に最も有利となり、かつ競争優位を持続できる道筋を選択する。このとき、単発の対応ではなく仕組みとして機能すること、実行可能な施策であることも重要だ。これらの要件を満たすのが優れた戦略である。

◘企業の目的

戦略策定では方向性を示さなくてはならないが、その前にまず企業の目的を知っておく必要がある。そもそも企業は何のために日々の活動を行っているのだろうか。経営者の第一の使命は株主価値の最大化である。欧米では「企業は株主のもの」という考え方が一般的だ。日本でもグローバル化や市場の要請を受けて、IR（インベスターズ・リレーションズ：投資家向け広報活動）の強化や利益重視の経営指標の導入など、企業経営の透明性を高め、株主重視の姿勢を打ち出そうとする企業が増えている。しかし、株主だけを重視していればよいというわけでもない。たとえば、株主価値の最大化のためには顧客にとっての価値を最大化する必要がある。顧客に支

持されない企業は業績を伸ばすことができず、企業価値や株価を高めることもできないからだ。

したがって、企業は顧客やパートナー、あるいはその背後にある社会に対して、その一員として存在意義を示す必要がある。企業が社会に対して存在意義を示す、つまり有益な付加価値を提供することは、従業員の知恵が付加価値の源泉となってはじめて可能になる。また、現在は技術やグローバル化の進展により、自社のみですべてを完結させることは不可能だ。パートナーと協力しながら、共に成長していくことの必要性が高まっている。

このように、株主重視の経営を行うためには、株主以外のステークホルダーの満足にも目を向けなくてはならない。つまり、企業の目的はステークホルダー間のバランスをとりながら、付加価値を提供し、成長し続けることと言えよう。

◆リーダーシップの重要性

企業にとって競争優位を持続させることは簡単ではない。過去の成功体験が強いほどそれに引きずられて、新しい試みや思い切った行動がとれなくなる。その結果、環境変化に対応できず、競争力を失ってしまうのだ。そうした「成功の復讐」を多くの優良企業が味わってきた。激しい環境変化の中で競争力を保つには、企業変革の重要性を認識し、大胆な戦略を打ち出し、スピーディに行動しなくてはならない。それには、現状を見極め、迅速に意思決定を下せるリーダーの存在が不可欠だ。とくにトップ・マネジメントには、企業の目指す方向性やビジョンの提示、その実現に向けてステークホルダーを巻き込む力、過去の成功体験にとらわれずに変化を受け入れる度量の広さなどが求められる。

その一方で、リーダーシップはトップだけに求められるものではない。企業変革の担い手はミドル・マネジメントであることも多い。企業目的や自社の立場を理解し、戦略代替案を考え、最適な戦略を選んで実行に移すという一連の変革プロセスを遂行するには、事業や機能のレベルにおいてもリーダーシップが必要になる。

企業変革の概念図

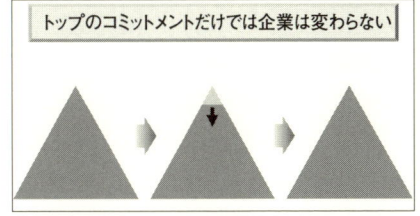
トップのコミットメントだけでは企業は変わらない

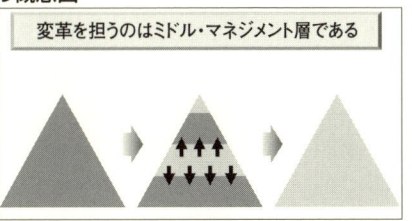
変革を担うのはミドル・マネジメント層である

●········· 1　経営戦略の意義

2　経営理念と戦略レベル

POINT

経営理念やビジョンは企業の存在意義や使命を普遍的な形で表したものであり、経営戦略はそれを具現化するための基本的な枠組みだ。経営戦略は全社戦略、事業戦略、機能戦略から構成される。それぞれの戦略レベルにおいて、経営理念やビジョンとの一貫性や、他の戦略レベルとの整合性を持たせることが重要だ。

◖経営理念／ビジョン

　経営理念（企業理念とも呼ばれる）は、企業の存在意義や使命を普遍的な形で表した基本的価値観である。経営理念を通じて、経営者は「会社や組織は何のために存在するのか、経営をどういう目的でどのような形で行うのか」といった基本的な考え方をステークホルダーに知らしめ、従業員に対して行動や判断の指針を与える。そうした価値観に対して従業員の共感が得られれば、企業内の求心力が高まり、働くインセンティブにもつながる。このように、経営理念は企業文化の形成においても重要な役割を果たしている。

　経営理念は行動規範や成功の必須条件、経営姿勢、企業の存在意義などさまざまな形で表現されるが、一般的には時代の流れを超えた長期的な視点で、社会（顧客）と従業員に関する考えを語ったものが多い。

　これに対してビジョンは、経営理念で規定された経営姿勢や存在意義に基づき、ある時点までに「こうなっていたい」と考える到達点、つまり自社が目指す中期的なイメージを、投資家や従業員や社会全体に向けて示したものだ。

◖戦略レベル

　経営理念やビジョンは経営者の意志や従業員の夢を表しているが、企業の現実の姿との間にはギャップが存在するものである。経営戦略はそのギャップを埋めるための具体的な方法論を示すものだ。経営戦略は通常、全社的な視点（全社戦略）、個別事業の視点（事業戦略）、機能別の視点（機能戦略）という3つの戦略レベルで策定される。それぞれ検討すべき内容や役割は異なるが、いずれのレベルでも、経営理念やビジョンとの一貫性、戦略レベル間での整合性を保つ必要がある。

■**全社戦略：**どの事業領域（事業ドメイン）で戦い、何を競争力の源泉とし、どのよ

うな事業の組み合わせ（事業ポートフォリオ）を持ち、どのように経営資源を各事業に配分するかを決定する。単一の事業しか持たない企業であれば全社戦略と事業戦略は一致しているが、複数の事業を手がける企業（多角化企業）の場合、事業ごとの戦略以外に企業全体としての視点が必要になる。その理由は、各事業への資源配分において全社最適化しなくてはならないからだ。

たとえば、成長分野に多くの新規事業を持っている企業の場合、各事業が個別に最適な戦略を追求すると、会社全体として経営資源の制約を超えてしまうおそれがある。具体的には、その事業で必要とする人材と会社としてその部門に配置できる人材の質や量が一致しなかったり、投資が重なって財務面での許容範囲を超えてしまったりすることが考えられる。こうした事態を避けるために、全社的な視点で事業間の調整を図り、資源配分の優先順位を決定する必要がある。

また、事業間には一般に相乗効果（シナジー）が働く。この効果を考慮して戦略を構築すれば、単独で事業を運営するよりも大きな成果が得られる。たとえば、ある事業で培われた技術力やブランドを他事業に転用したり、ノウハウや人材を事業間で移転・共有することで、経営効率は高まる。

■**事業戦略**：個別の事業分野において競争に勝ち抜くための戦略を考える。全社戦略では多数の事業を対象とするため、事業ごとに競合企業や顧客が異なる場合がある。これに対して、事業戦略では具体的な事業分野や事業を扱うので、特定市場における企業間の競争を分析することが可能だ。分析結果をもとに、より具体的なアクション・プランを策定・実施することが求められる。

■**機能戦略**：営業戦略や財務戦略、人事戦略などのように、事業戦略を実現させるための施策を機能別に落とし込み、機能別の視点から戦略をいかに実施していくかを考える。事業戦略と機能戦略は図のようなマトリクスの関係にある。

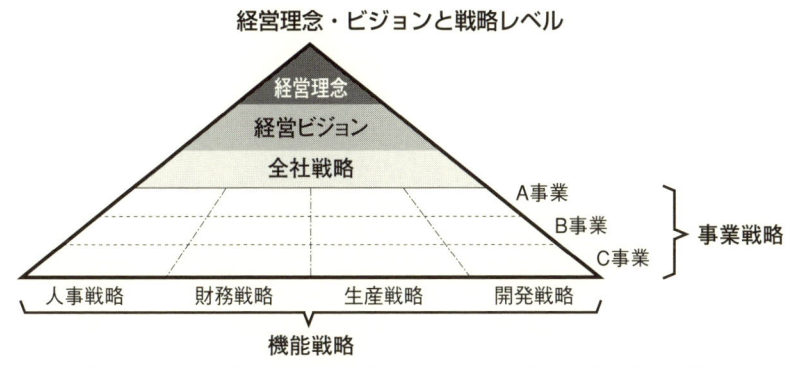

経営理念・ビジョンと戦略レベル

1 経営戦略の意義

3 戦略策定プロセス

POINT
戦略策定プロセスとは、経営理念やビジョンを実行可能なアクション・プランに落とし込む際の基本的な流れを指す。このプロセスは一方通行の流れではなく、仮説・検証を繰り返したり、実施結果や環境変化に応じて戦略の見直しを行うことも大切だ。

◻︎戦略策定プロセス

　基本的な戦略策定のプロセスは通常、図のような流れをたどる。必ずしも一方向の流れではなく、仮説・検証を繰り返しながら進んでいく。また、一度策定した戦略がある時点で成功したからといって、それで戦略策定が終わるのではない。経営環境が同じ状態にとどまることはないから、環境変化に応じて戦略を見直し、再定義しなくてはならない。

　それでは、戦略策定プロセスの概要をステップごとに説明していこう。

■**経営理念・ビジョン**：戦略目標を設定する際の思想的なバックボーンとなる（＜2＞参照）。

■**環境分析**：環境分析では自社を取り巻く内外の環境に目を配る。外部環境は自社が直接コントロールできない社外の環境を指す。大きなトレンドや変化の兆しを明らかにしたり、市場のニーズや競争環境を把握することは、市場における機会と脅威の発見につながる。一方、内部環境では自社がコントロール可能な経営資源が分析の対象だ。経営資源や自社の構造上の強みや弱みを冷静に把握することにより、自社にとってのビジネスチャンスを見つけやすくなる（＜11＞～＜14＞参照）。

■**成功要因**（Key Success Factor）**の抽出**：環境分析の結果を踏まえて、当該事業を成功させるための要件を探り、それを実現するために何をすべきかを検討する。

■**戦略オプションの立案**：外部環境の変化や競合の出方のパターンなどに応じて、事業目標に到達するために戦略案（戦略オプション）を何通りか考え出し、事業展開の可能性を探る。

■**戦略の選択**：戦略オプションごとに、予想される結果や必要となる資源、実行の難易度などを検討し、実行すべき戦略を絞り込む。

■**戦略の実行**：戦略の遂行度合いを示す何らかの指標を設定し、どの程度実行されているかを把握できるようにする。また、いくつものアクション・プランが整合性

を保ちながら実行できるように、評価・報奨制度、コミュニケーション、意思決定のルールなども整備する。
■**戦略のレビュー**：当初設定した期間終了後に、期待された効果を上げたか確認する。うまくいかなかった場合はその原因を解明し、必要に応じて修正案を考える。

◘戦略策定に要求される2つの条件

　優れた戦略を策定・実施するには、「合理性と論理性」「創造性と革新性」という2つの異なる条件を満たすことが求められる。

　戦略策定では、合理性や論理性の発揮が求められる。とくに、❶事実を客観的に観察し、論理的に組み立てて分析する、❷推論と事実とを組み合わせて、問題の構造（真の問題）に迫る、❸真の問題に対応・解決できる方策を組み立てる、という場面ではそうだ。その一方で、戦略の策定や実施に関わる人々を動かすには、信念や夢、リスクへの挑戦、既存の組織風土の打破、革新的なものの見方など、人間的な側面に働きかける力が必要になる。戦略が有効であるためには、合理性や論理性に加え、創造性や革新性などの要素も体現しなくてはならない。

　戦略は組織や企業風土とも密接な関わりを持つ。戦略は組織の現状によって制約を受けるが、同時に戦略は組織を変革するものでなくてはならない。

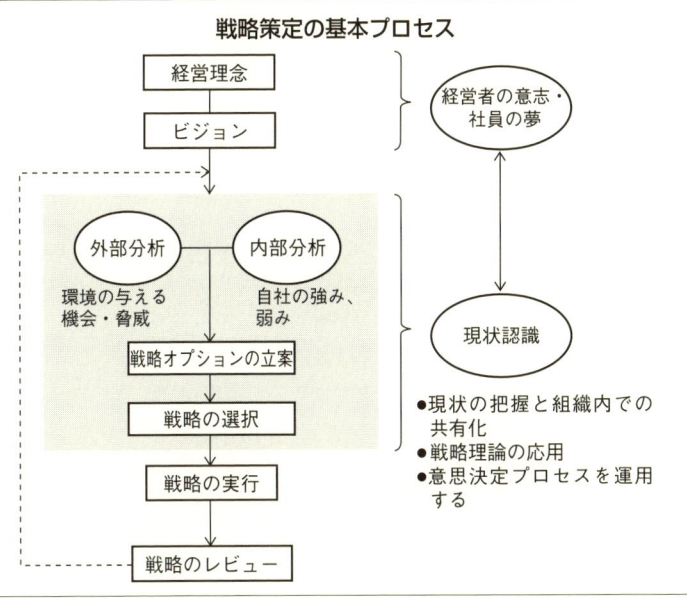

戦略策定の基本プロセス

● 2　全社戦略

4　全社戦略の構成要素（1）：ドメイン

> **POINT**
> 全社戦略を考える際には、ドメイン、コア・コンピタンス、資源配分の3つの要素に注目する必要がある。このうち、ドメインは戦う領域を限定するもので、企業活動の指針となる。

◘ 全社戦略の3つの要素

　全社戦略では主に、❶ドメイン（事業を展開する領域）、❷コア・コンピタンス（企業の中核的な力）、❸資源配分（経営資源の全体的な最適化）に注目する必要がある。これらは持続的な競争優位を構築するために不可欠な要素だ。つまり、❶どこで戦うのか「戦う土俵」を決め、❷そこで他社より優位に立てる能力を発揮し、❸その優位性を維持・発展できるように経営資源（ヒト、モノ、カネなど）を配分することによって、その企業の競争優位は確固たるものになる。
　ここでは、ドメインについて考えていく。コア・コンピタンスと資源配分については＜5＞で説明する。

◘ ドメインの重要性

　ドメインは組織活動の指針となるもので、企業の方向性を示すうえで非常に重要だ。ドメインの決定とは、「戦う場所」を決めるだけではなく、「戦わない場所」を明らかにすることでもある。事業ドメインを広げすぎたため、多角化や買収を繰り返し、経営体力を弱らせた企業は少なくない。現在の厳しい競争環境の中では、限られた資源を使って自社が最も有利に戦える場所を選び、そこに資源を集中させることが、以前にもまして必要になっている。
　ドメインをどう定義するかという議論を重ねるなかで、組織全体として戦うべき方向性を見定めることができる。たとえば鉄道会社の場合、ドメインを「鉄道による輸送事業」と定義した場合と「総合輸送事業」と定義した場合とでは、おのずと環境変化への対応が違ってくる。輸送手段の進歩や競争環境の変化を受けて、前者は鉄道という枠の中で優位性の確立を模索するのに対し、後者の場合は車や飛行機など他の輸送手段も視野に入れながら戦略を考えていくだろう。さらに見方を変えて、ドメインを「目的地への移動手段を提供する事業」や「目的地まで移動する楽しさや快適さを提供する事業」と定義すれば、実現すべき要件はさらに変わってく

るため、新たな視点で方向性や戦略を考えることになるだろう。

◧ドメインの決定要因

　ドメインを決めるときには、製品やサービス（製品軸）から定義したり、市場ニーズ（市場軸）から定義したりする方法がある。製品やサービスからの定義とは、自社の持つ製品の優位性や特徴などを最も効果的に発揮できる領域を選んで、事業展開を図っていくやり方だ。たとえば、カゴメは「トマト」を軸に種子、栽培、加工などの事業を展開している。一方、市場ニーズからの定義とは、同じような性格を持つ顧客をひとくくりにして、その顧客層をターゲットとした事業をドメインとするやり方だ。法人顧客や個人の富裕層をターゲットとして金融サービスを展開しているシティバンクなどがこの例に該当する。

　また近年は、自社の競争優位の源泉となるコア・コンピタンスを軸にドメインを定める企業もある。たとえば、シャープは液晶技術というコア・コンピタンスを基盤として、AV機器や情報・通信機器、電子部品などさまざまな領域で事業を展開している。

　ドメインを決めるときのポイントは、自社の強みを十分に発揮できるかどうかだ。また、将来の成長を見込めるような定義にすることも大切だ。市場のニーズも、自社の製品やサービスも常に変化していく。そうした変化に合わせてドメインの広さを変えたり、切り口を変えたりして柔軟に対応することが求められる。たとえば、IBMはかつてのコンピュータの製造販売からソリューションの提供へと事業の定義を変えて成功している。

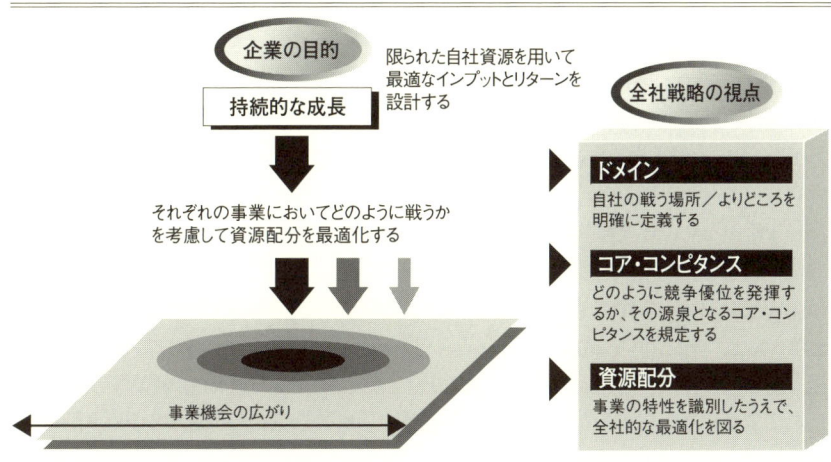

2 全社戦略

5 全社戦略の構成要素（２）：コア・コンピタンスと資源配分

POINT

コア・コンピタンスは企業内部で培った中核的な力（企業能力）のことで、自社独自の価値を生み出す源泉となる。
企業は保有する事業や製品に対して限りある経営資源を適正に配分しなければならない。不足している経営資源や能力はアライアンスやアウトソーシングなどを戦略的に用いて補完する方法もある。

◆コア・コンピタンス

全社戦略で考えなくてはならない2つめの視点は、コア・コンピタンスの選択と育成だ。ロンドン・ビジネススクールのG.ハメル教授とミシガン大学ビジネススクールのC.K.プラハラード教授は、コア・コンピタンスを「顧客に対して、他社には真似のできない自社ならではの価値を提供する、企業の中核的な力」と定義している。つまり、コア・コンピタンスとは、企業内部に培ったさまざまな能力のうち、競争のための手段として最も有効なものを指す。

優秀な企業には何らかのコア・コンピタンスを見出すことができる。たとえば、スポーツシューズ・メーカーのナイキは、ブランドを構築し育てる能力に秀でている。他社製品と比べて技術面や品質面で特別に大きな差がない場合でも、消費者がナイキのシューズに対して高い価値を感じるのは、ブランド力に負うところが大きい。コア・コンピタンスはブランドに限らず、技術開発力や物流ネットワーク、生産方式、共通の価値観などさまざまだ。企業は何をコア・コンピタンスとすべきかを見極め、長期的に培っていかなくてはならない。

コア・コンピタンスを見極める場合、以下の点について考える必要がある。❶模倣可能性（Imitability）、❷移転可能性（Transferability）、❸代替可能性（Substitutability）、❹希少性（Scarcity）、❺耐久性（Durability）の5つだ。一般的に、❶❷❸の可能性が低いほど（他社が簡単に真似したり、保有したりすることが難しく、代替品も少ない場合）、また❹❺が高いほど（手に入りにくく、耐久性に優れている場合）、競争優位は持続しやすくなると言われる。どの要素が有効かは市場環境や競争環境によって異なる。さらに、競争優位を築いたとしても、市場環境の変化とともに陳腐化するおそれがあるため、継続的な投資やコア・コンピタンスの再定義、新たな能力の育成などの努力が欠かせない。

◖経営資源の配分

全社戦略における3つめの視点は、自社の事業や製品に対する資源配分だ。とくに複数の事業を持つ企業の場合は、個々の事業の成否だけではなく、全社的な視点で適正な資源配分を考える必要がある。特定の事業に資源を注ぎ込みすぎると、他の事業で資金や人材が不足し、うまく運営できなくなり、経営基盤の脆弱化につながりかねないからだ。適正な資源配分を行うためには、まず各事業の現在の状況を明らかにしたうえで、事業目的の設定や投資方針の決定を行う必要がある。また、どのような事業を組み合わせるとよいかという判断も重要だ。この点については、<6>で詳しく説明する。

◖経営資源の補完

不足している経営資源や能力は、社内で育成する以外に、他企業を買収して取り込む方法や、アライアンス（他企業との提携・協力）やアウトソーシング（外部への業務委託）などのように外部資源を用いて補完する方法がある。

アウトソーシングといえば、以前は元請けや下請けのような上下関係によるものや、周辺業務などの利用に限られていた。しかし最近では、人事や経理などの管理業務から、製造、物流、研究開発、営業販売に至る幅広い機能を外部の専門機関に委託する企業が増えている。そこには、コスト削減効果はもちろんのこと、自社で行うよりも高い付加価値が享受できるという戦略的判断が働いている。

その一方で、外部資源の利用には、情報流出のリスクや、社内にノウハウが蓄積されないといったデメリットも存在する。経営のスピードや高い効率性が求められる競争環境においては、自社に必要な機能や能力を十分に見極めることと、メリットとデメリットを考慮しながら外部資源の有効利用を考えることが重要だ。

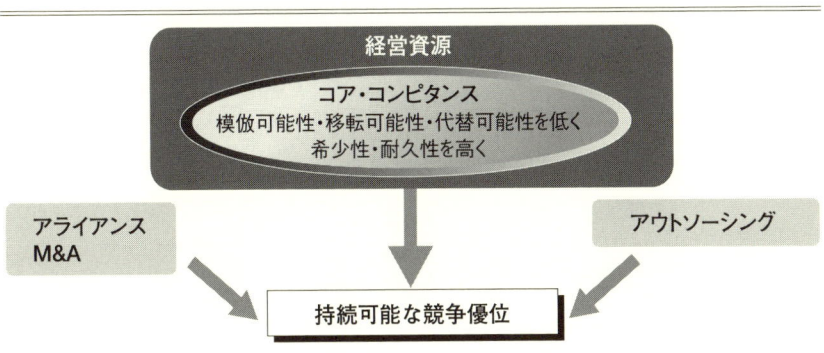

2 全社戦略

6 事業ポートフォリオと事業ライフサイクル

POINT

適正な資源配分を考えるには、事業ポートフォリオと事業ライフサイクルという考え方を理解しておくとよい。事業ポートフォリオは、①事業の魅力度、②自社の競争優位、③他の事業とのシナジーという3つの視点から考える必要がある。また市場は通常、導入期・成長期・成熟期・衰退期の4段階を経るが、それぞれ戦略課題が異なることに注意しよう。

◆事業ポートフォリオ

　事業ポートフォリオは、さまざまな事業機会と自社の経営資源のバランスをとりながら、事業の選択や組み合わせを考えていく方法だ。企業が複数の事業活動を行う背景には、事業領域の拡大によって成長の機会を獲得したり、事業環境の変化によるリスクを分散するといった目的がある。そのため、どのような組み合わせで事業を保有すると有効か、全社的な判断が求められる。事業ポートフォリオを検討する場合、少なくとも次の3つの視点で考えるとよい。

1 事業の魅力度：これは、簡単に言えば、その事業が儲かるかどうかということだ。事業の魅力度を測る尺度として、事業の市場規模、市場の成長性、産業の収益性、収益変動のリスク、国際化の可能性などが挙げられる。

2 競争上の優位性：これは、仮にその事業を始めた場合、自社に勝ち目があるかどうかということだ。この場合の尺度としては、市場占有率など市場における地位、他社と比較した相対的な収益性、組織の各機能の優劣評価などが考えられる。

3 事業間のシナジー：シナジーとは、企業が複数の事業を持つことによって、それぞれを単独で運営したときよりも大きな効果が得られることを言う。技術力や生産設備、営業網の共有によるコスト面のメリット、ブランドやノウハウ、人材の移転などによる効率性の向上など、さまざまな部分でシナジーが働く。新規事業の潜在競争力を評価する際には、部分的に既存資源を流用できるかという点だけではなく、関連する事業間で双方向的に発生するシナジーにも留意しなくてはならない。これらの要素を単純化し、マトリクスで整理する方法は<7>で説明する。

◆事業ライフサイクル

　市場の成長性や適正な資源配分を考えるときには、事業ライフサイクルを理解し

ておくとよい。これは「ある製品や市場は必ず誕生から衰退までの流れを持ち、その段階に応じてとるべき戦略は異なる」とする考え方で、❶導入期、❷成長期、❸成熟期、❹衰退期の4段階で事業をとらえる。下記のように、各段階で競争環境や顧客のニーズ、必要な資金、戦略課題が変わることに注意が必要だ。

❶導入期は売上高も利益も低く、キャッシュフローもマイナスだ。競合企業はほとんどないが、需要拡大のために顧客に対するPR活動に力を入れる必要がある。この時期、企業には世の中の流れやニーズに即応したアイデアを持ち、それを事業化するノウハウが求められる。

❷成長期になると、売上高が急速に伸び、利益も上昇する。キャッシュフローもプラスに転じるが、競合他社の参入は増える。競争が激しくなるため、他社との差別化を図る必要がある。また、企業は事業規模の拡大に応じ、マネジメントのノウハウをレベルアップさせなくてはならない。

❸成熟期になると、売上高は低成長に転じ、利益も低下するが、投資額が少ないためキャッシュフローはプラスになる。競争が激化するため、競争上の優位性が築けなければ敗者となる。業界構造は固定化し、少数の企業が大部分の市場シェアを獲得して、低価格を武器に販売量を拡大する戦略がしばしば用いられる。小規模な下位企業は生き残るために、特定セグメントに集中する戦略をとることが多い。

❹衰退期になると、売上高は低下し、利益も減少する。新規投資が不要なため一部のリーダー企業は利益を出すことができるが、安定した収益を上げ続けるには効率性の追求が不可欠である。他の企業は、撤退か、イノベーションによる新たな価値の創造か、という選択を迫られることになる。

事業間シナジーと事業ライフサイクル

2 全社戦略

7 ポートフォリオ・マトリクス

> **POINT**
> ポートフォリオ・マトリクスは、事業ポートフォリオを考察するときに有効だ。ポイントとなる要素を絞り込んで2軸にまとめたマトリクスを作成し、各事業を位置づけることにより、その事業に関する示唆が得られる。代表的なものに、BCGのPPMとGEのポートフォリオがある。

◆BCGのPPM

　事業ポートフォリオを考えるフレームワークとして、コンサルティング会社のボストン・コンサルティング・グループ（以下BCG）が考案したプロダクト・ポートフォリオ・マネジメント（PPM）モデルがある。これは、事業ポートフォリオ構築の3要素（＜6＞参照）のうち、事業の魅力度と競争上の優位性の評価を単純化したモデルだ。資金を生み出す事業と投資が必要な事業とを区分し、資源配分の最適化を図る目的で考案された。

　PPMは2つの考え方がベースになっている。1つは、市場の成長は時とともに低下し、成長性の高い事業は多くの資金を必要とするという「事業ライフサイクル」の考え方だ（＜6＞参照）。もうひとつは、製品の生産量が多くなれば単位当たりのコストが下がり、生産性が向上することから、シェアの高い企業のほうが、低い企業よりも相対的に低コストで生産し高い収益が得られるという「経験曲線」の考え方だ（＜10＞参照）。これらの前提をもとに、「市場成長率」と「相対マーケットシェア」という2軸でマトリクスをつくり、事業を4つの象限に類別している。

　シェアは高いが成長性の低い「金のなる木」（Cash Cow）では、投資をシェアの維持に必要な最小限度にとどめて収益を上げ、キャッシュを回収する戦略をとり、他の事業への資金源とする。シェアも成長性も高い「花形事業」（Star）は、現在のシェアを維持しつつ成長するための投資を行い、"将来の金のなる木"に育てる。成長性は高いがシェアの低い「問題児」（Question Mark）は、早いうちに集中投資してシェアを拡大する戦略をとるか、思い切って撤退するかの判断が必要だ。つまり、問題児の数を減らして一部に集中投資し、花形事業を育てるという「選択と集中」の戦略である。最後に、シェアも成長性も低い「負け犬」（Dog）は見込みがないため、買い手がいるうちに売却するなどの撤退戦略をとる。

　PPMはシンプルでわかりやすい半面、気をつけなくてはならない点もある。たと

えば、市場成長率が鈍化しても、必ずしも市場が衰退するとは限らず、成熟市場が再活性化することも多々ある。また、シェアが低くてもキャッシュフローがプラスだったり、利益を生んでいるケースも多い。さらに、解決策が1つしかないと考えたり、議論のプロセスを軽視した決めつけになりかねない。負け犬と位置づけられた事業部の士気低下も懸念される。

◆GEのポートフォリオ

PPMの限界を補うものとしてゼネラル・エレクトリック（以下GE）とコンサルティング会社のマッキンゼー・アンド・カンパニー（以下マッキンゼー）が考案したのが、ビジネス・スクリーン（GEのポートフォリオ）だ。このモデルは、市場や競合、収益性などに関する複数の指標の組み合わせでできた2軸、「事業地位」（その事業の相対的な強さ）と「業界の魅力度」によって各事業をマトリクス上に位置づけ、資源配分の検討を行う。各軸ではそれぞれ3段階の評価を行い、9個の象限を3つずつ色分けする。事業地位が高く、業界の魅力度が高いほど優先的に投資を増強する。逆に、事業地位が低く、業界の魅力度が低いほど投資を控え、利益回収を目指す。3段階の評価を行うことで分類が精密になり、撤退や資金回収について性急な結論に達するおそれが少なくなるというメリットがある。

その一方で、GEのポートフォリオにも限界が指摘されている。指標のとり方が主観的なことや、指標に内部データを多用しているので他社との比較が困難な点などである。BCGとGEのどちらのポートフォリオが優れているかではなく、両者の利点と限界を理解しながら、目的に応じて使い分けることがポイントだ。

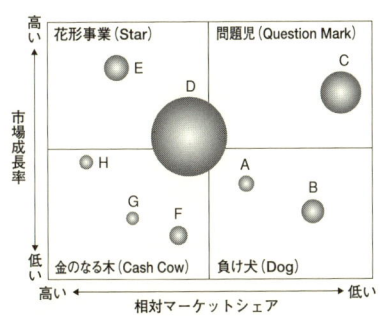
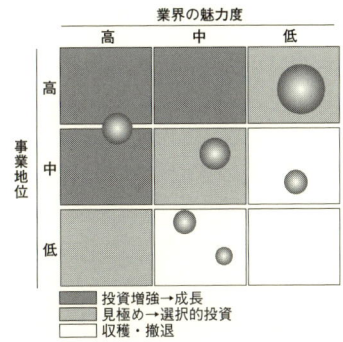

2 全社戦略

8 事業拡大と多角化の基本戦略

> **POINT**
> 企業は成長するために、いろいろな方向（成長ベクトル）への多角化を図る。成長ベクトルの選択は、事業ポートフォリオにおけるシナジーに大きく影響を与える。

◧ポートフォリオ開発の方向性

　事業の拡大を考える場合、他の事業との関連を考慮する必要がある。それまでに築いた資産や既存事業での成功体験の上に次の事業を展開するほうが、成功の確率は高くなるからだ。このことを概念的に示したのが、経営学者のH.I.アンゾフが提唱した事業拡大マトリクス（製品・市場マトリクスとも呼ばれる）である（図を参照）。

　このマトリクスは、事業拡大を製品軸と市場軸でとらえる。企業の事業拡大は、まず既存事業の市場浸透から始まる。そして、そこでの成長が難しくなると、他の方向へ向かう。1つめは、同じ市場に対して新しい製品開発を行い、製品群の守備範囲を広げる右方向への拡大だ。2つめは、製品は変えずに新たな顧客を取り込み、市場拡大を図る下方向への拡大だ。3つめは新製品を新市場に展開する右下方向への拡大で、これが一般的に言われる「多角化」に相当する。

　多角化には既存事業との関連性が高いものと低いものがある。市場と製品が新しい場合は通常、既存事業との関連性が低くなるが、流通や技術などの共通性がある場合は既存事業との関連性は高くなる。これらの共通性を反映して、カリフォルニア大学バークレー校のD.A.アーカー教授は、アンゾフのマトリクスに第3の軸（図の奥行きの軸）を加えている。

◧多角化のメリット

　アンゾフの当初のマトリクスは単純なコンセプトだが、多角化における本業との関係の強さの重要性を示している。つまり、本業の関連領域からスタートしたり、他の事業に展開する場合は本業との共通性を確保することにより、さまざまなメリットが得られることを暗黙裡に示している。

　メリットとしてはまず、流通チャネルや技術、製造、人材、ブランド、ノウハウ、管理などに関して、コスト面や付加価値面でのシナジーが得られる。たとえば、郵便局が簡易保険事業を展開する場合、流通チャネルや販売要員を活用できる。また、

人事部門が人材派遣業に進出したり、商社の運輸部門が運輸事業に進出する場合は、業務の中で培われた人材やノウハウを活用できる。

ほかにも、企業全体として収益源が複数になることで、リスク分散の効果が期待できる。

◘事業の多角化のジレンマ

事業拡大の方向性やシナジーなどのメリットを考慮しても、多角化には次のようなジレンマが存在する。

1つめのジレンマは、多角化の対象として、将来にわたって成長が見込まれる魅力度の高い分野を選ぶ企業が多いため、競争が激化しがちなことだ。「成長分野は混雑分野」と言われるように、多くの日本企業が横並び的に新事業を展開してきた。

2つめは、自社の経営資源をすぐに有効活用できる分野を選ぶと、結果的に既存事業での競争関係がそのまま新規事業にも持ち込まれてしまうことだ。そうなると、従来の競争で不利な状況にある企業は力関係を変えられずに、新しい事業でも優位性を構築できないおそれがある。

3つめは組織に関するジレンマだ。新規事業を成功させるために本業とは違った行動様式や企業文化が必要な場合、既存の企業文化や社内の諸制度が事業展開の障害になることが多い。

ほかにも、多角化を重ねることで自社の事業ドメインが曖昧になり、本業を見失う危険もある。その結果、企業の求心力が弱まったり、経営資源の分散化が進み、どの分野でも優位性を保てなくなるような事態が起こりうる。

一方、多角化をあきらめて現状維持で行けば、既存事業の成熟化とともに企業自体が衰退していくおそれがある。成長と持続的な競争優位を確立するためには、これらのジレンマを理解したうえで、可能な限り解決していく努力が必要になる。

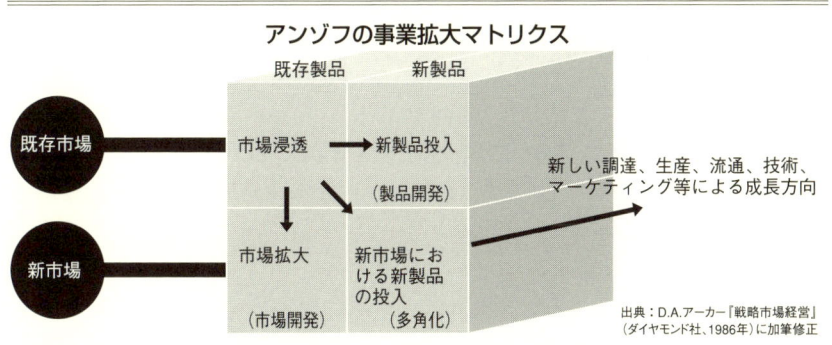

アンゾフの事業拡大マトリクス

出典：D.A.アーカー『戦略市場経営』（ダイヤモンド社、1986年）に加筆修正

3 事業戦略

9 競争優位を築くための基本戦略

> **POINT**
> 競争優位を築くための基本戦略として、コスト・リーダーシップ戦略、差別化戦略、集中戦略の3つがある。事業特性や市場環境、自社の経営資源などを十分に考慮し、どの戦略が有効であるか判断する。

◘ 3つの基本戦略

＜9＞〜＜16＞では事業レベルの戦略について考えていく。事業戦略や競争戦略の策定では、他社に対していかに競争優位を築くかが焦点になる。ハーバード大学ビジネススクールのM.E.ポーター教授は、競争優位の構築には3つの基本的な戦略パターンがあるとしている。コスト面で優位に立つ「コスト・リーダーシップ戦略」、コスト以外で差別化する「差別化戦略」、特定の領域に特化する「集中戦略」だ。いずれかの戦略パターンを実現できていない事業は窮地に立たされることが多い。したがって、戦略策定の際には、自社の経営資源と事業特性を十分に考慮して、どの戦略をとるのかを明確にする必要がある。

■コスト・リーダーシップ戦略

コスト・リーダーシップ戦略はコストを中心に競争優位を確立することに主眼を置くもので、「競合他社よりも低いコストを実現すること」が基本テーマとなる。

この戦略の勝ちパターンには、次のような例がある。まず、大規模な生産設備への投資をいち早く行い、大量生産の体制を整える。そして、参入当初は赤字を覚悟のうえで、早期のシェア獲得を目指すペネトレーション・プライシング（市場浸透価格戦略）を行う（第2部＜13＞参照）。ひとたび高いシェアを確保すれば、規模の経済と経験曲線（＜10＞参照）が機能してさらに低コストを実現できるようになり、高い利益率も確保できる。そうして蓄積された利益は、コスト・リーダーシップを強化するための再投資にまわすことが可能になる。

この戦略は、コスト以外の要因で競争優位を実現することが難しい「規模型事業」の場合に非常に有効だが、規模拡大が必ずしも収益性に直結しない事業では通用しにくい（事業タイプについては＜13＞参照）。

■差別化戦略

差別化戦略では「自社の製品を差別化して、業界の中でもユニークだと見られる何かを創造すること」が基本テーマだ。そのユニークさは、顧客に価値として認識

され、競合が簡単に模倣できないものでなければならない。差別化の源泉としては、ブランド・イメージや独自技術、製品（性能やデザイン）、顧客サービス、販売チャネルなど、さまざまなものが挙げられる。

　差別化に成功すれば、相対的な高価格を実現することが可能になり、高マージンにより生み出される利益をさらなる差別化のための再投資に充当できる。ただし、差別化は特異性をアピールする側面もあるので、一部の熱狂的なファンは獲得できても、大衆の支持を得られないおそれがある。また、差別化を実現するには研究開発や製品設計、高品質素材の利用、高度なサービスなどが必要となるため、通常よりコストがかかることが多い。競合他社と比べてコスト面の差があまりにも広がると、競合につけ入る隙を与えるおそれがある。

■集中戦略

　集中戦略は「特定の顧客層、特定の製品、特定の市場など限られた領域に企業の経営資源を集中すること」が基本テーマだ。コスト・リーダーシップ戦略と差別化戦略では市場のほぼ全体を対象にしているが、集中戦略では特定のターゲットだけを狙う。これは、ターゲットを絞り込むことで、ターゲットを広くした競合他社に比べて、より効果的に、かつ効率よく戦うことができるという考え方に基づく。

　集中戦略のリスクとしては、ターゲット市場での価格が高くなりすぎて顧客の許容範囲を超えてしまい、集中化によって実現した差別化の価値を維持できなくなることが考えられる。また、戦略的に絞り込んだターゲット市場と全体市場との間で要求される製品のニーズの差が小さくなると、集中の効果が減殺されることがある。さらに、ターゲット市場そのものが縮小したり消滅してしまうおそれもある。

M.E.ポーターの競争戦略フレームワーク

		競争優位のタイプ	
		他社よりも低いコスト	顧客が認める特異性
戦略ターゲットの幅	広いターゲット（業界全体）	**コスト・リーダーシップ戦略** 業界全体の広い市場をターゲットに他社のどこよりも低いコストで評判を取り、競争に勝つ戦略	**差別化戦略** 製品品質、品揃え、流通チャネル、メンテナンスサービスなどの違いを業界内の多くの顧客に認めてもらい、競争相手より優位に立つ戦略
	狭いターゲット（特定の分野）	**集中戦略** 特定市場に的を絞り、ヒト、モノ、カネの資源を集中的に投入して競争に勝つ戦略	
		コスト集中	差別化集中
		特定の市場でコスト優位に立ち、競争に勝つ戦略	特定の市場で差別化して優位に立ち、競争に勝つ戦略

出典：M.E. ポーター『競争優位の戦略』（ダイヤモンド社、1985年）より編集

3 事業戦略

10 事業の経済性分析

POINT

戦略をコスト面から分析するための事業経済性の考え方には、①事業の規模の大きさによって低コストを実現するという「規模の経済」、②累積経験量を増やしてコストダウンを図るという「経験曲線」、③事業活動の範囲を広げることによって資源を有効活用し、経済効率を高めるという「範囲の経済」の3つがある。

◆規模の経済

　一般的に企業のコストは、生産量にかかわらず一定の固定費と、生産量に比例する変動費に分解できる。単位当たりの変動費は製品の生産量が増えても一定であるが、単位当たりの固定費は生産量が増えると低下する。すなわち、固定費の部分は規模が大きくなればなるほどコスト効率が向上する（厳密に言うと、固定費も生産量の増大につれ、いずれは増やさざるをえないが、生産量よりもはるかに増やし方が少なくて済むことが多い）。これを、規模の経済（エコノミーズ・オブ・スケール）と言う。

　固定費について規模の経済が働くことは経験的に明白であるが、実は変動費についても規模の経済が働く。たとえば、会計上は変動費とされる原材料の仕入価格も、生産量が増えれば購買量も増えるので、買い手の交渉力が増して値引き要求ができるようになる。同様のことは開発、生産、調達、マーケティング、営業活動のあらゆる段階において考えられることである。それぞれの活動においてどの程度規模の経済が働くかを個別に検討することで、事業戦略を立案する際に重要な意味を発見することができる。

　例外として、製品やサービスの分野によっては規模の経済がほとんどない、あるいは極端な場合、規模が大きくなるにつれて逆にコストが増大することもある。規模が大きくなると、管理や調整のコストが発生するなど、組織の非効率化が進んでしまうことがその主たる原因である。

◆経験曲線

　規模の経済は一時点での規模、すなわち過去はともかく、現在どれだけの生産量があるかという観点である。それとは別に、現時点までの累積の生産量、すなわち累積の経験量が増えるほどコスト低下に結びつくとする、経験曲線（エクスペリエン

ス・カーブ）の考え方がある。これは、もともとは航空機の組み立てコストにおける学習効果として知られていたことである。労働者の熟練による生産効率の向上、作業の標準化および作業方法の改善による生産性の向上に加えて、あらゆるコスト要素に累積経験が効くと言われる。このようなコストの低下を見込んで価格を低めに設定し、まずシェアを確保する考え方が、PPMの背景にはある（＜7＞参照）。

◻範囲の経済

　範囲の経済（エコノミーズ・オブ・スコープ）とは、企業が複数の事業活動を持つことにより、より経済的な事業運営が可能になることを言う。これは、単一事業において規模が拡大することによる効果ではない。多様性が増すことにより経済性が高まるのは、何らかの経営資源を共有することで、それを有効に利用できるからである。自社が既存事業において有する販売チャネル、ブランド、固有技術、生産設備などの経営資源やノウハウを複数事業に共用できれば、それだけ経済的だ。たとえば、ビール会社の医薬品事業への展開は、バイオ技術を共有資源として活用することにより多角化を図る、範囲の経済の典型であろう。

　ただし、ここで注意しておかねばならない点は、たとえある経営資源を有効活用できたとしても、それが複数事業を持つことで生じるマイナスの効果を補えるのか、ということである。したがって、経営資源を共有することの効果を正しく見極める必要がある。1つの例を紹介しよう。家庭や職場に飲料を毎朝配る女性配達員を大量に抱える飲料メーカーが、彼女らの強力な販売力を活用すべく、化粧品販売に乗り出したことがある。しかし、企業側の期待に反して、顧客は化粧品と飲料を同じ人から買うことに抵抗を示し、成功しなかった。これは、事業の選択を誤れば範囲の経済が働かないことを示している。

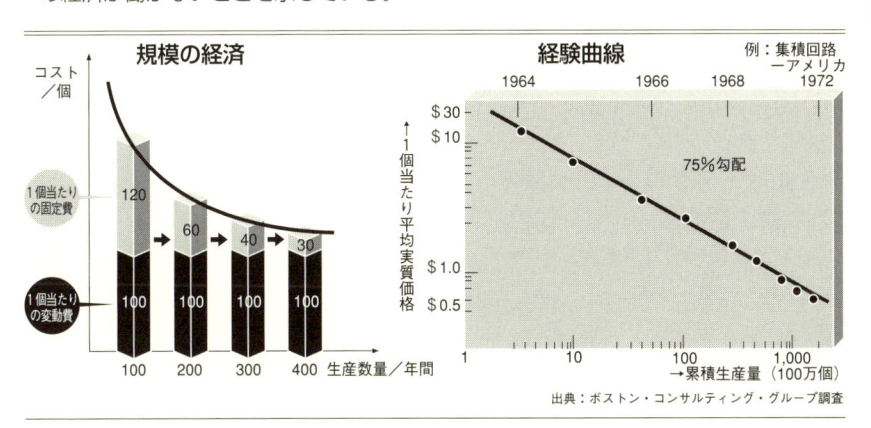

経営戦略

● 3 事業戦略

11 外部環境分析

POINT

戦略を策定する過程で、現実を正確に把握するために環境分析を行う。その際には、自社の外部と内部の環境に着目するが、分析の漏れや重複を防ぎつつ必要な要素を押さえるツールとして、フレームワークを知ることが有効だ。ここでは、マクロ環境分析、3C分析、SWOT分析を取り上げる。

◘マクロ環境分析

マクロ環境分析では、企業を取り巻く外部環境の中で、自社でコントロールできないが、企業活動に影響を与える要因を検証する。具体的には、人口動態（人口構成など）、政治・法律（法改正、規制、税制、外圧など）、経済（経済成長率、個人消費の伸び率、産業構造など）、文化（ライフスタイル、風俗など）、社会・環境（交通、治安、自然環境、公害など）、技術といった項目が分析対象だ。このうち代表的な項目である政治（Politics）、経済（Economy）、社会（Society）、技術（Technology）は、それぞれの頭文字を取って"PEST"と呼ばれる。分析の対象項目をすべて網羅的に見ようとすると、膨大な時間やコストを要するので、自社の事業に関係の深い重要な要因や環境変化だけに絞り込むことがポイントだ。

◘3C分析

マクロ環境よりもさらに個別具体的な分析を行うときのフレームワークとして「３C分析」がある。これは、市場（顧客）(Customer)、競合（Competitor)、自社(Company)の頭文字を取ったものだ。「市場（顧客）分析」と「競合分析」が外部分析に、「自社分析」が内部分析に相当する。

１市場（顧客）分析：自社の製品やサービスを購買する意志や能力のある潜在顧客を把握する。具体的には、市場規模（潜在顧客の数、地域構成など）や成長性、ニーズ、購買決定プロセス（購買の要因、情報収集方法、検討期間の長さ、購買行動の特徴など）、購買決定者（意思決定者はだれか、購買に際してだれの意見を聞くか、など）といった観点で分析する。

２競合分析：競争状況や競争相手について把握する。とくに、競争相手からいかに市場を奪うか（守るか）という視点を持ちながら、寡占度（競争相手の数）、参入障壁、競争相手の戦略、経営資源や構造上の強みと弱み（営業人員数、生産能力など）、

競争相手のパフォーマンス（売上高、市場シェア、利益、顧客数など）に着目する。競争相手との比較は、自社の相対的な強みや弱みの抽出にも役立つ。

3 自社分析：自社の経営資源や企業活動について定性面・定量面から客観的に把握する。具体的には、売上高、市場シェア、収益性、ブランド・イメージ、技術力、組織スキル、人的資源などを分析する。また、付加価値を生み出す機能や、コスト・ドライバー（コストを変動させる要素）にも着目する。

◆SWOT分析

外部環境を分析する目的は、市場における機会（Opportunities）を探り、自社にとっての脅威（Threats）を見つけ出すことにある。また、内部分析では自社の強み（Strengths）と弱み（Weaknesses）を把握することに主眼が置かれる。この4つの要素を組み合わせたものが「SWOT分析」だ。環境分析の最終目標は自社にとっての事業機会を発見することだが、SWOTを整理することにより、成功要因（KSF）や、自社にとっての事業機会を導き出しやすくなる。

具体的には次の手順で考えていく。まず、マクロ環境や業界・市場環境を分析し、市場における「機会」と「脅威」を整理する。このとき、何が事業のKSFなのかを十分に検討しておくことがポイントだ。次に、自社と競合を分析して自社の「強み」と「弱み」を整理し、コア・コンピタンスをよく見極める。そして、市場における機会と脅威に対して、自社の強みを生かし弱みを克服するにはどうすればよいかを考え、自社にとっての機会を見つけ出す。事業のKSFと自社のコア・コンピタンスが適合していない場合は、KSFそのものを変えるために積極的に外部環境に働きかけて業界のルールを変えるか、自社のコア・コンピタンスの構造を変革してKSFとのフィットを高める努力が必要となる。

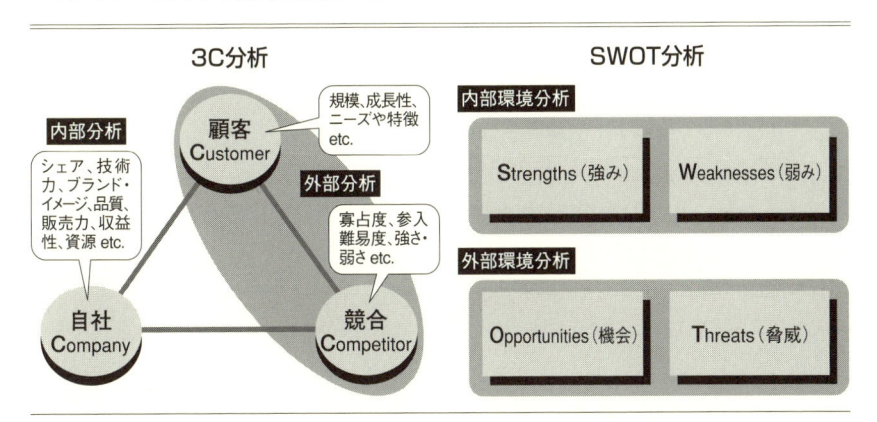

3C分析

- 顧客 Customer：規模、成長性、ニーズや特徴 etc.
- 自社 Company（内部分析）：シェア、技術力、ブランド・イメージ、品質、販売力、収益性、資源 etc.
- 競合 Competitor（外部分析）：寡占度、参入難易度、強さ・弱さ etc.

SWOT分析

内部環境分析
- Strengths（強み）
- Weaknesses（弱み）

外部環境分析
- Opportunities（機会）
- Threats（脅威）

●……… 3　事業戦略

12　業界分析：業界構造と「5つの力」

POINT

業界分析を行うときは「5つの力」に着目するとよい。①新規参入の脅威、②代替品の脅威、③買い手の交渉力、④売り手の交渉力、⑤業界内の競合他社を分析することが業界構造の把握に役立つ。

◘企業の収益性と業界構造

事業戦略を立てる際のポイントは、企業をその環境との関係で見ることだ。しかし、業界の中での競争状態だけを見ていると、構造的な側面を見落とすことがある。企業の収益性は業界内での競争力のみで決まるわけではなく、業界そのものの収益性にも影響を受ける。そして、業界の収益性は業界構造によって規定される。このような観点から、業界構造を分析するときに役立つフレームワークが、ポーターの「5つの力」分析（Five Forces Analysis）だ。

◘業界構造を決める5つの力

5つの力とは、❶新規参入の脅威、❷代替品の脅威、❸買い手の交渉力、❹売り手の交渉力、❺業界内の競合他社を指す。これらのうちどれが構造を決める重要な要因になるかは、業界によって異なる。5つの力を分析することにより、業界の収益構造や競争の鍵を発見したり、将来の競争の変化を予測することが可能になる。

❶新規参入の脅威

新規参入は競合企業が増えるだけでなく、競争ルールの変化をもたらすこともある。新規参入が容易な（参入障壁が低い）業界では、業界の収益性が上がるとすぐに参入者が増加し、収益性は下がってしまう。

参入障壁には、技術上の障壁、マーケティング上の障壁、設備投資の障壁などさまざまなものがある。海外メーカーの新規参入が脅威となるケースも多い。自動車業界は、開発、生産、広告、ディーラー網の構築などに規模の経済（＜10＞参照）が働くため、新規参入が難しい業界の1つだ。

❷代替品の脅威

代替品の存在も大きな脅威となるが、とくに自社の製品よりも価格対性能比で格段に優る製品が出てきた場合や、イノベーションにより従来の機能をまったく別の製品で代替できる場合、あるいは異業種の参入によって、従来の商慣習とは異なる

製品・サービスの供給形態が出てきた場合などに影響が大きい。

たとえば、ページャー（ポケットベルなど）は、イノベーションによって高性能化・低価格化が急速に進んだ携帯電話やPHSに取って代わられ、ページャー専業者は有効な対策を講じる間もなく撤退を余儀なくされた。これは代替品による脅威の好例と言える。

❸買い手の交渉力

買い手（ユーザー）の交渉力が強くなるのは、買い手の購入量が多かったり、売り手の総取引量に占める割合が高い場合や、製品の差別化が難しく他企業も類似製品をつくっている場合、買い手の情報量が多い場合などである。

❹売り手の交渉力

売り手（サプライヤー）の交渉力が強くなるのは、売り手の業界が少数の企業に寡占されている場合、また自社の属する業界が売り手にとって重要な市場ではない場合、あるいは売り手が供給する製品が自社の属する業界にとって重要な部品となっている場合などである。

❺業界内の競合他社

業界内の競争が激しくなるのは一般に、同業者数が多い場合、同程度の規模の会社がひしめいている場合、業界の成長が遅い場合、装置型産業のように固定費の割合が大きい場合などだ。とくに、一度参入するとなかなか撤退しにくい業界（巨額の設備投資が必要な業界など）で競争が激化すると、果てしない値下げ競争に発展するなど泥沼化するおそれがある。業界内の力関係は、外部の企業による競争相手の買収などによって、急に変化することもある。

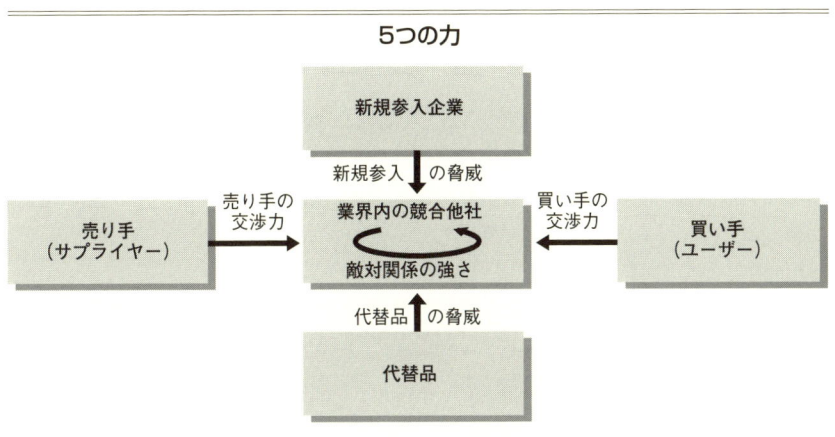

5つの力

出典:M. E. ポーター『競争の戦略』（ダイヤモンド社、1982年）より編集

3 事業戦略

13 業界分析：アドバンテージ・マトリクス

POINT

業界の競争環境を分析する手法として、アドバンテージ・マトリクスというフレームワークがある。このマトリクスは、業界の競争要因の数と優位性構築の可能性の2つの変数により、4つの事業タイプに分けるものである。それぞれのタイプによって事業の経済性が異なり、成功の可能性も異なる。

■アドバンテージ・マトリクス

コンサルティング会社のBCGが考案したアドバンテージ・マトリクスというフレームワークは、業界の競争要因（戦略変数と呼ぶ）が多いか少ないかという観点と、それらの競争要因が優位性構築につながる可能性が大きいか小さいかという観点で、事業を4つのタイプに分けて考える手法である。

競争要因が少ないということは、競争の手段が少ないことを意味し、勝ち負けが単純に決まるということである。優位性構築の可能性が大きいということは、その競争要因によって他社に対して明らかな競争優位を獲得できることを意味する。

図に示すように、特化型事業、規模型事業、分散型事業、手づまり型事業の4つのタイプに分かれ、それぞれのタイプで事業の経済性、すなわち売上規模と収益率の相関関係が異なる。自社の属する業界がどのタイプに位置づけられるかを認識することにより、とるべき戦略の基本的方向性の示唆が得られる。

■4つの事業タイプ

1特化型事業：競争要因がいくつか存在し、かつ、特定の分野でユニークな地位を築くことで優位性構築が可能な事業である。この場合、事業全体の規模と収益性には相関関係はない。むしろ、ある特定セグメントの中におけるシェアが収益性の決定要因となる。D.A.アーカーは特殊専門雑誌業界、計測機器業界、医薬品業界がこれに当たるとする。

2規模型事業：規模の利益を追求することで優位性を構築できる事業である。下手に差別化を試みてもむしろコスト高になるだけで、顧客にその価値を認められにくい。半導体、コンピュータ、自動車などでも、汎用的性格の強いものがこの業界に当てはまる。規模型事業においてはシェア拡大により規模を追求することが基本戦略となる。

3 分散型事業：競争要因が数多く存在するものの、圧倒的な優位性構築が困難な事業である。事業が小規模な段階では高い収益性を維持できるが、事業規模を拡大すると強みが薄れ、収益性を維持できない。ポーターはこのような業界を「多数乱戦業界」と呼んでいる。

地域密着型の事業および事業拡大によるコストダウンの余地が小さい事業がこれに該当する。たとえば、飲食店業界における競争要因は、店舗立地、提供価格帯、品揃え、顧客サービス、店の雰囲気、ネームバリューなど多数存在する。しかし競争要因のどれひとつとっても事業成功の決定要因とはなり難い。したがって、通常飲食店業界は多数がひしめく乱戦業界となっている。

この業界で高収益性を保ちながら成長を持続する方法は、規模型事業に事業システムを転換させることだ。マクドナルドなどのファストフードや、ファミリーレストラン・チェーンなどは、もともとは分散型事業だった業界を、原材料の仕入れ、広告、セントラルキッチンなどのシステム化により規模型事業にしたものである。

4 手づまり型事業：優位性構築が困難な事業である。過去には規模による格差が存在したものの、コスト低下が進み、大差がなくなってしまっている。成熟期／衰退期の産業で大規模化の限界に至った事業や、慢性的な供給過剰の状態にある業界などが挙げられる。セメント業界、石油化学業界などの素材産業がこれに当たると言われる。

ここでは、新たな優位性の源泉を探し、特化型事業に転換することが求められる。それが不可能なら、撤退を考慮する必要がある。

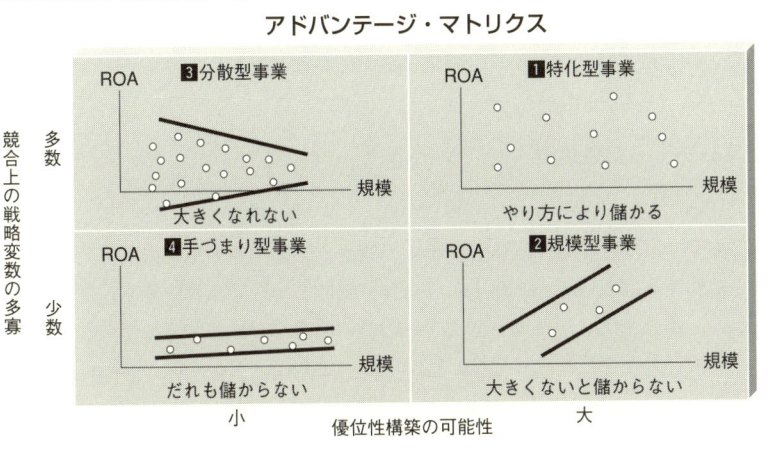

アドバンテージ・マトリクス

	優位性構築の可能性 小	優位性構築の可能性 大
競合上の戦略変数の多寡 多数	**3 分散型事業** （ROA／規模）大きくなれない	**1 特化型事業** （ROA／規模）やり方により儲かる
競合上の戦略変数の多寡 少数	**4 手づまり型事業** （ROA／規模）だれも儲からない	**2 規模型事業** （ROA／規模）大きくないと儲からない

出典：D.A.アーカー『戦略市場経営』（ダイヤモンド社、1986年）に加筆修正

●……… 3 事業戦略

14 内部分析：バリューチェーン（価値連鎖）

> **POINT**
> バリューチェーンとは、企業が提供する製品やサービスの付加価値が事業活動のどの部分で生み出されているかを分析する手法だ。付加価値に着目することにより自社の優位性の源泉を探って、基本戦略を考えたり、競争分野を決めたりすることができる。

◘ バリューチェーンの考え方

　内部分析の目的は、競合と比較したときの自社の強みと弱みを把握することにある。それにより、自社の優位性を生かす方向や克服すべき課題が見えてくる。内部分析に役立つのが、ポーターのバリューチェーン（価値連鎖）という考え方だ。これは、事業活動を機能ごとに分解し、どの部分（機能）で付加価値が生み出されているかを分析することで、事業戦略の構築や改善に役立てようというものだ。

　1つの製品が顧客のもとに届くまでには、さまざまな業務活動が関係する。ポーターは図のように、「モノの流れ」に着目して企業の活動を主活動と支援活動に分け、それにマージン（利益）を加えて全体の付加価値を表している。主活動は、部品や原材料などの購買、製造、出荷物流、販売・マーケティング、アフターサービスなどだ。支援活動は、主活動を支える人事や経理、技術開発などの間接部門である。

　この分析では、諸活動を厳密に分類することが目的ではなく、それぞれの活動の役割、コスト、および全体としての事業戦略への貢献度を明確にすることがポイントになる。

◘ バリューチェーンの活用

　自社の活動において優位性構築の源泉を探ることは、資源配分の検討や基本戦略の決定に役立つ。たとえば、優位性構築にそれほど影響を与えない機能は外部資源の利用を検討するなどして、戦略上より有効な機能に自社の経営資源を投入することが可能になる。また、バリューチェーンのどの部分でコスト削減が可能かを把握することで低コストを武器にしたり、高い付加価値を生み出している機能に集中して差別化を図るなど、自社の強みを生かした戦略を検討することができる。

　バリューチェーン分析は、業界構造の分析にも利用できる。事業において決め手となる企業活動を浮かび上がらせることで、業界特性や成功要因を理解することが

可能になる。たとえば、医薬品業界では研究開発や販売力が、文具業界では物流体制がとくに重要だ。

さらに、業界全体のバリューチェーンを分析することで、自社の位置づけを確認したり、どのような付加価値を生んでいるか把握すれば、自社の事業領域を川上、川下方向に発展（垂直統合）させたり、M&Aなどにより同じ業界内で事業を拡大（水平統合）することを検討する場合に、何らかのヒントが得られるだろう。

◆コスト・ドライバー（Cost Driver）

ポーターは事業分析の際にコストに注目し、コストを規定する構造的要因を整理している。戦略の策定に経済性の裏付けは欠かせない。最適な戦略を策定するには、下記のコスト・ドライバーがどのように自社のバリューチェーンに影響を与えるかを定量的に把握することが大切だ。ただし、すべての要素が大きな影響を与えるとは限らないので、状況や分析のニーズに合わせて重要な要素だけに絞り込んで分析するとよい。

1. 規模の経済（または規模の非経済）
2. 経験曲線（ラーニング、経験の共有など）
3. 範囲の経済（他の事業単位との活動の共有化、シナジーなど）
4. 設備などの利用状況（利用度と固定費との関係、利用度の変化など）
5. 連結関係（価値連鎖の最適化、サプライヤーや流通チャネルとの関係）
6. 統合（垂直統合などによる「5つの力」の変更）
7. タイミング（先行者の有利、不利）
8. 自由裁量できる政策（製品政策、技術・マーケティング手段の選択など）
9. 要素コスト（原材料や労働力などの変化）
10. 制度的要因（規制、法律、労働慣行などの影響）

バリューチェーン

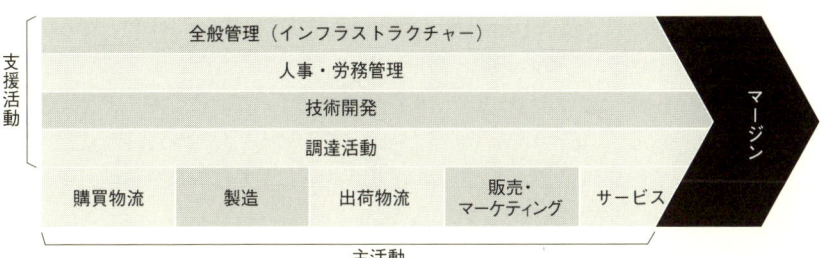

支援活動	全般管理（インフラストラクチャー）					マージン
	人事・労務管理					
	技術開発					
	調達活動					
	購買物流	製造	出荷物流	販売・マーケティング	サービス	
	主活動					

出典：M.E.ポーター『競争優位の戦略』（ダイヤモンド社、1985年）

3 事業戦略

15 競争上の地位に応じた戦略

> **POINT**
> 業界内の企業は競争上の地位によって、リーダー、チャレンジャー、フォロワー、ニッチャーに分けられる。この競争上の地位によって、企業の戦略は制約を受ける。定石と言われる戦略を理解し、自社がどの地位にあるかを明確にしたうえで、独自の戦略を考える必要がある。

◘競争上の地位

　経済の成熟化に伴って競争は激化しており、競争状況が企業活動に及ぼす影響も増大している。同じ業界に属していても、企業がとりうる戦略は競争上の地位によって制約を受ける。たとえば、トップ・シェアを誇る大企業とシェア拡大を目指している中小企業とでは、当然ながらとるべき戦略は異なる。ノースウエスタン大学ケロッグ校のP.コトラー教授は、企業を競争上の地位に応じてリーダー、チャレンジャー、フォロワー、ニッチャーに分類し、それぞれの地位に応じた戦略をとることが望ましいとしている。

■リーダーの戦略

　リーダーとは、自動車におけるトヨタやウイスキーにおけるサントリーのように、最大の市場シェアを確保している企業を指す。リーダー企業は当然のことながら、ナンバーワンの地位を維持することを目的とした戦略を策定することになる。具体的には以下の3つの方向性が考えられる。

❶市場規模拡大：仮にシェアが一定だった場合、市場規模の拡大により最も恩恵を受けるのはリーダー企業だ。そこで規模拡大に向けて、用途開発やユーザーの拡大、使用頻度や購買数量の増加などを促すための投資を行う。

❷シェア維持：シェア2位以下の企業の攻撃に対して、リーダーは体力にものをいわせて価格競争を仕掛けたり、製品のフルライン化や販売促進の強化などを行う。

❸シェア拡大：シェア拡大は独占禁止法に抵触するおそれがあるうえ、必ずしも財務的な成果が芳しくないことから、通常はシェア維持を目指すことが多い。しかし、デファクト・スタンダードを確立したり、2番手に対して明確なコスト差を確立できそうな機会には、シェア拡大に注力することもある。

■チャレンジャーの戦略

　チャレンジャーとは、第2位のシェアを維持し、リーダーに取って代わろうとす

る姿勢を持つ企業を指す。主な戦略は次の3つだ。いずれの場合もリーダー以上の差別化やコスト競争力など、一過性ではない優位性を築く必要がある。

❶リーダーとの直接対決：リーダーと同じ領域で勝負を挑む。
❷背面攻撃（競争範囲の拡大）：リーダーがまだ強化していない領域に注力して、シェアを奪う。
❸後方攻撃：自社よりもシェアの小さい企業を攻撃対象とする。成熟期によく見られる戦略で、この戦略がとられると、業界上位企業の寡占化が進む。

■フォロワーの戦略

　フォロワーとは、業界のリーダーに追随し、競合企業からの極端な反撃を招かない方法で経営成果の最大化を目指す企業を指す。たとえば、鉄鋼やセメントなど資本集約的で製品差別化が困難な成熟産業では、競争手段として基本的に価格競争しか残されていない。その場合、競争を仕掛けるよりも、業界秩序維持の名の下にリーダーに追随した価格や製品を提供するほうが合理的だ。

■ニッチャーの戦略

　ニッチャーとは、腕時計メーカーのロレックスやスーパー業界の紀ノ国屋などのように、市場は小さいながらも特定の領域で独自の地位を築いて成功している企業を指す。大手が本気で参入してこないような市場のくくりを発見し、そこに限られた経営資源を集中させて、高い専門性やブランド力を維持することで、他社の参入を防ぐという戦略をとる。小さな市場に特化すると、環境変化により市場そのものが消滅するリスクがあるため、複数のニッチを持つなどのリスク回避策が必要だ。

競争上の地位と競争戦略の定石

量的経営資源：営業担当者の数、投入資金、生産能力等
質的経営資源：ブランド・イメージ、マーケティング力、技術水準、トップのリーダーシップ等

相対的経営資源	量	
	大	小
質 高	リーダー	ニッチャー
質 低	チャレンジャー	フォロワー

	戦略課題	基本戦略方針	戦略定石
リーダー	市場シェア 最大利潤 名声	全方位型戦略	周辺需要拡大 同質化 非価格対応 最適市場シェア
チャレンジャー	市場シェア	対リーダー 差別化戦略	上記以外の政策 （リーダーができないこと）
フォロワー	生存利潤	模倣戦略	リーダー、チャレンジャーの政策の観察と迅速な模倣
ニッチャー	利潤 名声	集中戦略 （製品・市場特定化）	特定市場内でミニ・リーダー戦略

出典：嶋口充輝・石井淳蔵『現代マーケティング［新版］』（有斐閣、1998年）を参考に作成

●............ 3 事業戦略

16 事業ライフサイクルに応じた戦略

> **POINT**
> 成長期にある事業は比較的容易に業績を伸ばすことができるが、成熟期になるとシェア競争が激化するなど競争のルールが変わり、戦略の転換が求められる。ここではとくに成熟期から衰退期における戦略を取り上げ、日本企業が苦手とする撤退戦略や新規事業の立ち上げについて考察する。

◘成熟期／衰退期の課題

　成熟期から衰退期にかけては、競争が激化して収益性が低下する。市場構成は新規需要から代替需要へと移り、商品知識を身につけた消費者は価格や製品比較に厳しくなることが多い。技術革新も停滞し、新製品や新用途が現れにくくなり、競争要因がコストやサービスに移る傾向がある。このような状況になったら、企業は環境変化に即して戦略を転換させ、優位性を失った事業からの撤退や新たな事業創造を検討しなくてはならない。ここでは、成熟期の定石と言われる戦略と、衰退期における撤退戦略と新規事業の立ち上げについて触れる。

■成熟期の戦略

　ポーターは、成熟期に移行する業界の競争戦略を次の3点にまとめている。まず、製品構成の合理化と正しい価格政策だ。製品の原価計算の精度を向上させ、収益性が高い製品と不採算製品とを識別し、製品の絞り込みや製品構成の見直しを行う。第2はコスト競争力の強化だ。製造工程の革新と製造に適した製品設計によって実現する。第3は既存の顧客への品揃えを充実させ、購買幅を広げることである。新規顧客を開拓するよりも、現在抱えている顧客からさらに多く買ってもらうほうが手っ取り早く、確実なことも多い。

　成熟期には、成長期の成功体験に引きずられることなく、実態を的確に把握し、戦略の転換を図らなくてはならない。また、キャッシュフローが潤沢になるため当該事業への再投資の誘惑に駆られるかもしれないが、事業が衰退に向かっている場合には、投資回収はきわめて困難であることを理解しておいたほうがよい。

■撤退戦略

　日本企業がなかなか事業から撤退できないのは、社内の官僚的な風土やトップダウンのリーダーシップ不足など、日本企業の体質や経営者のマインドの問題に起因することが多い。経営者は自覚を持って、次のような施策を行う必要がある。

まず、社内の管理会計システムを確立し、各事業がどれだけ利益に貢献しているかを明らかにする。そして、それぞれの事業責任者と合意のうえで、毎年あるいは四半期ごとに達成目標（ハードル）を設定する。継続的にそれを下回ってしまう事業については、再建策を提出させて実行させ、場合によっては新しい責任者を送り込む。それでも思うような結果が得られず、撤退のメリットがデメリットを上回る場合には、撤退の意思決定を行う。

■**新規事業戦略**

新規事業戦略には主に以下の3パターンがある。自社の経営資源や市場の環境を踏まえて、最適な戦略を選ぶことが必要だ。

❶**ハード要素で事業展開を図る**：技術的な革新により新製品を創り出すパターンである。特許による防御も加われば、優位性のあるビジネスを創出する可能性が高くなる。技術的な独自性がなくても、生産技術力を生かし、他社の開発した技術をベースに最もコスト・パフォーマンスの高い製品をつくるというパターンもある。

❷**ソフト要素で事業展開を図る**：マーケティング手法やビジネスシステムの変革などにより、新しいビジネスモデルをつくるパターンだ。既存の販売網を使わず、新チャネルを構築するなどの事業展開がこれに当たる。❶に比べて、よりビジネスに対する感性や素養、リーダーシップが必要とされることが多い。

❸**ニッチ市場の開拓**：❶❷とは別に、それまでだれも気づかなかった新しい市場を発見・開拓し、そこでいち早く優位性（ノウハウ、優良顧客、調達先との関係など）を構築するというパターンだ。競争が極端に激化することは少ないが、市場のニッチ性ゆえに、企業の屋台骨を背負う大事業にまでは育ちにくい。

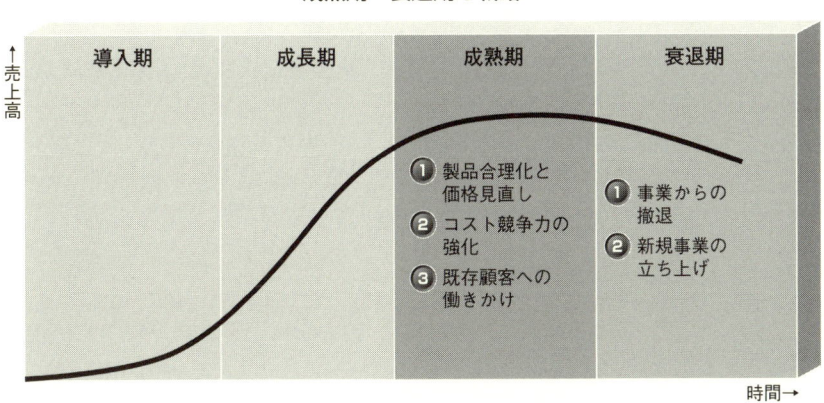

成熟期・衰退期の戦略

導入期	成長期	成熟期	衰退期
		❶ 製品合理化と価格見直し ❷ コスト競争力の強化 ❸ 既存顧客への働きかけ	❶ 事業からの撤退 ❷ 新規事業の立ち上げ

↑売上高　　　　　　　　　　　　　　　　　　　　　　時間→

4 経営戦略トピックス

17 戦略形成に関する見方

> **POINT**
>
> 戦略形成のとらえ方にはいくつかの学派がある。ヘンリー・ミンツバーグは10の学派に類別した。昨今は1980年代以降主流派であったポジショニング学派と並び、ラーニング学派、コンフィギュレーション学派に注目が集まっている。また、内部資源に注目して戦略を立案する「リソース・ベースド・ビュー」と呼ばれる考え方も注目されている。

◆ラーニング学派と創発的戦略

＜16＞まで見てきた戦略論は、ミンツバーグが定義した10学派の中でも、デザイン学派、プランニング学派、そしてとくにポジショニング学派の考え方をベースに置いている。その一方で、昨今の複雑かつ変化の早い経営環境下では、トップダウンによる分析的な戦略立案では適時・的確な対応が難しく、また戦略も模倣されやすいということから、より現場に近いところからの戦略提案が重要だとする考え方がある。そうした戦略立案を最重視するのがラーニング学派だ。ラーニング学派の代表は、「学習する組織」を提案したピーター・センゲであり、コア・コンピタンスを提唱したゲーリー・ハメルやK.プラハラードなどもこの範疇に含まれる。ミンツバーグはそのように生まれる戦略を創発的戦略と呼んでいる。

彼らは概ね以下のことを大前提としている。❶戦略は創発的なものであり、形式的な計画で生まれるものではない。❷戦略家は組織のいたるところに存在している。❸戦略の形成と実行は相互に絡み合っている。❹組織内で創発したアイデアや行動を戦略にまとめ、組織に展開することが重要である。❺組織学習が創発的戦略の立案・実行・修正を促進する。

ラーニング学派の考え方は、日本企業にとっては決して目新しいものではない。むしろ、かつての日本の成功企業における戦略立案・実行のあり方を理論化したものと見ることもできる。

◆コンフィギュレーション学派

コンフィギュレーション学派は、組織をコンフィギュレーション（特徴や行動が首尾一貫した集団。組織構成や構造の特徴として表れる）ととらえ、ある特定の組織は最も環境に合ったコンフィギュレーションをとると考える。アルフレッド・チャンド

ラーやミンツバーグが代表格である。

　コンフィギュレーション学派は最も包括的な戦略形成論であり、他の学派の主張をも自説で包括的に説明しようとする。たとえば、プランニング学派は比較的安定した状況に置かれた組織（成熟した大量生産型事業など）で有効であり、ポジショニング学派は経済合理性が強く働いている状況に置かれた組織（アメリカにおける多くの生産財事業など）で有効、ラーニング学派は予測が難しくアイデアが重視される業界（ハイテク産業など）で有効である、などだ。

　組織は環境に合ったコンフィギュレーションをとるという考え方は、必然的に環境の変化に応じて、変革（トランスフォーメーション）により、あるコンフィギュレーションから別のコンフィギュレーションへと飛躍することを要請する。

◆リソース・ベースド・ビュー

　リソース・ベースド・ビュー（RBV）は、社内資源に目を向け、その有効活用を図るべく戦略を構築しようとする考えであり、ラーニング学派（さらにはプランニング学派やカルチャー学派の一部）の思想ととくに親和性が高い。社内資源の有効活用はある意味当然のことではあるが、往々にして無駄の排除や適材適所といった文脈で語られることが多かった。それを戦略にまで応用したところに新しさがある。

　なお、ここで言うリソースは、生産設備や個々の人材にとどまらない。ハメルやプラハラードが提唱したコア・コンピタンスや、ストークスらが提唱したケイパビリティ（組織能力）などの目に見えにくいノウハウやスキルなども包含しており、むしろそうした無形のリソースを有効活用することこそが、模倣の可能性を引き下げ、持続的な競争優位につながると考える。

　RBVではまた、そのリソースの希少性や専有可能性などが企業の競争優位につながると考え注目する。

　RBVやそのベースとなるラーニング学派が強く主張しているのは、経営者の役割とは、戦略を立案すること以上に、リソースの拡大発展やラーニングが促進されるような組織を構築することだ、ということである。

ミンツバーグが定義した10学派

デザイン学派 The Design School	プランニング学派 The Planning School	ポジショニング学派 The Positioning School	アントレプレナー学派 The Entrepreneurial School	コグニティブ学派 The Cognitive School
ラーニング学派 The Learning School	パワー学派 The Power School	カルチャー学派 The Cultural School	エンバイロンメント学派 The Environmental School	コンフィギュレーション学派 The Configuration School

出典：DIAMONDハーバード・ビジネス・レビュー、2006年11月号

4 経営戦略トピックス

18　M&Aとアライアンス

> **POINT**
> 事業拡大の際に外部資源を有効活用する手法として、M&A（合併・買収）とアライアンスがある。M&Aは短時間で事業を拡大できる点が大きなメリットだが、戦略や組織との整合性を十分吟味して実施する必要がある。

◘M&A（合併・買収）

　近年、企業戦略においてM&Aやアライアンスの持つ重要性が高まっている。M&A（Mergers and Acquisitions）とは、合併（複数の企業が法的に合同して1つの企業になる）や企業買収（丸ごと買い取る）のことだ。すでに確立した事業を買うことにより、自社にない人材・販売チャネル・生産設備・ブランドネームなど、必要な経営資源を一瞬にして手に入れることが可能だ。

　また、M&Aには事業拡大のための時間を節約する効果も期待できる。企業活動においてスピードやタイミングはきわめて重要であり、M&A以外に選択肢がないことも多い。たとえば医薬品業界では、グローバル企業として生き残るには、世界シェアの10%を獲得することが必要だと言われる。そのため、内部成長に頼っていては間に合わないと判断した場合、M&Aによってシェアをいっきに拡大する手法がとられる。

◘アライアンスと戦略的提携

　アライアンス（Alliance）とは、複数の企業が互いに何らかのメリットを得ようとして協力することを指す。M&Aが強力な統合手段なのに対し、アライアンスは緩やかな結びつきによる連合と言える。ただし、双方出資による合弁企業設立のように長期の関係になる場合もある。

　アライアンスの中でも、市場ですでに優位性を発揮している企業が、異なる優位性を持つ別の企業と強者連合を組む戦略的提携（Strategic Alliance）は成功率が高くなる。これは互いの独自性を維持しながら、技術提携や共同開発、生産委託、販売委託、合弁会社の設立などで連携を図ろうとする方法だ。近年では、電機や通信、情報処理などさまざまな分野が融合し、投資規模が巨大になる傾向がある。そのため、一企業ですべてをまかなうことは難しくなりつつあり、投資のリスク軽減のためにも「強者連合」が有効な手法となっている。

◖M&Aの展開方法

　同一業種内のM&Aは、水平統合と垂直統合のいずれかに当てはまる。水平統合は、同一業種の競合他社を吸収・合併することによりスケールメリットをつくり出し、コスト優位性を構築することを目的とする。規模の経済を生かせる成熟期にある業界で頻繁に行われる手法で、セメント会社の合併や、紙・パルプ会社の合併、石油プラント会社の合併などがこの例だ。また、外資企業が日本進出に際して、いち早く橋頭堡を築くために買収を行う例も多い。

　垂直統合の目的は、一般にコスト面や市場面で自社がコントロールできる範囲を広げ、他社に対して優位性を確立することだ。垂直統合には、仕入先である川上の事業に進出する場合と、販売先である川下へ進出する場合がある。

　異業種間のM&Aは、経営の多角化のために行われる。異業種間M&Aの目的は、事業の相互補完や資源の共有化によるシナジー、複数の事業を持つことによるリスクの分散などが一般的だ。

◖M&Aの注意点

　M&Aは企業の長期戦略遂行の一手段として位置づけ、戦略との整合性を慎重に検討しなければならない。また、組織面についても買収対象と自社との適合性を検討する必要がある。実際に、企業文化あるいは組織面での適合性がなく、有機的に統合されずにシナジーを発揮できないケースや、社風の違いにより従業員が強い拒否反応を示し、長期にわたって経営の阻害要因となるケースも多い。

　M&Aを行う場合は、戦略的意図を明確にし、買収後の事業戦略を十分に検討しておく必要がある。また、買収対象企業をよく調査して、買収後にどれだけの付加価値が創造されるかを見極め、その価値に対して買収価格が妥当かどうかを判断する力も求められる。

経営戦略

M&Aとアライアンスの比較

M&A	アライアンス
時間・資金を要する	時間・資金はそれほど要さない
法的手続きが大変	法的手続きが容易
事後にコントロールを及ぼしやすい スピーディな意思決定が可能	事後にコントロールを及ぼしにくく、予想外の調整コストが必要になる場合も多い 意思決定に時間がかかる場合がある
組織文化の摩擦が致命的な問題となりやすい 解消が困難	組織文化の摩擦はM&Aほど致命的ではない 解消が容易（結束が弱い）
技術やノウハウは外部に出ない	関係が解消されることで、技術やノウハウなどが流出するおそれがある

●·········· 4　経営戦略トピックス

19　バリューチェーンの再構築

POINT

情報化の進展の影響を受けて、従来は当然と考えられていた事業の定義やルールが根本的に変わり、業界全体でビジネスの仕組みが大きく変化する場合がある。こうした変化は企業にとって大きな脅威だが、新たな競争優位を築くチャンスにもなる。

◘バリューチェーンの再構築

　イノベーションの影響で企業活動における付加価値構造が破壊され、新しいビジネスシステムへとつくり直されることにより、これまで当然と見なされていた事業の定義やルールが根本的に変わることを、バリューチェーンの再構築と呼ぶ。バリューチェーンの再構築は、金融・証券、航空、中古車販売、出版・印刷などさまざまな業界で起きている。とくに、パソコンやインターネットの普及、デジタル技術の高性能化・低コスト化をはじめとする近年の情報化の進展により、こうした動きが加速している。

　業界ルールや成功要因が変化する背景には、消費者ニーズに代表されるような外部の要素以上に、企業内の経済性に関わる条件が変化している場合が多い。たとえば、技術変化によりバリューチェーン全体の中で生産コストの重要性が低下すれば、コスト競争力で業界をリードしていた有力企業が優位性を失い、収益性の悪化に苦しむことになる。

　そうした事態を避けるためには、変化を先取りし、新たな戦略を打ち出さなくてはならない。それには、自社の事業がバリューチェーンの再構築の影響を受けるかどうかを把握し、新たな可能性を探る必要がある。そのためのチェックリストとして、コンサルティング会社のBCGは以下に掲げる5つの問いかけが有効だとしている。

❶バリューチェーン全体の中でコストの割に価値の低い部分はどこか。
❷バリューチェーン全体の中で自社事業は顧客とどのような関係にあるか。
❸自社の事業でネットワーク化の影響を受けるのはどこか。
❹バリューチェーンが変わることで、現在の戦略的資産のうち重荷となるものはどれか。
❺新しいバリューチェーンではどのような新しい活動・能力が必要となるか。

◘**新しいビジネスモデルのパターン**

　バリューチェーンの再構築は新しく競争優位を築くチャンスとしてとらえることも可能だ。ＢＣＧは新しいビジネスの創出パターンを以下の４つに分類している。

❶**レイヤーマスター**：特定の付加価値活動で優位性を築く方法だ。メーカーはバリューチェーンを丸抱えしがちだが、バリューチェーンの一部に特化することで優位に立てる可能性がある。たとえば、マイクロソフトやインテルは特定部品に付加価値部分を集中させる方針をとっている。１つの要素で支配的地位を確立できれば、他の付加価値部分についてはアライアンスを組むことも可能だ。

❷**オーケストレーター**：独立した企業が連なる新たなバリューチェーンを構築・運営し、全体の価値を高める方法だ。たとえば、パソコン販売のデルは、在庫販売型ではなく受注生産を採用し、部品メーカーの組織化や業務のアウトソーシングなどを用いた、効率的なシステムを構築している。

❸**マーケット・メーカー**：既存のチャネルの弱みや欠陥をついて新市場を開拓する方法だ。たとえば、インターネットによる中古車販売は、中古車の映像や見積もりなどを配信することで、より広範囲で迅速かつ活発な取引を可能にした。今後は情報と通信のインフラを利用したビジネスがますます増えると思われる。

❹**パーソナル・エージェント**：ネット上の無数の情報を整理するナビゲーターが、新たな購買代理店として機能する方法だ。たとえば、ショッピング・サイトの楽天は、出店企業と顧客の間に立ち、ネット上の店舗管理運営ノウハウの提供や顧客の買い物のアドバイスなどを行っている。

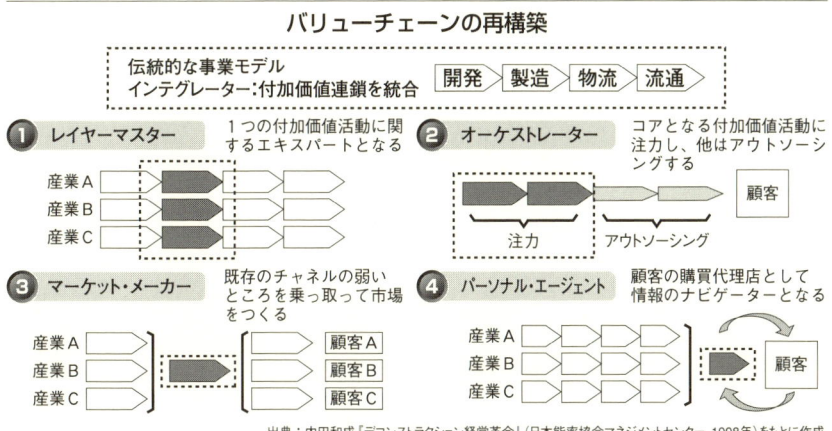

バリューチェーンの再構築

伝統的な事業モデル
インテグレーター：付加価値連鎖を統合　開発▶製造▶物流▶流通

❶ レイヤーマスター：１つの付加価値活動に関するエキスパートとなる
産業Ａ／産業Ｂ／産業Ｃ

❷ オーケストレーター：コアとなる付加価値活動に注力し、他はアウトソーシングする
注力／アウトソーシング／顧客

❸ マーケット・メーカー：既存のチャネルの弱いところを乗っ取って市場をつくる
産業Ａ／産業Ｂ／産業Ｃ／顧客Ａ／顧客Ｂ／顧客Ｃ

❹ パーソナル・エージェント：顧客の購買代理店として情報のナビゲーターとなる
産業Ａ／産業Ｂ／産業Ｃ／顧客

出典：内田和成『デコンストラクション経営革命』（日本能率協会マネジメントセンター、1998年）をもとに作成

経営戦略

4 経営戦略トピックス

20 グローバル化と規格競争

> **POINT**
> 企業はさまざまな形でグローバル化とIT（情報技術）の発達の影響を受けている。ここでは、グローバル展開の方法と、従来とは異なる競争ルールが働くデファクト・スタンダードをめぐる競争を取り上げる。

◻グローバル化と企業形態

　企業がグローバル展開を志向する理由は大きく分けて2つある。第1の理由は、市場拡大による成長機会の追求だ。国内市場の成熟化に伴い、自動車メーカーや家電メーカーが新たな成長機会を見つけようと、海外進出を目指したのが代表的な例だ。第2の理由は、低コストあるいは差別化を実現し、競合他社に対して優位性を構築しようとすることだ。たとえば、莫大な開発コストがかかる医薬品業界では、国境を超えた大型合併が頻発している。

　グローバル展開を図る場合、主な展開パターンは3つある。1つめは、国や地域ごとにR＆Dやマーケティング、生産などの機能を持たせ、現地市場への適合性を重視するパターン（マルチ・ドメスティック戦略）だ。このパターンでは地域ごとに分散型のオペレーションを行うため、ローカル・レベルではうまくいくかもしれないが、グローバル・レベルでの規模の経済やノウハウの共有化は実現しにくいというデメリットがある。2つめは、本社の指揮下で共通した製品とそのバリエーションを全世界に供給する統合重視のパターン（グローバル戦略）だ。この場合、グローバル展開によって効率化は図れるが、現地のニーズにきめ細かく対応しきれないというマイナス面がある。3つめは、両者の中間的な考え方で、ある部分では求心力を働かせながら、各国の自主的運用の部分とのバランスを図るパターンがある。

◻デファクト・スタンダード

　ITやネットワークの発達によって、国境の意味が薄れてきたばかりか、競争構造にも変化が及んでいる。とくに、ハイテク産業などにおけるデファクト・スタンダードをめぐる競争（規格競争）には、従来の常識とは異なる側面がある。たとえば、技術的に最も優れ、他社に先駆けて技術開発に成功した企業が、必ずしもシェアを獲得したり、他企業よりも優位に立てるとは限らない。技術的優位性はなくても、自社技術をスタンダードとして認めてもらえた企業が市場を制する場合がある。

規格競争と通常の競争との違いとして、早稲田大学ビジネススクールの山田英夫教授は以下の点を挙げている。まず、製品ライフサイクル論どおりの展開にはならない。競争が激化するのは成長期ではなく、上市前や上市直後だ。また、キャッシュフローがプラスに転じるはずの成熟期になっても利益が出るとは限らない。市場浸透を目指すために企業連合を形成して技術を安価に提供することが多いので、十分に投資を回収できず、デファクト・スタンダードを獲得しても利益に直結しない場合があるからだ。そうなると規格単独ではなく、補完製品で儲ける（たとえば、コピー機本体ではなく、使用に応じた課金や消耗品販売で後から儲ける）方法を検討しなくてはならない。

　また、競争上の地位に応じた戦略の定石が該当しない場合がある。たとえば、規格競争ではリーダーの同質化戦略（下位企業の戦略を模倣する戦略）は有効ではない。これは、アップルが自社のMacOS（オペレーティング・システム）をマイクロソフトのWindowsに近づけることには意味があっても、その逆にはメリットがないことからもわかる。さらに、競争ルールを変えない限り、競争上の地位の逆転は難しい。ユーザー数が増加すればするほどその財の効用が上がる「ネットワーク外部性」が働くからだ。Windowsの例で考えると、Windows利用者が増えればWindows対応ソフトを開発する企業が増え、利用者は恩恵を受けるという構図になり、Windowsの地位は揺るぎないものになる。

　ほかにも、通常なら公開しないコア・コンピタンスの外販を行う場合がある。自社の規格を採用する企業を増やしたり、積極的に他社に供与することにより、技術開発などへの膨大な投資を回収するためだ。

　こうした規格競争はIT関連企業、とくにエレクトロニクス業界や通信業界で顕著だ。これらの業界では定石にとらわれずに、市場や競争環境、技術動向を総合的に判断して、スピーディに動くことが求められている。

経営戦略

海外移転戦略における検討要素

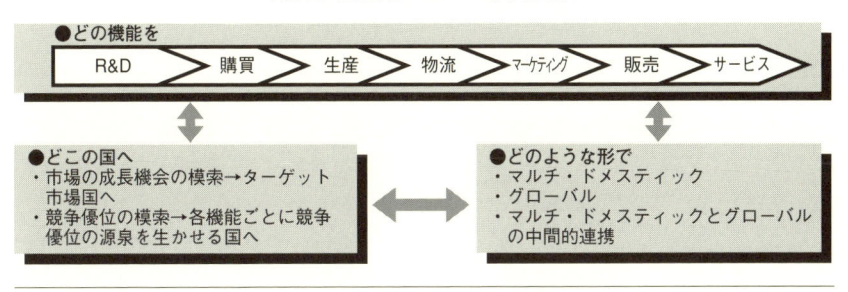

●どの機能を
R&D → 購買 → 生産 → 物流 → マーケティング → 販売 → サービス

●どこの国へ
・市場の成長機会の模索→ターゲット市場国へ
・競争優位の模索→各機能ごとに競争優位の源泉を生かせる国へ

●どのような形で
・マルチ・ドメスティック
・グローバル
・マルチ・ドメスティックとグローバルの中間的連携

4 経営戦略トピックス（増補）

21 CSR

> **POINT**
>
> 企業は顧客や株主、従業員に対して責任を果たすだけではなく、広く社会全体に対しても「社会的責任」（CSR：Corporate Social Responsibility）を果たし、また価値を提供すべきであるという考え方が広まっている。
> 具体的には、法令順守（コンプライアンス）のような社会市民としてとるべき倫理的な行動の遵守と、積極的な環境対策や障害者の雇用、貧困撲滅支援などといったポジティブな貢献の両方が期待されている。

◖企業の社会的責任拡大の背景

　20世紀の企業経営において、最も重要視されたステークホルダーは、従業員、株主、顧客の三者であった。これは21世紀になっても不変であろうが、最近は、もう1つ重要なステークホルダーとして、社会が存在意義を増している。

　もともと企業（とくに大企業）は公器としての性格が強く、社会に価値を還元するのは自然な考え方と言える。しかし、20世紀におけるその方法は、商品・サービスの提供、納税、雇用の提供などに偏っていた。企業活動に邁進することが社会に価値を還元することにつながると考えられていたとも言える。

　しかし、とくに1990年代以降、少なくとも先進国においてはこうした単純な考え方は通用しなくなった。生活が豊かになるにつれ、利益や経済成長という「結果」だけがよければ手段がすべて正当化されるわけではなくなってきたのだ。また、1980年代以降、とくに欧州を中心に、酸性雨や温暖化対策など、「未来に何を残せるか」を社会全体として真剣に考えなくてはならないという意識が強まってきた。こうした責務をしっかり果たす企業こそが社会から尊敬を受け、持続的に成長すると考えられるようになっているのである。

◖企業行動の倫理性を担保する

　企業が最低限の倫理的行動を果たすべく取り組んでいるのが、法令順守（コンプライアンス）、内部統制、リスク・マネジメントなどである。これらは、企業経営の透明性やチェック機能を高めることで、企業の暴走を防ぐことを意図している。

　もっとも、仕組みをつくったところで、トップをはじめとする経営陣が倫理行動の必要性を強く持っていなければ、それらは機能しない。ますます厳しくなる経営

環境の中で、いかに誘惑を振り切り、倫理的な行動をとるべきかが問われている。

◘よりよい未来社会をつくるべく社会に価値提供する

　欧州を中心に、20世紀後半から社会的問題になってきたのが、どうすれば持続性のあるよりよい社会をつくれるかということだ。とくに環境や貧困などの問題は、一朝一夕に解決できるわけではないし、現在の無為無策は将来に大きな禍根を残しかねない。企業も社会市民として、こうした問題に積極的に取り組むことが、ブランド価値や人材獲得をめぐる競争力を高め、持続的な成長につながるとの考え方が広まりつつある。具体的な領域としては、以前から環境対策や労働環境の改善などが注目されてきた。たとえば、再生紙などのリサイクル品を用いる、商用車にエコカーを採用する、ユニバーサルデザインを採用することで身障者でも働きやすい環境を提供する、などである。

　近年ではこれらに加え、貧しい国々の製品を積極的に買う、独裁国家からの製品は買わない、地域の教育プログラムの支援をするなど、より政治・行政に近い領域もCSRに含まれるようになっている。規制緩和・民営化が進み、これまで行政が担っていた役割を企業が担いやすくなったことを勘案すると、こうした流れはいちだんと加速していくだろう。

　なお、マイケル・ポーター教授は自社の持つバリューチェーンを有効に活用することが必要だと説いている。たとえば、清涼飲料メーカーが小学生の教育を効果的に支援するのは難しいかもしれない。しかし、学習塾や英会話スクールなどであれば、本業で小学生を対象としていなくても、そのノウハウや経営資源をうまく転用しながら社会貢献できる可能性がある。

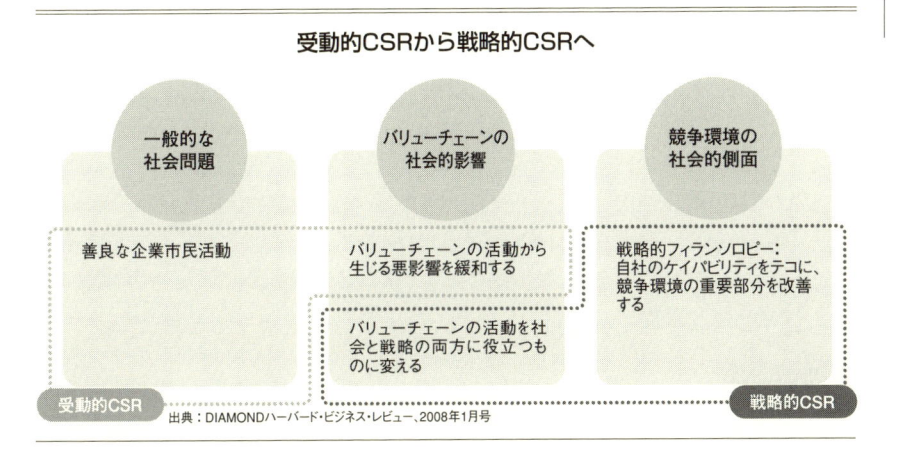

受動的CSRから戦略的CSRへ

一般的な社会問題	バリューチェーンの社会的影響	競争環境の社会的側面
善良な企業市民活動	バリューチェーンの活動から生じる悪影響を緩和する	戦略的フィランソロピー：自社のケイパビリティをテコに、競争環境の重要部分を改善する
	バリューチェーンの活動を社会と戦略の両方に役立つものに変える	

受動的CSR　　　　　　　　　　　　　　　　　　　戦略的CSR

出典：DIAMONDハーバード・ビジネス・レビュー、2008年1月号

4 経営戦略トピックス（増補）

22 社会起業家

> **POINT**
> 社会の仕組みにはさまざまな歪みや非合理性がある。こうした問題を新製品、新サービス、新事業創造によって解決し、それによって社会変革を実現しようとする起業家のことを「社会起業家」（Social Entrepreneur）という。医療や教育、貧困撲滅などの分野にとくに多い。政治・行政の立場からも、彼らを積極的に支援し、彼らのエネルギーを活用することで、社会変革を効果的に促すことができるものとして注目されている。

◖社会起業家登場の背景

　欧州において社会起業家（Social Entrepreneur）という言葉が広まったのは、サッチャー政権下のイギリスである。当時、サッチャー政権は、規制緩和や民営化を促進し、非効率的な公共サービスの改善を図った。この試みは一定の成果を上げたが、その一方で、営利を目的とする企業からは相手にされない社会的な弱者を生み出した。また、性急な規制緩和によって社会の二極化が進み、コミュニティが疲弊してしまうという問題も起こった。こうした中、コミュニティの有志によって、医療や教育などに関する問題解決を政府に任せるのではなく、コミュニティの中で解決していこうという機運が高まった。当初、こうした活動はボランティア、あるいはNPOの形で行われることが多かったが、徐々に組織化・効率化が進み、ビジネスの形態に近づいていった（より厳密に言えば、ビジネス化したプレーヤーが優位になっていった）。こうした動きが地方からイギリス全土、さらには欧州に広がり、1990年代には多くの国、幅広い領域で社会起業家が活躍するようになっていった。

　一方、アメリカは元来、起業家を多数輩出する風土があり、また移民問題や都市のスラム化など多くの社会的な問題も抱えている。さらに、「小さな政府」を好み、民間の力を積極的に活用しようとする国民性など、もともと社会起業家が活躍する土壌があったと言える。当初はNPOがそうした役割を担っていたが、イギリス同様、政府支出が削減される中でより効率的な運営が求められるようになり、NPOのビジネス化が進んでいった。

◖社会起業家の例

　社会起業家がわが国でもいちだんと注目を浴びるようになったのは、2006年のノ

ーベル平和賞がバングラデシュ・グラミン銀行と、同行の創設者であるムハマド・ユヌス総裁に与えられたときであろう。同行の融資により、バングラデシュでは貧困層の多くの人々の生活が向上したとされる。

別の有名な社会起業家の例としては、フェアトレードがある。彼らは、途上国の中でもさらに立場の弱い、農村部の女性や小規模農家、スラムに住む人々などを支援している。自然資源や農産物、伝統の技術を持ちながら、商品開発のノウハウや販売チャネルを持たないがゆえに貧困にあえいでいる人々に対して、製品デザインのアイデアの提供、品質向上研修のための資金援助、売り手にとって有利な取引条件（支払形態や支払サイトなど）の提供などを行っている。

◘日本の取り組みと課題

わが国における社会起業家の登場は欧米に大きく遅れている。社会的な認知がなされ、人々が注目をし始めたのは2000年頃とされている。だが、後れはとったものの、規制緩和や民営化が進む中、これからの活躍が大いに期待されている。とくに供給力の逼迫が深刻な問題となりつつある医療や介護、保育、教育、農業などに大きなビジネスチャンスがあるものと期待されている。

一方で、課題も多い。第一の課題は人材だ。社会起業家には、通常の企業家以上に、高いビジネス能力やコミュニケーション能力、高い志が求められる。しかし、こうした人材は、現状ではなかなか社会起業家を志さない。また、公的な活動に志の高い人間は、往々にして利益の追求を軽視する傾向もある（公共セクターやNPO出身者が多いのもその原因である）。

第二に、行政からのサポートの弱さが挙げられる。既得権益にこだわる人々を説得し、時には妨害もはねのけながら事業を進めるのは並大抵の労力ではない。行政は往々にして既得権益側の肩を持ちがちである。広い視野、高い視点に立って、社会起業家を支援する仕組みをつくることが強く求められている。

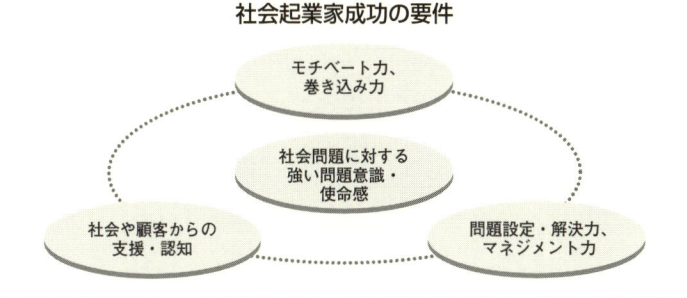

社会起業家成功の要件

- モチベート力、巻き込み力
- 社会問題に対する強い問題意識・使命感
- 社会や顧客からの支援・認知
- 問題設定・解決力、マネジメント力

第2部

マーケティング

●……… 1 マーケティングとは何か

1 マーケティングの発想

> **POINT**
>
> マーケティングは顧客満足を軸に「買ってもらえる仕組み」を考える活動である。今日の売上げを確保するための販売戦略（セリング）とは異なり、継続的に成長していくために、いかに顧客のニーズを満たすかという発想に立つ。

◘マーケティング思考

　今日、多くの製品はライフサイクルの成熟段階にあり、厳しい競争にさらされている。消費者の見る目が厳しくなるとともに、価値観の多様化や個性化がいっそう進んでいる。こうした環境では、売り手本位の考え方を続けていては、顧客の心をつかむことができなくなり、企業の業績が悪化するばかりか、その存続までもが危うくなりかねない。そのため、売り手の都合を優先させた考え方から、顧客満足をベースにしたマーケティングの発想への転換が求められている。

　マーケティングの活動範囲は営業活動や広告、市場調査などに限定されているわけではない。顧客ニーズを汲み上げ、開発や生産、販売など企業のあらゆる活動をコーディネートしながら、顧客にとって価値のある製品や情報を提供していくという一連のプロセスを計画・推進し、コントロールする重要な役割を担っている。

　マーケティングにはさまざまな定義があるが、本書では「顧客に買ってもらえる仕組みをつくること」と定義する。これは「売り込む手段」を考えるセリング（販売）とは明らかに異なる考え方だ。セリングの目的は今日の売上げを確保することにあるので、短期志向に陥りやすい。極端に言えば、目先の製品が売れさえすれば顧客との関係は1回きりでかまわないので、顧客の信頼を勝ち得る努力は重視されない。たとえば、観光地の土産物屋をイメージしてみるとわかりやすい。土産物屋は通常、1回の売上げを最大化することのみを考えて、商品を売り込もうとする。

　これに対して、マーケティングの目的は継続的な成長だ。顧客を、企業に長く利益をもたらす存在として、より長期的な関係の中でとらえる必要があるため、「顧客が求めるものは何か。顧客のニーズを満たす製品を提供するにはどうすればよいか」という顧客中心の考え方が常に求められる。多くの市場が成熟期を迎えているが、その中で継続的に成長するには、新しい顧客を増やすこと以上に、既存の顧客に繰り返し買ってもらうことが重要だ。これは観光地も例外ではない。旅行慣れした人が増えた今日、一度来た客に何度も足を運んでもらう努力が欠かせなくなった。土

産物屋もリピート客や抜本的な構造変化への対応を検討する必要が出てきた。

◆顧客満足とニーズ志向

　マーケティングではなぜ顧客満足を軸に考えなくてはならないのか。それは、企業が継続的に成長するには、企業に収益をもたらす顧客の創造と維持が欠かせないからだ。顧客を引きつけるためには、顧客ニーズを満たす製品を生み出し、常に顧客満足を高める努力が必要である。

　ところで、顧客の欲求を表す概念として「ニーズ」と「ウォンツ」がある。ニーズとは、衣食住などの生理的なことから社会的、文化的、個人的なことに至るさまざまな事柄に対して人間が感じる「満たされない状態」のことだ。これに対してウォンツは、ニーズを満たすために製品化されたものを求める感情、つまり「具体的な製品やサービスへの欲求」のことである。たとえば、「食べ物を安全に、必要な期間、できるだけおいしい状態で保存したい」というのがニーズであり、それが製品の形となった「冷蔵庫が欲しい」というのがウォンツに当たる。

　ただし、ニーズは顕在化していない場合も多い。たとえば、現在の冷蔵庫や冷凍庫は消費者のニーズをある程度満たしていても、完璧に満たしているわけではない。仮に、技術革新によって真空の状態を簡単につくり出せるようになり、もっと自然な状態で食べ物を長期間保存できる装置が発明され、手頃な価格で提供されるようになったら、大方の需要は新しい製品へと向かうだろう。このように、顧客の本質的なニーズをとらえ、具体的なウォンツにつなげることがマーケティングの中心課題である。

セリングとマーケティング

	出発点	焦点	方法	目的	成果
セリング	工場 既存製品	売り込み方 日常業務 「今日の糧」	アクション中心	現状の売上げ確保	売上数量に基づく利益
マーケティング	市場 顧客ニーズ	買ってもらえる仕組みづくり 戦略 「明日の糧」	分析・創造	継続的成長	顧客の満足に基づく利益

出典：嶋口充輝・石井淳蔵『現代マーケティング［新版］』（有斐閣、1998年）を参考に作成

1 マーケティングとは何か

2　マーケティングの役割

> **POINT**
>
> 企業活動の原点にあるのは顧客だ。顧客との接点となるマーケティングは、生産や営業、開発、財務、人事などの機能を統合する役割を担っている。マーケティング戦略は全社レベル、事業レベル、製品レベルで「売れる仕組み」を追求していくが、それぞれの戦略レベルにおける整合性や経営方針との一貫性が大切である。

◆企業経営におけるマーケティングの意義

　企業は経営理念という枠組みの中で、外部環境と自社の経営資源から戦略を特定していくが、外部環境の中で最も重要な要素の1つは市場環境である。市場は日々変化していく。市場から拒否された企業は収益を確保できなくなるため、市場環境の構造的変化をいち早くキャッチし、現在または将来の環境に合致した経営戦略を策定することが必要になってくる。市場環境の変化を踏まえて企業の進むべき方向性を見出し、経営戦略や事業活動に落とし込んでいく役割を果たすのがマーケティングである。

　企業は生産、営業、開発、財務、人事などのさまざまな機能の集合体だ。顧客がすべての企業活動の原点であるという考え方に立てば、顧客を中心に据えて、顧客の期待に応えるべく各機能がそれぞれの役割を最大限に果たさなくてはならない。マーケティングは、顧客の期待を明確化し、顧客ニーズの充足を保証するために、企業内のさまざまな機能を統合する役割を担っている。

◆他部門とマーケティング部門の関係

　顧客接点となるマーケティングは、他部門の活動にもさまざまな影響を及ぼしている。いくつかの部門を例にマーケティング部門との関係を検討してみよう。

　たとえば、R&D部門は製品開発に関わっている。この部門が熟知しているのは、「自社の技術でどのような製品ができるか」ということだ。そのため、技術シーズ中心の発想になりやすく、売れる可能性のない製品を開発するおそれがある。「売れるものをつくり、効率的に販売する」ためには、顧客が求めている製品をよく知っているマーケティング部門からの情報が不可欠になる。

　製造部門においても、長期的な生産キャパシティの問題から製品の梱包に関する

問題まで、マーケティング部門と常に密接な連携を図る必要がある。たとえば、在庫の山をつくったり、売れる機会をみすみす逃したりすることがないように、製造計画を立てるときには市場分析に基づく販売予測データが欠かせない。また、製造コストや製造プロセスの合理化を検討するときも、製品の仕様や価格設定などのマーケティング関係の情報を考慮しながら行う。

人事部門もまたマーケティング部門と無関係ではない。人事部門が中長期的なマーケティング戦略を理解し、計画的な採用や要員配置を行わなければ、マーケティング戦略の実行部隊に穴があき、支障が出てしまうだろう。

◧マーケティング戦略の階層

経営戦略は経営理念とビジョンを起点に、全社戦略、事業戦略、機能戦略という階層構造を形成している。マーケティング戦略も同様に、全社レベル、事業レベル、製品レベルの各視点で考えなくてはならない。

マーケティング戦略は、扱っている製品について「だれに何をいくらで売るか。それをどのように認知させ、どのように供給するか」ということをトータルで考えていく。これが製品レベルの視点だ。しかし、多くの製品を扱っている場合、個々の製品ベースで最適なマーケティング戦略を考えていると、企業全体で見たときに機能の重複などの無駄が生じたり、製品間や事業間の整合性がとれなくなったりする。そのため、全社的視点に立って方針を決定したり、シナジーなどを考慮して事業部間の調整を図る必要がある。さらに、コーポレート・ブランドの育成や管理なども全社的な観点から考えなければならない。この役割を担うのが全社マーケティングだ。一方、事業マーケティングはセグメンテーションやターゲティング、ポジショニング、マーケティング・ミックスなどのマーケティング戦略の根幹を担っている。製品間の調整を図るときにも、事業レベルの視点が必要である。

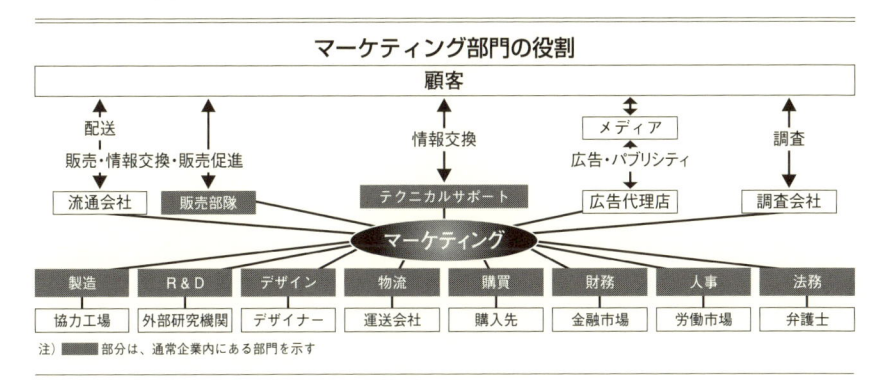

マーケティング部門の役割

注) ■■■部分は、通常企業内にある部門を示す

●············ 1　マーケティングとは何か

3　マーケティング・マネジメント

> **POINT**
> マーケティング戦略の構築は、環境分析を通じたマーケティング機会の発見、セグメンテーション、ターゲティング、ポジショニング、マーケティング・ミックスという一連の流れを経る。
> 有効なマーケティング活動を行うにはこのプロセスを理解し、それを効果的に進めるための組織運営が必要である。

◘マーケティング・プロセス

マーケティングの観点からビジネスを構築していくためのプロセスは、以下の6つのステップに大別される。

このプロセスは必ずしも一方向的な流れではなく、行きつ戻りつすることもある。また実際には、制約条件などによりどれか動かせない要素があるため、さかのぼって整合性をとることも多い。

❶**マーケティング環境分析と市場機会の発見**：マーケティング環境を分析することにより、市場の機会と脅威、自社の強みと弱みを見極め、自社にとってのマーケティング機会を発見する。

❷**セグメンテーション（市場細分化）**：環境分析の結果を踏まえて、不特定多数の人々を、同じニーズを持つ固まり（セグメント）に分ける。

❸**ターゲティング（標的市場の選定）**：市場を構成するさまざまなセグメントの中から、自社が事業を展開するのに最もふさわしいセグメントを選び出す。

❹**ポジショニング**：競合製品に対して、自社製品をどのように差別化するかを決定する。いわば、顧客の頭の中に自社製品を特別の価値を有するものとして位置づけられるようにするための活動である。

❺**マーケティング・ミックス（4P）**：ターゲットとするセグメントに対して働きかけるための具体的なマーケティング施策の総称である。4Pとは、Product（製品）、Price（価格）、Place（流通）、Promotion（コミュニケーション）の頭文字を取ったもので、これらの最良の組み合わせ（ミックス）を考えていく。このときに重要なのは、4P間で整合性がとれていることだ。

❻**マーケティング施策の実行と評価**：施策を実行した後には、必ずその結果を評価し、うまくいっていない部分については原因を探り、戦略の見直しを行う。

◧マーケティング組織

　マーケティング・プロセスを円滑に進めるには、マーケティング活動を効率的かつ効果的に運用できるような体制を整えなくてはならない。マーケティング活動を実際に展開するのは従業員だ。彼らの成果を最大化するためには、組織構造や職務設計、人事システム、人員配置などにも気を配ることが大切だ。

　マーケティング戦略上、組織構造の組み替えが必要になる場合がある。たとえば、あるメーカーが家電製品事業部と情報機器事業部（パソコンなど）を抱えていたとする。今後、パソコンの普及に伴って、家電と情報機器が融合した情報家電という新しいくくりが誕生すれば、従来の組織構造を見直したり、再構築したりしなくてはならない。

　また、マーケティング担当者の業績を正確に測定し、その分の見返り（ボーナス、昇進、表彰など）が受けられるような評価・報奨の仕組みを用意しなければ、マーケティング活動をよりよいものにしようとするインセンティブは生じない。

　計画設定や予算管理の徹底も必要だ。マーケティング計画や予算設定は企業全体に影響を及ぼし、他機能（部門）の活動についても方向性を示す役割を担っている。現状と計画値との乖離をモニターし、的確に軌道修正できるように、定量的に成果を測定するといったことも、計画策定では考えなくてはならない。

　さらに、情報システムの構築や活用も重要だ。マーケティング計画の策定、実行、評価には、市場環境や競合動向、販売状況などの情報が欠かせない。有効な情報を迅速かつ確実に収集し、的確に活用する能力の有無が競争上の命運を分ける。

マーケティング戦略立案の流れ

- マーケティング環境分析と市場機会の発見
- セグメンテーション（市場細分化）
- ターゲティング（標的市場の選定）
- ポジショニング
- マーケティング・ミックス（4P）
  Product, Price, Place, Promotion
- マーケティング施策の実行と評価

2 マーケティング環境分析

4 市場の機会の発見

POINT

自社にとっての市場の機会とは、「他社にない強みを発揮できる舞台」を指す。環境分析を行い、他社に対して競争優位を発揮できるような市場機会を創造的に発見することが重要である。

◘マーケティング環境分析

マーケティング環境の分析では、自社ではコントロールできない外部環境と、コントロール可能な内部環境を見る。外部環境ではマクロ環境、市場（顧客）、競合について、内部環境では自社の経営資源や強みと弱みなどを明らかにする。その後SWOT分析を行い、KSF（成功の鍵となる要因：Key Success Factor）を発見する。SWOT分析とは、内部分析による自社の強み（Strengths）・弱み（Weaknesses）と、外部分析による市場の機会（Opportunities）・脅威（Threats）を掛け合わせて、総合的に判断するためのフレームワークである（第1部＜11＞参照）。

◘機会と脅威の二面性

市場の機会と脅威は通常、外部分析から導かれる。しかし、他社の機会が必ずしも自社にとっても好機であるとは限らない。一般的な市場の機会に自社の強みが合致したときに、自社にとっての機会が生み出される。

また、機会と脅威には二面性があることも忘れてはならない。同じ企業であっても、ある事実をどういう視点でとらえるかによって、脅威ともなるし、機会ともなる。たとえば、金融業界の規制緩和について、業界内では競争の激化を招く脅威としてとらえる企業が多いだろう。しかし、規制緩和で自由に金利を設定したり、他業界への参入も可能であると考えれば、新たな機会の到来とも言える。

ある事象を発見したとき、企業はそれをすぐに「脅威」と考えるのではなく、これを「機会」にできないだろうかと問う姿勢が大切である。そうした頭の切り替えができるか否かは、日頃から環境変化に注意し、準備をしているかどうかにかかっている。環境変化が脅威をもたらす前にリスク回避策を講じたり、競合他社よりも早く新たな機会を見出し、事業化に結びつけるバイタリティが成否を決するのだ。

機会と脅威を見つける際には、環境の変化を本質まで掘り下げて分析することがポイントだ。たとえば、ブライダル産業の売上げが伸び悩んでいるという事実があ

ったとする。これを単純にとらえて、魅力のない市場と判断するのは早計だ。まず、その原因が、挙式をしないカップルが増えているためなのか、平均単価の低下によるものかを見なければならない。そして前者が原因であれば、なぜそうした現象が起こっているのかを分析する。顧客心理を理解すれば、結婚式はしたくないと考えているカップル向けに新しいブライダル・サービスを提供できるかもしれない。

◘市場機会の創造的発見

市場の脅威をとらえ直す方法はもうひとつある。「自社の強みと弱み」をもう一度見直すことだ。ある企業が画期的な新製品を開発したが、それを効率よく売るための流通チャネルを持っていなかったとしよう。このことは大きな弱みに見えるが、ここで発想を変えてみよう。たとえば、競合となる商品を有する他社が使っていないチャネルを用いてまったく新しい売り方ができないかと考えてみる。この形態がこれからのビジネスにおいて有効だと判断されれば、新しい流通システム構築のための集中投資ができるという「強み」が出現する。反対に、すでに自前の流通チャネルを持っていたとすれば、新形態の流通システムを加えるには、新規開発費や維持費などの新たな投資以外に、既存チャネルとの調整作業が必要になり、ビジネスチャンスを逃してしまうかもしれない。これでは、本来の強みであるはずのチャネル保有が「弱み」へと転じてしまう。

現実に、視点を変えることによって一見短所と思われる特徴を長所に転じさせた例は多い。自社にとっての市場機会とは、発見した事実の中に「ある」ものではなく、その事実を企業がどうとらえるかによって「創り出される」ものなのだ。

● マーケティング ●

自社にとっての市場機会の発見のプロセス

```
外部環境分析              内部環境分析
    ↓                        ↓
市場の機会と脅威  ──────  自社の強みと弱み
    ↓                        │
 KSFの発見  →  自社にとっての市場機会を発見
```

●·········· 2　マーケティング環境分析

5　マーケティング・リサーチ

> **POINT**
>
> マーケティング・リサーチの目的は、マーケティング上の戦略「仮説」を「検証」することにある。マーケティング戦略を実りあるものにするには、リサーチにおいて明確な目的を持ち、市場の状況を的確に把握できる手段を選択・活用する必要がある。

◘マーケティング・リサーチの意義

　マーケティング戦略を策定するときには、市場で起こっていることを把握し、自社のアイデア(仮説)が市場に受け入れられるかどうかを確認する必要がある。また、戦略をレビューする際にも、実施した施策がどれだけ効果的だったのか検証しなくてはならない。そのため、マーケティングでは市場調査やシェア分析、製品選好分析、販売予測、広告効果分析など、目的別にさまざまなリサーチが行われる。

　リサーチでは、現状から考えられる仮説と予測される結果を必ず事前に考え、調査結果との違いを評価する、仮説検証型のアプローチが望ましい。とりあえず手に入るデータを集めて、そこから最終結論を導く方法は、無駄が多く誤った結論を得る可能性が高い。

◘リサーチのプロセス

　リサーチは通常、❶リサーチ目的の設定、❷仮説の設定、❸リサーチの設計と実施、❹仮説の検証という手順で行われる。

❶**リサーチ目的の設定**：リサーチの第1ステップは、だれが、どのような目的のために、どのような情報を必要としているのかを明確にすることだ。それが明らかになってはじめて、調査すべき問題を設定したり、必要なデータを特定することができる。

❷**仮説の設定**：リサーチは仮説なしには進められない。たとえば、日本進出を検討している外資系フランチャイザーが、集客効率や利益効率のよい出店場所を知りたがっているとする。このとき場当たり的に調べるのではなく、「都市部では、駅からの距離が最も集客力と相関性を持つだろう」という仮説を立てて、類似業態の同規模店舗について駅からの距離と集客力を分析すると、効率よく調査できる。

❸**リサーチの設計と実施**：次のステップは、仮説を検証するために必要なデータの

収集である。リサーチの設計では、必要なデータを特定し、そのデータを収集するためのリサーチ手法や、サンプリング、質問内容を決める。

リサーチに使われるデータには、新聞などで一般に公表されているデータのように他の目的のために収集された「２次データ」と、特定の目的のために収集する「１次データ」がある。２次データは比較的容易に入手できるため、情報収集に要する時間と費用が節約できる。しかし、別の目的で作成されているため、必要な情報がすべて手に入るとは限らない。そこで、企業は自らリサーチを行い、目的に合った１次データを収集する。収集方法には、ヒアリングやフォーカス・グループへのインタビューなどで言葉や会話から内容をとらえる「定性リサーチ」と、アンケートなどを用いて調査結果を統計的に数値でとらえる「定量リサーチ」がある。

リサーチ手法は、品質（正確さ）とコスト（金銭的・時間的）のトレードオフを考えながら選択しなくてはならない。適切な調査対象やサンプル数を決めるときにはコストの制約だけでなく、調査の精度や回答率に大きな影響を与える質問形式（自由回答、選択式等）や質問数、回答方式（単数、複数、記述等）などにも考慮する。

❹**仮説の検証**：いかによいデータを集めても、分析が的確に行われなくては意味がない。検証したい事柄に応じてさまざまな分析手法を用いる。たとえば、製品やサービスを総合的に評価するときには、コンジョイント分析を用いる。これは、顧客が複数の商品の中から１つを選ぶ場合、価格や色、デザイン、品質などの各項目が、どの程度その選考に影響を与えているかを知るための分析手法の１つだ。

定量リサーチでは１つの変数だけを単独で分析するのではなく、それらの相関について分析する場合が多く、簡単な表計算ソフトが最低限必要である。

仮説なきリサーチの弊害

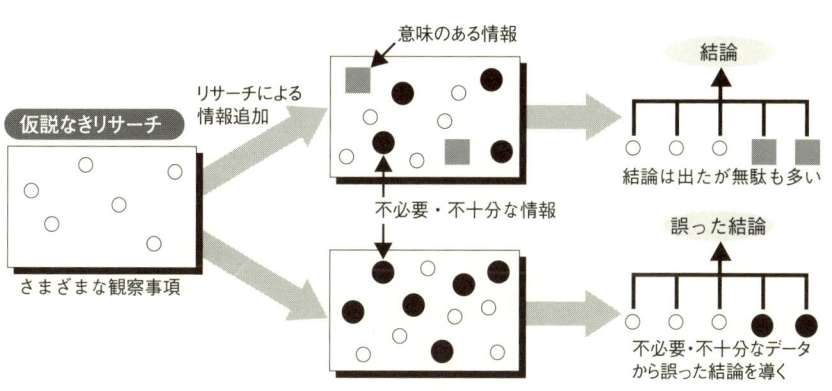

仮説なきリサーチ　さまざまな観察事項

リサーチによる情報追加

意味のある情報

不必要・不十分な情報

結論　結論は出たが無駄も多い

誤った結論　不必要・不十分なデータから誤った結論を導く

3 市場戦略

6 セグメンテーションとターゲティング

POINT
限られた経営資源を有効に利用するには、不特定多数の顧客を小集団に分け（セグメンテーション）、標的市場を選定して（ターゲティング）、効果的・効率的に市場にアプローチする必要がある。

◆セグメンテーション（市場細分化）の意義

市場全体に対して同一の製品を同一のマーケティングで販売できれば、企業は効率的に収益を上げることができる。一方、顧客満足度を最大化したければ、顧客一人ひとりに専用品を提供することが望ましい。

しかし、企業の経営資源が限られているため、各個人のニーズに応えることは難しい。対応できたとしても膨大なコストがかかるだろう。そこで、企業にとっての「効率」と顧客にとっての「効果」（満足度）とのギャップを埋めるための考え方がセグメンテーションである。

セグメンテーションとは、不特定多数の顧客を同じ性質やニーズを持つセグメント（固まり）に分けることである。そして、同一のマーケティング手法がある程度効果的に通用するセグメントに照準を定めて、経営資源を集中させるのである。

◆セグメンテーション変数

セグメンテーションは、どのような軸（セグメンテーション変数）で分けるかがポイントになる。複数の軸を組み合わせて使うことも多い。以前は切り分けが容易な地理的変数や人口動態変数がよく用いられていたが、最近は消費者ニーズの多様化や個性化に合わせて、心理的変数や行動変数が重視されるようになった。たとえば、行動変数として、購買頻度や購買動機（ベネフィット）などがある。とくに、顧客が購買にあたって何を重視するかというKBF（Key Buying Factor：購買決定要因）は重要な切り口となる。

セグメントは単に細かく分ければよいというものではない。セグメントを切り出す際には、1つのセグメントで十分な売上高や利益を確保できる規模がある、重要度に応じてセグメントごとの優先順位をつけられるなどの条件を満たす必要がある。また、顧客層にアプローチし、顧客の反応を測定・分析することができるかなどの実現可能性にも考慮しなくてはならない。

◆ターゲティング（標的市場の選定）

　どの顧客層（セグメント）をターゲットにするかを決めるのがターゲティングだ。このとき、とくに以下の6点（6R）に注意し、総合的に判断しなくてはならない。

❶有効な市場規模（Realistic Scale）：その事業あるいは商売が成立する最低限の規模を獲得できるセグメントでなければならない。

❷成長性（Rate of Growth）：一般に、市場の生成期や成長段階の初期に、売上げやシェア獲得の大きなチャンスがある。技術進化の段階も重要な要素だ。技術がまだ初期段階のうちに市場に参入しておけば、技術の進化に伴って新しい用途が発生して、当初予想もつかなかった新市場を獲得することができる。

❸顧客の優先順位／波及効果（Rank／Ripple Effect）：もし周囲への影響力の強いセグメントがあるならば、優先的にアプローチをすべきである。

❹到達可能性（Reach）：たとえ魅力的なセグメントがあっても、地理的に遠かったり、名簿を入手できなかったりすると、顧客に的確なアプローチができない。

❺競合状況（Rival）：すでに競合がその市場で大きな地位を占めている場合、市場の魅力度は低減する。競合の優位性が小さい領域で差別化できれば、新たな地位を獲得する可能性が広がる。

❻反応の測定可能性（Response）：実行されたアクションに対し、適切な結果がもたらされたかを測定すべきである。広告の効果や、商品に対する満足度の調査などが挙げられる。

セグメンテーション変数（切り口）──消費財の場合

変数（切り口）	セグメントの例	該当する商品の例
1.地理的変数		
地方	関東、関西など	地域限定商品：「東京ウォーカー」角川書店
気候	寒暖、季節など	季節限定商品：「メルティキッス」明治製菓
人口密度	都市部、郊外、地方など	ロードサイドDS:ドン・キホーテ
2.人口動態変数		
年齢	少年、ヤング、中年、高齢者など	少年誌：「週刊少年ジャンプ」集英社
性別	男、女	女性向けタバコ：「バージニアスリム」フィリップ・モリス
家族構成	既婚、未婚など	主婦向け雑誌：「すてきな奥さん」主婦と生活社
所得	3000万円以上など	高級車：「ベンツ」メルセデスベンツ
職業	ブルーカラー、ホワイトカラーなど	健康ドリンク：「リゲイン」三共
3.心理的変数		
ライフスタイル	スポーツ好き、アウトドア志向など	RV（レクリエーショナル・ビークル）
パーソナリティ	新しもの好き、保守的など	
4.行動変数		
求めるベネフィット	経済性、機能性、プレステージなど	機能性飲料
使用率	ノンユーザー、ライトユーザー、ヘビーユーザーなど	

3 市場戦略

7 ポジショニング

> **POINT**
> ポジショニングとは、顧客の頭の中に自社製品をユニークなものとして位置づけてもらい、製品イメージをつくり出すための活動である。企業が意図するとおりのポジショニングを根づかせるためには、マーケティング・ミックスを適合させる必要がある。

◖ポジショニングの意義

　ポジショニングは、ターゲット顧客の頭の中に独自のポジションを築き、明確でユニークな差別化イメージを植え付けるための活動である。顧客に自社製品のユニークな価値を認めてもらうことにより、競合製品に対して優位に立つことを目的としている。

　マーケティング・プロセスの中で、ポジショニングの決定は重要なステップである。ポジショニングの巧拙は製品の売れ行きや収益性に大きな影響を与える。

　さらに、まったく同じ内容の製品やサービスであっても、ポジショニングが変わればマーケティングの施策は異なったものになる。たとえば、化粧品メーカーが新製品を高付加価値商品として売り出す場合、高級感のある容器や高めの価格、百貨店や専門店でのカウンセリング販売など、そのポジションにふさわしい製品設計や価格設定、流通チャネル、販売方法などを考えるだろう。逆に、同じ製品を普及品として展開したい場合はどうだろうか。おそらく、パッケージやネーミングを変え、手頃な値段をつけてドラッグストアやスーパーなどに並べるだろう。

◖ポジショニングのテクニック

　ポジショニングを検討するときには、顧客の視点で考えることがポイントだ。具体的には、ターゲット顧客が重視するKBFをもとに競合製品といかに差別化できるかを考える方法や、製品の属性を軸にして2次元のマップを描き、有効なポジションを視覚的に探す方法などがある。

　2次元マップを描く場合は、ターゲット顧客が重視している代表的な属性を軸として選び出し、それを組み合わせる。このとき、独立性が高い軸を組み合わせるように注意しなくてはならない。たとえば、「品質」と「価格」というように相関性の高い軸を選んでしまうと、「高品質・高価格」「低品質・低価格」という当たり前の

関係しか導き出せず、1つの軸で考えるときと同じ結果になってしまう。

◆ポジショニング成功のための鉄則

ポジショニングは製品コンセプトに落とし込まれ、流通チャネルやコミュニケーションなどのマーケティング・ミックス戦略を規定していく。そのため、ポジショニングを決定するときには、さまざまな角度から実現可能性を検討する必要がある。とくに、以下の4点に留意したい。

❶想定する顧客像が明確かつ適切であること

優れたポジショニングが想定する顧客イメージは、実際にその製品を購入すると想定されるターゲット顧客とは異なる場合がある。顧客の実像と彼らが他人にどう思われたいのかは異なる場合が多いことを意識しておかなければならない。

❷顧客に正確に伝わること

いくら魅力的なポジショニングを考えていても、それをきちんと伝えるコミュニケーションの努力がなければ、顧客の頭の中に像は結ばれない。

❸顧客にとって共感できること

売り手の意図を正確に伝えられたとしても、それが売り手の独りよがりでは成功しない。製品を購入する顧客にとって意味がある、重要なポジショニングでなければならない。

❹企業全体のポジショニングと整合していること

製品のポジショニングが売り手企業自体やその既存製品のポジショニングと整合していないと、顧客に混乱した印象を与えるだけでなく、既存製品の売上げや企業全体のイメージにもダメージを与える可能性がある。

ポジショニングが変わると、マーケティング・ミックスも変わる

ターゲットとするセグメント → ポジショニングA → マーケティング・ミックスA（製品A、価格A、流通A、コミュニケーションA）

ポジショニングB → マーケティング・ミックスB（製品B、価格B、流通B、コミュニケーションB）

4 マーケティング・ミックス

8 製品特性

POINT

マーケティングでは、「製品」はモノそのものではなく、提供するサービスをすべて含んだ広い概念でとらえる。製品は通常、「コア」「形態」「付随機能」の3要素に分解できる。どの要素が差別化の決め手になるかは、製品特性や競争環境などによって異なる。

◘製品の構成要素

　製品はその構成要素を「コア」「形態」「付随機能」の3つに分解できる。コアは顧客の本質的なニーズを満たすための、根本となる機能や価値のことだ。自動車の場合、人や物を乗せて運ぶという運搬機能を指す。形態はコアに付随する製品特性やスタイル、品質、ブランド、パッケージなどのことだ。自動車の色やスタイル、モデル名、燃費、安全性、最高速度などがこれに当たる。付随機能はアフターサービスや保証など付加的な要素のうち、顧客が価値を認めるものを言う。自動車の場合、保証や保険、カーローン、アフターサービスなどが該当する。

　これらの3要素のうち、どれがマーケティング戦略上最も重要かということは、製品特性や競争環境によって異なる。たとえば、書籍は内容そのもの（コア）と著者というブランド（形態）が重要だが、コンピュータはテクニカル・サポートや保証（付随機能）が大きな意味を持つ。また、製品の導入期にはコアや形態の要素で差別化が可能であっても、市場が発達して競合の類似製品が出回るようになると、付随機能での差別化が重要になったりする。そのため、リサーチなどを通して、顧客がどのような要素を重視しているか見極めなくてはならない。

◘製品の類型

　顧客の製品への関心の持ち方や買い方、KBFは、製品の性質によって異なる。たとえば、自動車や家具を買うときと、食料品やトイレタリー製品を買うときでは、情報の集め方や製品選びにかける時間、店の選び方などが違うはずだ。そのため、製品の特徴によっていくつかのカテゴリーに分けて把握しておくと、効果的なマーケティング戦略を策定するときの早道になる。実務でよく使われる製品分類は、物理特性、使用目的、顧客の購買プロセスという切り口で分けたものである。

■**物理特性**：「非耐久財」「耐久財」「サービス」の3つに分類される。非耐久財は

すぐに消費されるもので、食品や飲料、洗剤、化粧品などの消耗品を指す。これらの製品は再購入を促すことが課題であり、店頭シェアの獲得やマス広告が重要だ。通常は低めの価格で大量販売を目指す。一方、耐久財は反復使用する有形の製品で、自動車や家電製品、コンピュータなどが該当する。非耐久財に比べて価格が高く、販売量も少ないため、人的販売や製品保証、アフターサービスなどの重要性が高くなる。サービスは輸送、金融、ホテルなど無形の製品で、その取引の対象は「機能」である。特定の場所・時間に提供され、ひとたび提供されると修正や返品ができない。無形なので、売り手に対する信頼性が重要である。

■使用目的：個人消費のための「消費財」と、原材料や部品、設備品など生産のために使用される「生産財」に分類される。生産財はさらに、「材料・部品」（最終製品の生産にすべて使用）、道具や機械などの「資本財」（最終製品の生産に部分的に使用）、保守・修繕に用いる「備品・サービス」（最終製品にまったく使用されない）に分けられる。消費財の対象は不特定多数のエンドユーザーだが、生産財の対象は法人や政府機関などの組織だ。生産財はユーザーと購買決定者が異なることがあり、購買決定者の特定が重要となる。また、生産財は人的販売が有効とされる。

■購買プロセス：「最寄品」「買回品」「専門品」に分類される。最寄品は食品や飲料など、消費者が特別な努力を払わずに頻繁に購入する製品のことだ。なるべく多くの小売店で陳列してもらうことが売上増の決め手になる。買回品は家具や衣類など、いくつかの製品を比較検討して買う製品で、価格と機能のバランスがポイントとなる。専門品は自動車や高級衣料品など、購入にあたって特別な知識や趣味性を要する製品だ。競争上、ブランドの確立と維持が重要になる。

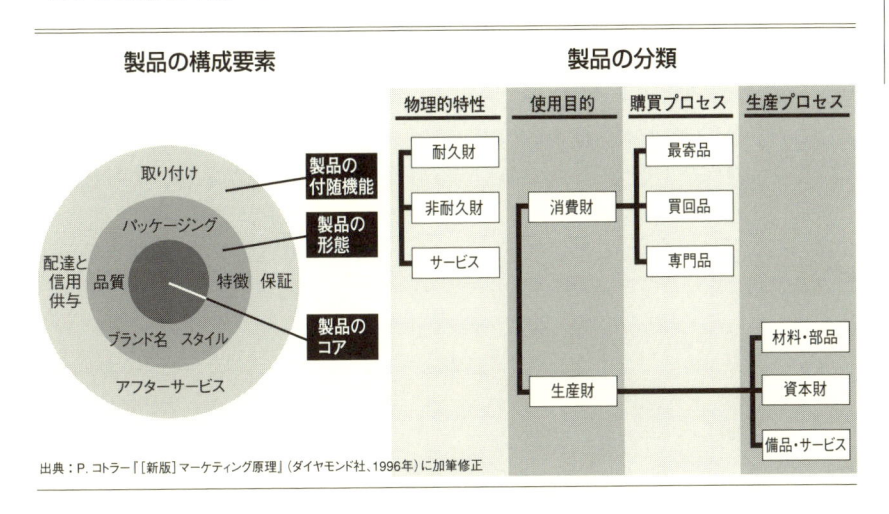

出典：P.コトラー『［新版］マーケティング原理』（ダイヤモンド社、1996年）に加筆修正

4 マーケティング・ミックス

9 ブランド

> **POINT**
> ブランドは単なる名前やマークではなく、消費者と企業にさまざまな価値を提供する資産である。企業の利益拡大に貢献する強いブランドは、継続的で一貫性のある投資の結果として生まれる。

◖ブランドの意義

　ブランドとは、「競合相手やその製品・サービスとの違いを明確にするために用いられる名前、言葉、デザイン、シンボル、またはそれらを組み合わせたもの」で、差別化の核となる。とくに、製品そのものに大差がない場合や、機能面などの差別化に多くの時間やコストを要する場合などは、ブランドが大きな武器となる。

　強いブランドを育て、ブランド・ロイヤルティを高めることは重要な戦略課題だ。ブランドの価値は一朝一夕に高められるものではない。一貫したコミュニケーション活動はもちろんのこと、高い品質やサービスの維持、行き届いたアフターサービスの提供、環境保全への取り組み、地域社会への貢献など、地道な努力の積み重ねが必要になる。

◖ブランドの役割

　ブランドには主に3つの機能がある。第1は、購買に関する情報処理の時間やコストを節約する「識別」機能だ。顧客は購買にあたって、リスク回避のためにさまざまな情報を収集する。だが、製品のすべてを完全に理解することは難しいので、ブランドを目印に製品を認識することも多い。第2は、購買リスクの軽減・回避に役立つ「品質保証」機能だ。顧客は過去の購買経験や評判などから、そのブランドが信頼できると確信すれば、それ以上の情報探索はしなくなる。第3は、ブランドによって満足感が高まったり、自己実現の手段になる「意味づけ」の機能である。不況時でもグッチやエルメスの人気が衰えないのは、ブランドから連想されるイメージが好ましく、忠誠心の高い顧客が存在するからだ。

　強いブランドを持つことで、企業は次のような効果を得ることができる。❶商標権を設定することで法的保護が受けられ、競合企業と差別化できる。❷顧客のブランド・ロイヤルティを得て、安定的な売上げを確保できる。❸プレミアム価格の設定が可能になり、プロモーションへの依存度が小さくなることで、高マージンを実

現できる。❹ブランドの拡張により成長機会を増すことができる。❺流通チャネルが販売リスクを低減させるために積極的に取り扱ってくれる。❻新規参入者に対する障壁となり、競争優位の構築に貢献する。

◆ブランド展開

　ブランドの展開にはいくつかの方法がある。たとえば、「キリンラガービール」のようにコーポレート・ブランドと製品ブランドを組み合わせるやり方がある。日本の顧客は品質保証機能としてコーポレート・ブランドを重視する傾向があるため、この方法がよくとられる。

　また、1つの製品カテゴリーで複数の製品を同時に販売する場合、すべての製品に異なるブランドをつける方法と、中心的なブランドを複数製品に冠する方法がある。前者は各ブランドの位置づけが明確になり、自社製品間で売上げの食い合い（カニバライゼーション）を最小限にできる利点があるが、製品ごとに多大なマーケティング投資が必要になる。後者はイメージの統一やマーケティング・コストの効率化を図れるなどの利点があるが、1つの製品の失敗が他の製品に悪影響を与えるおそれがある。

　ブランド展開を検討する際には、ターゲット顧客、製品とブランド・イメージとの整合性、マーケティング・コスト、自社製品間のポジショニング、シナジーやリスクなどを十分に考慮しなくてはならない。

ブランド体系

		具体例
コーポレートブランド	企業総体としてブランドが認知され、商品名にも展開されているもの	ぴあ、キユーピー、キッコーマン、キャタピラー、キリンビールなど
事業ブランド	企業内の事業単位がブランドとして認知され、商品名にも展開されているもの	世界の山ちゃん、牛角など
ファミリーブランド	いくつかの商品カテゴリーをまたがった包括的なブランドとして認知されているもの	植物物語、イクシーズ　ランバード（ミズノ）など
商品群ブランド	1つの核となるブランドから派生したバリエーションを多く持つもの	マイルドセブン、マイルドセブンライト、コカ・コーラ、ダイエット・コーク、マッキントッシュなど
商品ブランド	1つの商品単体でのブランド	モルツ、パンパース、ポカリスエット、スーパードライなど

4 マーケティング・ミックス

10 新製品開発

> **POINT**
> 新製品開発プロセスは大きく4つのステージに分かれる。ニーズ発想またはシーズ発想により製品アイデアが創出され、製品コンセプトとして表される。市場参入までのプロセスは、製品コンセプトとの整合性を図りながら進めなくてならない。

◧新製品開発プロセス

新製品開発のプロセスは、❶製品コンセプトの開発、❷戦略仮説の検討、❸製品化、❹市場参入という4つのステージに大別できる（図を参照）。

経営資源を大量に投入する新製品開発はリスクが大きいため、経営者の意思決定を必要とする。各段階で新たな問題点が見つかったときには、フィードバックを随時行い、計画を見直すことが必要である。また、市場導入後も絶えず製品の再ポジショニングを繰り返し、製品の市場地位の維持・拡大に努めなければならない。

◧ニーズ発想とシーズ発想

新製品開発のアプローチには2つある。ニーズ型開発とシーズ型開発だ。前者は「こんなニーズがあるが、何か解決できる方法はないだろうか？」というニーズ発想から開発を始めるのに対し、後者は「こんな新しい技術が開発されたが、何か利用できないだろうか？」というシーズ発想で取り組む。

新製品や新規事業を成功させるためには、顧客ニーズを無視することはできない。そのため、ニーズ発想の重要性が強調されることが多いが、新市場を創造する場合などは最初からニーズがはっきりしているとは限らず、シーズ発想によるアイデア開発が有効な場合も多い。また、ニーズを発見したとしても、技術的に解決できなければ新製品は完成しない。現実の製品開発の過程では、状況に応じてニーズ型とシーズ型を両立させ、合致させることが望ましい。

◧製品アイデアと製品コンセプト

新製品開発の出発点は、製品アイデア（市場に提供するその製品固有の機能）を考えることだ。この段階では、企業は経営資源を駆使して、できるだけ多くのアイデアを創出する。そのためにも、企業はシステマチックにアイデアを出し続ける仕組

みを整備しておくことが重要だ。最近では、社内に広くアイデアを募ったり、社内ベンチャーを奨励する企業も増えている。このような手法は、社員の問題意識を高め、士気の高揚や組織の活性化につながる場合もある。

製品アイデアは企業理念や戦略領域、経営資源、経済性、市場性、実現性などの観点から検討され、成功確率の高いアイデアを絞り込み、開発の優先順位を付けていく。このプロセスをアイデアのスクリーニングと言う。

スクリーニングを経たアイデアは、だれにどのような価値を提供するかを念頭に置きながら、明確かつ詳細な言葉に落とし込む。こうして、想定するユーザーが、実際にそれを使っている場面をイメージできるまでに具体化されたものを製品コンセプトと言う。製品コンセプトは、「だれがこのコンセプトに共感するか」「競合製品に対する優位性は何か」「従来の製品やサービスに比べて改良されている点は何か」「いくらにするか」「購入決定者はだれか」「使うのはだれか」などの詳細を問うコンセプト・テストを通して絞り込んでいく。

新製品開発は企画から市場投入まで長いプロセスを経るため、関係者は多岐にわたる。そのため、調整や統制機能が欠かせないが、このとき一貫した製品コンセプトを持つことが重要だ。製品コンセプトは新製品に関わる担当部門間を結ぶコンセンサスとなり、共通言語として機能するからだ。したがって、製品コンセプトは、関係者が共有し理解できるような明確な言葉で表すことが求められる。

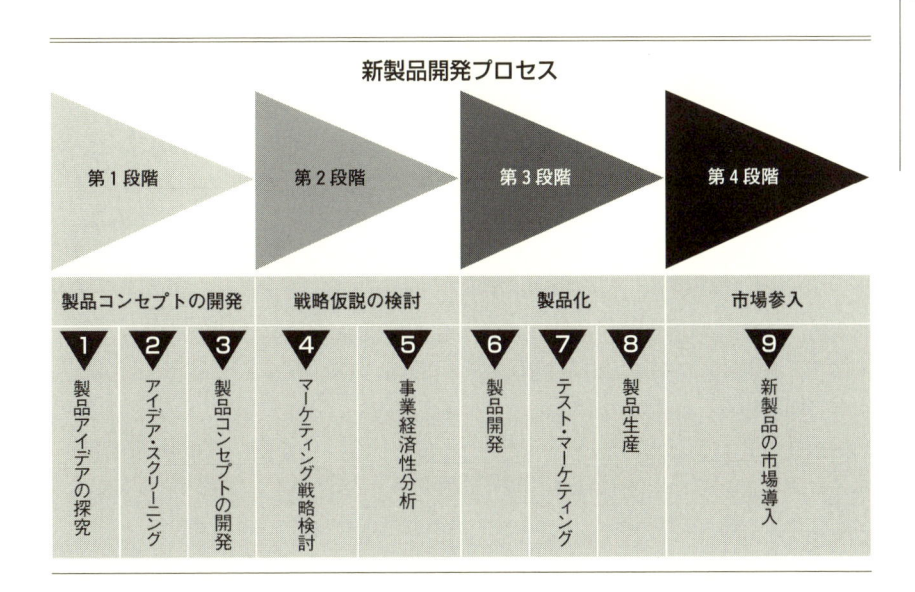

マーケティング

新製品開発プロセス

第1段階	第2段階	第3段階	第4段階
製品コンセプトの開発	戦略仮説の検討	製品化	市場参入
1 製品アイデアの探索 / 2 アイデア・スクリーニング / 3 製品コンセプトの開発	4 マーケティング戦略検討 / 5 事業経済性分析	6 製品開発 / 7 テスト・マーケティング / 8 製品生産	9 新製品の市場導入

4 マーケティング・ミックス

11 製品ライフサイクル

POINT

市場の発達段階に応じて、顧客タイプや顧客の商品知識、競争環境などに違いがあるため、マーケティング課題も異なってくる。そのため、それぞれの段階で定石と言われるマーケティング戦略を理解しておくとよい。ただし、すべての製品が同じライフサイクルをたどるわけではなく、企業の主体的なマーケティング活動でコントロールが可能だ。

◆製品ライフサイクルと顧客タイプ

　新製品の売上げは一般に、時間の推移につれて、事業ライフサイクルの場合と同様にS字型のカーブを描く。導入期・成長期・成熟期・衰退期の各段階で、その製品を受容する顧客タイプ、製品と利用方法に対する顧客の理解度、競争環境などが違うので、マーケティング課題も異なってくる。

　市場の発達段階によって顧客タイプが異なるのは、新製品の受容において、顧客の性格や価値観が反映されるからだ。社会学者のE.M.ロジャースは、新製品をどれだけ早く買ったかに注目して、顧客をイノベーター（改革者）、アーリー・アダプター（初期採用者）、フォロワー（初期大衆）、レイト・フォロワー（後期大衆）、ラガード（採用遅滞者）の5つに分類している。

　導入期の主な購買者は、新しいものに敏感なイノベーターとアーリー・アダプターだ。イノベーターはリスクを恐れず、技術的な知識なども総じて高い層で、オーディオ分野などではマニアと呼ばれる。この層は仲間内での情報交換は盛んだが、他の層の購買にはほとんど影響を与えない。これに対してアーリー・アダプターは、周りからは思慮深い成功者と思われている人が多く、オピニオン・リーダーとして製品の評価形成に影響力を持つと言われる。導入期のマーケティング課題は、製品の本質的な機能を認知させることなので、クチコミの威力を発揮するアーリー・アダプターをいかに取り込むかが鍵になる。

　成長期になると需要が急拡大し、売上げも加速度的に増加する。この段階の中心的な顧客はフォロワーであり、マス市場が形成されていく。企業の戦略課題は市場浸透となり、各社はいっそう多くの潜在顧客を取り込むために、製品ラインの拡大などを行う。参入企業も増えてくるため、差別化を図る必要性も出てくる。

　市場が成熟段階に入り、大勢の人がその製品を使用しているのを見て、保守的な

マインドを持つレイト・フォロワーがようやく受容し始める。この時期のマーケティング課題はシェアの維持だ。競争も激化するため、ブランド・ロイヤルティを高め、リピート客を増やすことが重要になる。一方、ラガードと呼ばれる層は流行に関心がなく、他者の購買にはほとんど影響を与えない。

　衰退期になると売上げが低下し、利益も生じなくなるため、企業はイノベーションにより新たな価値創造を行うか、撤退するかの意思決定をしなくてはならない。新たな価値創造を目指す場合は、市場ニーズを見直すことから始める。

◆プロダクト・エクステンション

　ライフサイクル論で注意すべき点は、すべての製品が同じように導入期、成長期、成熟期、衰退期というプロセスをたどるとは限らないことだ。たとえば、最初は爆発的に売れても一過性のブームにすぎず、導入後すぐに衰退期を迎えるケースがある。逆に、「セロテープ」（ニチバン）や「サントリー・オールド」（サントリー）など、何十年経っても人気の衰えない定番商品もある。これらの製品が長い間、成熟期を維持しているのは、企業が時代の変化に応じてマーケティング戦略を見直し、修正を重ねているからだ。こうした活動をプロダクト・エクステンションと言う。

　プロダクト・エクステンションには主に3つの手法がある。第1の手法は、製品の修正だ。デザインの変更や、特性の追加、性能の向上、品質改善などに取り組み、新たな特徴としてアピールする。第2の手法は、市場またはポジショニングの修正だ。ターゲット層の変更や新たなポジショニングの採用により、市場機会を掘り出し、顧客創造を目指す。第3の手法は、マーケティング・ミックスの修正だ。値下げや効率的な広告キャンペーンの開発、攻撃的な販売促進活動、大量販売チャネルの活用、新規サービスの促進などを行い、製品の再活性化を図る。

顧客タイプ

区分	割合
イノベーター（革新者）	2.5%
アーリー・アダプター（初期採用者）	13.5%
フォロワー（初期大衆）	34%
レイト・フォロワー（後期大衆）	34%
ラガード（採用遅滞者）	16%

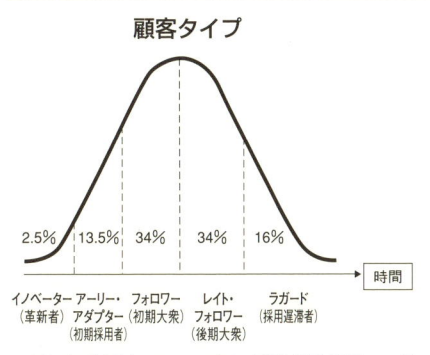

出典：山田英夫『デファクト・スタンダードの経営戦略』（中公新書、1999年）

各段階におけるマーケティング課題

特徴	導入期	成長期	成熟期	衰退期
マーケティング目標	市場拡大	市場浸透	シェア維持	生産性の確保
マーケティング支出	高い	高い	低下中	低い
マーケティングの重点	製品認知	ブランド	ブランド・ロイヤルティ	選択的
製品戦略	基礎開発	ライン拡大	差別化	ライン縮小
流通戦略	共同（限定）	チャネル拡大	重点チャネル化	選択／限定
価格戦略	高い	やや低い	最低	上昇
コミュニケーション戦略	教育啓蒙的	特徴の強調	実利的手段	効果の減退

出典：P.コトラー『マーケティング・マネジメント』（プレジデント社、1990年）

######## 4 マーケティング・ミックス

12 価格と事業経済性

> **POINT**
> 価格は企業の収益性に大きな影響を与えるため、需給関係や価格弾力性などを考慮しながら、戦略的な価格設定を心がける必要がある。価格はまた、消費者に対するメッセージや、競合企業に対するシグナルとしても機能する。

◘価格の意味

　価格は企業が得るキャッシュに直結し、企業収益を直接的に規定する要因だ。また、最もダイレクトに消費者に訴えることができるメッセージ手段でもある。企業は提供する製品の価値レベルを何らかの方法で表示し、消費者に伝える必要があるが、その際に最もわかりやすい共通の尺度が金銭的尺度、つまり価格だ。価格は競合企業に対するシグナルの役目も果たす。価格を決める場合、競合企業の価格を無視することはできない。同様に自社の価格もまた相手の価格戦略に影響を与える。

◘需要供給曲線

　当然ながら、需要と供給の関係は価格に大きな影響を与える。とくに、差別化が難しい洗剤や食料品などの最寄品の場合、古典的な需要供給曲線で価格帯がある程度決まることが多い。供給者にとって、価格を高く設定できればそれに越したことはないが、高い価格設定は通常、需要の減少を招くものである。たとえば、ビールが100円値上がりすれば、消費者は通常3杯飲むところを2杯で我慢したり、他の安いアルコール飲料に切り替えたりするかもしれない。そうなると、ビールの需要は落ち込んでしまう。

　これに対して、独占的な製品を持つ売り手は供給量をコントロールすることで高価格を維持することが可能だ。しかしこの場合も、顧客からの反感を買わない程度にしておかないと、将来競合が出てきたときに顧客からそっぽを向かれるおそれがある。したがって、高い価格設定が可能な場合でも、顧客との長期的関係などを考慮しながら価格を検討しなくてはならない。

◘価格弾力性

　価格を変化させたときに、製品によって需要量が大きく変わるものと、ほとんど変わらないものがある。価格変化の度合いに対する需要変化の度合いの比率を示す

指標を価格弾力性と言う。価格弾力性が小さい場合は、価格を変更してもほとんど需要は変化しないが、価格弾力性が大きいと、価格が変わると需要が大きく変化する。通常、コメや野菜などの生活必需品は価格弾力性が小さく、宝飾品などの高価な贅沢品は価格弾力性が大きいと言われる。

価格弾力性は顧客セグメントによって多様であり、同じ顧客セグメントであっても状況とともに変化する可能性がある。たとえば飛行機の場合、プライベートで利用するときとビジネスで利用するときでは、座席のクラスが変わったりする。価格弾力性はその製品のスイッチング・コストにも影響を受ける。たとえば、使用に際して新たな学習が必要な製品でほとんど価格差がなければ、顧客はあえて違うメーカーの類似製品に切り替えようとはしない。パソコンのソフトなどは、スイッチング・コストが高いために価格弾力性が小さくなっている典型例と言える。

◆価格と収益性

価格が企業収益に与える影響は非常に大きいので、企業は戦略的に価格設定を考えていかなくてはならない。収益構造を改善しようとする場合、企業は通常、コスト削減や売上増大を目指す。なかでも価格は業績に対する改善感度が最も高く、価格を数％上げれば、収益性は数十％向上すると言われる。

右下図は日本の優良企業100社を対象に感度分析を行い、価格、変動費、販売量、固定費をそれぞれ1％改善した場合、営業利益にどの程度のインパクトを与えるか調査したものだ。販売量が1％改善すると営業利益は8.2％増加するのに対し、価格が1％改善すると営業利益は32.2％増加しており、価格のインパクトがとくに大きいことがわかる。このことはまた、価格を1％引き下げたときには、それだけ収益面に重大な影響が及ぶことも意味している。安易な価格設定により機会損失を招くことがないよう、企業は慎重に検討する必要がある。

価格弾力性

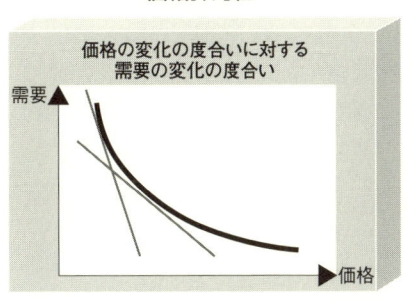

価格の変化の度合いに対する需要の変化の度合い

日本の優良企業の感度分析

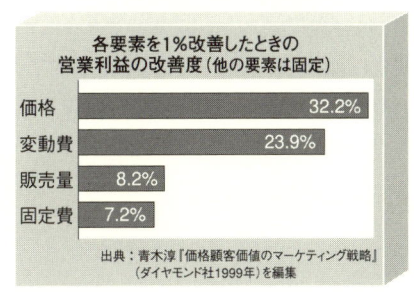

各要素を1％改善したときの営業利益の改善度（他の要素は固定）

価格	32.2%
変動費	23.9%
販売量	8.2%
固定費	7.2%

出典：青木淳『価格顧客価値のマーケティング戦略』（ダイヤモンド社1999年）を編集

4 マーケティング・ミックス

13　戦略的価格設定

POINT

価格設定の際に考慮すべき要因として、コスト、カスタマー・バリュー、競争環境がとくに重要である。価格設定手法にはさまざまなものがあるが、この3要因がベースになっていることが多い。

◪価格決定に影響を与える要素

　価格に影響を及ぼす要因にはさまざまなものがあるが、価格設定の際にとくに注意したいのが、❶コスト、❷カスタマー・バリュー、❸競争環境だ。
❶コスト：利益を確保するためにはコストを上回る価格が必要なので、コストが価格の最低限度（価格の下限）となる。コストは通常、固定費と変動費で構成されている。企業は自社のコスト構造を正確に把握しておく必要がある。製造設備など固定費率が高い場合、固定費をカバーする（損益分岐点を超える）までは赤字だが、それ以後は売上増加分のほとんどが利益になる。逆に、商社や小売店など変動費率が高い場合、製品1つ当たりの限界利益（価格−変動費）の最大化が目標となる。
❷カスタマー・バリュー：「顧客が適正と認める金額」のことであり、価格設定における上限となる。しかし、カスタマー・バリューを決定することは難しく、リサーチ力などマーケターのスキルが問われる分野でもある。企業はまず、テクニカル・バリュー（企業側が算定した計算上の価値）とカスタマー・バリューの差を認識し、両者を一致させるべく製品を試用させたり、製品特性を正確に伝達するなどして顧客への働きかけを行う。製品の価値はセグメントごとに異なるため、顧客グループごとに最大限の利益が得られる価格を発見することも大切だ。
❸競争環境：競争上、自社の都合だけで価格を設定できず、競合の価格やその動向に影響を受ける場合がある。たとえば、砂糖やガソリンなど差別化できない商品では、1社が低い価格をつければ他社も追随せざるをえない。競争環境の影響を避けたければ、機能やデザイン、ブランド、サービスなどの面で競合製品と明確に差別化することが求められる。

◪一般的な価格設定手法

　主な価格設定手法は、コスト（原価）、カスタマー・バリュー（需要）、競争環境のいずれかを重視している。コスト志向の価格設定は、コストプラス価格設定（事

前に原価を決めにくいため、要した費用に利益を乗せて最終価格を決める方法）、マークアップ価格設定（事前に原価に一定の上乗せをする方法）、ターゲット価格設定（想定される事業規模をもとに一定の収益率が維持できるように価格を設定する方法）がある。需要志向（カスタマー・バリュー重視）の手法には、知覚価値価格設定（製品の価値をユーザーがどうとらえるかという相対的知覚価値を何らかの方法で測定し、それを基準に価格を決める方法）と、需要差別価格設定（同一製品の価格をセグメントごとに変える方法）などがある。競争志向の手法としては、実勢価格決定方式（業界の平均水準に合わせる方法）や入札価格決定方式などが挙げられる。

最近では、コストをベースにするよりも、需要や競争環境をもとに設定した価格で収益を出せるように、コストを抑えるよう努力するアプローチが多くなっている。

◆その他の価格設定手法

新製品の導入価格は、製品の普及速度を占ううえでとくに重要だ。代表的な価格設定手法として、市場シェアを獲得するために、価格設定をコストと同じかそれ以下にするペネトレーション・プライシング（市場浸透価格設定）と、早期の資金回収を図るために導入価格を高く設定するスキミング・プライシング（上澄吸収価格設定）がある。製品特性や自社の方針、ブランド・イメージ、コスト構造などを十分に考慮して、導入価格を決定しなくてはならない。

価格設定を行う際に、業界地位の制約を受けることもある。リーダー企業は通常、市場規模を縮小させないように、自ら価格競争を仕掛けない（ただし、競合を徹底的につぶす見込みの下にあえて行うこともある）。一方、2位以下の企業は、リーダーに追随するか、差別化して追随しないか、いずれかの選択を迫られる。

価格決定に影響を与える3要素

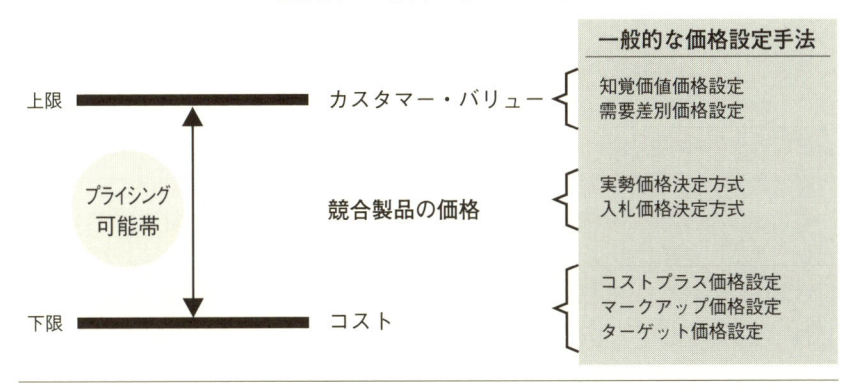

		一般的な価格設定手法
上限 ――	カスタマー・バリュー	知覚価値価格設定 需要差別価格設定
プライシング 可能帯	競合製品の価格	実勢価格決定方式 入札価格決定方式
下限 ――	コスト	コストプラス価格設定 マークアップ価格設定 ターゲット価格設定

マーケティング

●……… 4 マーケティング・ミックス

14 流通チャネルの意義

> **POINT**
> 流通チャネルは、企業が効率的に製品を市場に届けたり、競争優位を構築するうえで、重要な役割を果たす。流通チャネルにはさまざまな形態があるので、製品特性や顧客特性、競合環境等を総合的に判断しながら最適な流通チャネルを設計しなくてはならない。

◘流通チャネルの機能と付加価値構造

　企業が効率的に製品を届けるために、流通チャネルが重要な役割を果たす。流通チャネルは製品と顧客との間にあるギャップを埋めるために、3つのフロー（流れ）に関わっている。運搬や在庫保管など物の移動に関わる「物流」と、マッチングや交渉、市場調査、プロモーションなど取引を成立させる際に欠かせない「商流」、その双方に関わる「情報流」である。さらに、ファイナンス機能やリスク分担などの役割も担っている。小売業者や卸売業者など流通チャネルを構成するメンバーには、その期待される役割に応じて付加価値（コスト）が配分される。

　物流は売上高に占めるコスト比率が高い場合が多い。とくに、生産拠点から卸売業者や小売業者に向けて配送する段階から、メーカーに物流コストが発生する。こうしたコストだけで出荷価格の10％近くになることもあり、これをいかに切り詰めるかが企業の大きな課題になっている。最近では、ITの飛躍的な進歩により、物流コストの引き下げも可能になっている。

◘流通チャネルと参入障壁

　流通チャネルは直販の場合を除き、基本的に外部資源を利用しなくてはならない点で、他のマーケティング・ミックスとは本質的に異なる。チャネルはメーカーにとって大きな資産になる。競合に先立って優良チャネルを確保できれば、それが参入障壁となり、長期的な競争優位を築くこともできる。

　しかし、流通チャネルの構築には通常、非常に多くの時間と費用を要し、いったん構築すると変更は難しい。とくに、環境変化によりチャネルが時代遅れになった場合、変化への対応という面で足かせになりかねない。また、流通チャネルは「人」が絡むので意のままにコントロールすることが難しく、動機づけやトレーニングなどの働きかけが必要になる。

◘流通形態の類型

流通チャネルの形態は、仲介業者の数によって、図に示すようにゼロ段階から3段階まで分類される。ゼロ段階チャネルはメーカーが直接消費者に販売するケースで、通信販売や訪問販売、直営店などのルートがある。1段階チャネルはメーカーと消費者の間に仲介業者が1つ介在する場合で、大型小売業者が卸売業者を排して直接メーカーと取引する形態が増えている。2段階チャネルは消費財において最も多く見られる。小売業者にとっては少量取引の場合に都合がよく、メーカーにとっては広範囲に販売したり、小売業者が多数で分散している場合などに有効だ。

◘その他の流通形態

上記のほかにマルチレベル方式、フランチャイズ方式、ライセンス方式などの展開方法がある。マルチレベル方式は、仲介業者を持たず、顧客のネットワークをフル活用するユニークなシステムだ。核となるメンバーはディストリビューターと呼ばれ、無店舗の個人事業主として傘下のメンバーを増やす努力を行う。注文に応じて製品を販売し、メンバーの売上げが向上するようにさまざまなサポートを行う。

フランチャイズ方式は小売りや飲食業などに多く、フランチャイザー（ビジネスシステムの提供者）が特定地域内におけるビジネスの展開とそれに伴うトレードマークの使用権や、ビジネスやオペレーションのノウハウ、その他サポートを提供する見返りに、フランチャイジー（システムの利用者）からロイヤルティを徴収する。

ライセンス方式は、自社ブランドのカテゴリー別の使用権を第三者のメーカーや卸売業者に与え、売上げに応じたロイヤルティを徴収するシステムである。

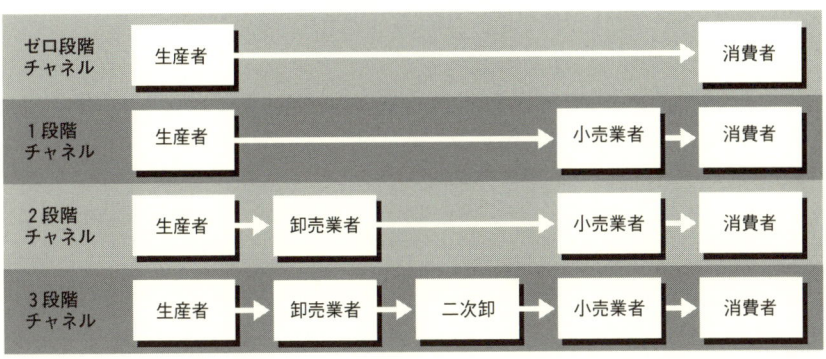

流通チャネルの形態

ゼロ段階チャネル	生産者				消費者
1段階チャネル	生産者			小売業者	消費者
2段階チャネル	生産者	卸売業者		小売業者	消費者
3段階チャネル	生産者	卸売業者	二次卸	小売業者	消費者

●……… 4 マーケティング・ミックス

15 流通チャネルの構築プロセス

> **POINT**
> 流通チャネルを構築する際には、チャネルの長さ、チャネルの幅、展開エリア、チャネル・メンバーの選定、チャネルに対する動機づけ政策を考えなくてはならない。流通チャネルは変更することが難しいので、慎重に検討する必要がある。

◪流通チャネルの構築プロセス

　流通チャネルの構築は、❶流通チャネルの長さ、❷流通チャネルの幅、❸展開エリアの決定、❹チャネル・メンバーの選定、❺チャネルの動機づけ政策の決定という視点から行う。また、市場の人口動態、製品特性、顧客の購入スタイル、投資額や維持コスト、競合の流通チャネル政策、自社ブランド力、製品ラインやサービスの競争力などの要素を念頭に置きながら、マーケティング目標を達成するために最適な流通チャネルを考えなくてはならない。

❶流通チャネルの長さ：チャネルの段階数を決定する。とくに流通業者を用いるかどうかの判断が求められる。製品説明の必要性が高く、顧客が地理的に集中し、特定顧客の大量購入が見込める場合は直販が適しているが、製品説明の必要性が低く、潜在顧客も分散しているときは流通業者を通したほうがよい。

❷流通チャネルの幅：流通業者の数を決定する。たとえば、顧客の利便性を最優先させるならば流通業者の数を増やすほうがよいが、流通業者にとって魅力的な販売条件を提供する必要があれば、流通業者の数を制限するほうが望ましい。また、チャネルの幅を厚くすると摩擦が起き、薄くすると潜在顧客を取りこぼしかねないという点に注意が必要だ。

　チャネルの幅の決定には、主に3つの政策がとられる。①開放的流通政策では、販売先を限定せずに、広範囲にわたるすべての販売先に対して開放的に流通させる。②選択的流通政策では、仲介業者の販売力、資金力、メーカーへの協力度合い、競合製品の割合、立地条件などの一定の基準に照らして選定した流通業者に優先的に販売させる。③排他的流通政策の場合、特定の販売地域、販売製品における流通業者を代理店あるいは特約店として選定する。この場合、独立販売権を与える代わりに、同業他社製品の取り扱いを禁じることもある。

❸展開エリアの決定：販売エリアの広さを決定する。いっせいに全国展開を図る場

合と、地域を限定して徐々にエリアを拡大していく場合とでは、プロモーション方法も必要な経営資源の量もまったく異なる。また、流通業者は地域密着型の展開を図っている場合が多いため、取引するメンバーの選定にも影響が出てくる。

❹**チャネル・メンバーの選定**：具体的にどのような企業と取引を行うのかの選定基準を明確に持たなければならない。そのときの基準として、財務内容などの企業の健全性、果たしうる機能、得意とする製品カテゴリー、販売組織の確立度、顧客の数と質、対顧客交渉力、顧客との人間関係、小売店売場獲得力、取引条件、物流能力、情報武装のレベル、コントロールのしやすさ、自社のビジョンへの共鳴度などが用いられる。系列チャネルを使う場合と独立チャネルを使う場合があるが、どちらにも一長一短があり、使い分けやミックスの方法は難しい。

❺**チャネルの動機づけ政策**：自社製品の販売に積極的に取り組んでもらえるようにチャネル・メンバーに対するインセンティブを検討する。詳細は＜18＞で触れる。

◪流通チャネルの再構築

企業を取り巻く環境は市場の成長や製品の成熟化とともに変化していく。とくに現在は、ITの進展により情報流に変化が生じ、ネットをいかに利用して効率的な流通チャネルを再構築するかが企業にとって大きな課題になっている。流通業者の数を減らす「流通業者の中抜き」により、中間マージンを減らして最終価格を抑えた新しいモデルで、顧客の支持を得る新規参入企業も出てきている。一方で、既存の流通システムに深くコミットしている企業は、既存のチャネルでそれなりの成果を出している市場での関係を崩すことを恐れて、環境変化に対応した大胆な流通再編に取り組めずにいる。しかし、戦略の見直しに伴うリスクとリターンを慎重に検討し、何らかの行動をとらなくては生き残ることが難しくなっている。

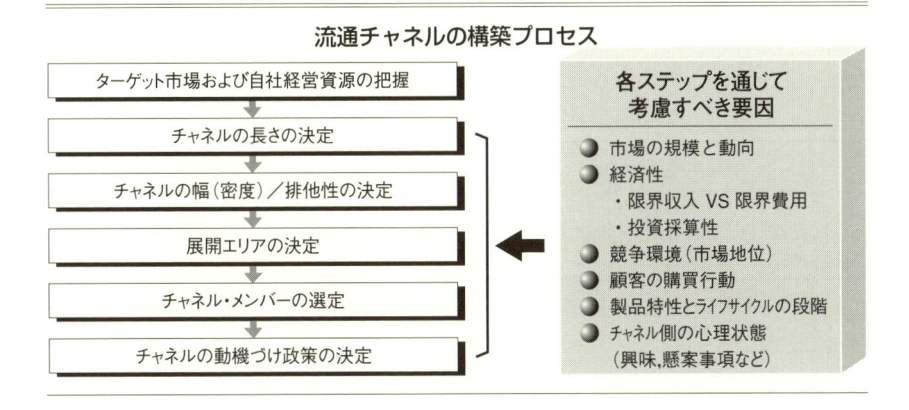

流通チャネルの構築プロセス

- ターゲット市場および自社経営資源の把握
- チャネルの長さの決定
- チャネルの幅（密度）／排他性の決定
- 展開エリアの決定
- チャネル・メンバーの選定
- チャネルの動機づけ政策の決定

各ステップを通じて考慮すべき要因
- 市場の規模と動向
- 経済性
  ・限界収入 VS 限界費用
  ・投資採算性
- 競争環境（市場地位）
- 顧客の購買行動
- 製品特性とライフサイクルの段階
- チャネル側の心理状態
  （興味、懸案事項など）

4 マーケティング・ミックス

16 購買決定プロセスとコミュニケーション手段

POINT

顧客は購買に至るまでにいくつかの心理的なステップを通る。そのステップ通過を加速するのがコミュニケーションの役割だ。製品や顧客の特性に合った最適なコミュニケーション・ミックスを選ぶことがポイントである。

◆AIDAモデル

マーケティングの目的は最終的に顧客に自社製品を買ってもらうことだが、顧客が購買に至るまでには長い意思決定プロセスが存在する。一般に、認知、理解、愛好、選好、確信、そして購買の6段階のプロセスを経ると言われている。企業にとって、想定顧客が現在どの段階にいるかを知り、彼らをどのようなコミュニケーション方法によって購買に近づけていくかが重要だ。

そのためには、潜在顧客に対して注意を促し（Attention）、興味を持たせ（Interest）、欲求を喚起し（Desire）、購買行動を起こさせる（Action）ようなメッセージを伝えなければならない。これを、消費者の態度変容プロセス（AIDAモデル）と言う。図のように、態度変容の段階によってコミュニケーション目標が異なるため、コミュニケーション手段の組み合わせを慎重に考える必要がある。

なお、AIDAモデルに動機づけ（Motive）または記憶（Memory）のMを加えた「AIDMA」や、確信（Conviction）を加えた「AIDCA」モデルも提唱されている。

このほか、マーケティング・リサーチによる定量化可能な指標と組み合わせた態度変容モデルとして「AMTUL」（認知：Attention、記憶：Memory、試用：Trial、日常使用：Usage、忠誠：Loyalty）、インターネット上でのモデルとして「AISAS」（認知：Attention、興味：Interest、検索：Search、行動：Action、共有：Share）などもある。

◆コミュニケーション手段

コミュニケーション手段は、❶広告、❷セールス・プロモーション（販売促進）、❸人的販売、❹パブリシティ、❺クチコミに大別される。それぞれ長所と短所があり、顧客の態度変容に対する効果も異なるので、製品や顧客の特性に合わせて、最適なコミュニケーション・ミックス（組み合わせ）を考えなくてはならない。

❶広告と❷セールス・プロモーションは、<17><18>で詳述する。❸人的販売

とは、営業担当者などによる販売活動のことだ。最近は、販売機能だけでなく、取引先の支援や、市場の反応を迅速にフィードバックする双方向の情報交換などを行う重要なマーケティング機能の1つとしてとらえる企業が増えている。❹パブリシティとは、企業がメディアに発信した情報をニュースとして報道してもらうことを言う。パブリシティ管理がしっかりしていると、企業のイメージや新製品の情報が記事としてマスメディアに紹介される。公的な立場で論じられるので、信憑性の高い情報として顧客や取引先に受け止められることが多い。❺クチコミは、時として強力な影響を顧客に与える。現状ではクチコミをコントロールする有効な手法は開発されていないが、近年ではネットを利用したり、オピニオン・リーダーを刺激する新手法の開発が進められている。

◆プッシュ戦略とプル戦略

　コミュニケーション戦略における重要な考え方の1つに、プッシュ戦略とプル戦略という概念がある。メーカーから卸売業者、小売業者を経て製品が顧客に到達する過程において、流れの上から下へ働きかける戦略をプッシュ戦略と言う。この戦略では、メーカーは卸売業者に対して財政面の援助、製品の説明、販売方法の指導、販売意欲の喚起などを行い、それを受けた卸売業者が小売業者に、小売業者が顧客に働きかけて、顧客を購買行動へと促す。一方、プル戦略では、広告やパブリシティなどを利用してメーカーが直接顧客に働きかけて購買意欲を喚起し、指名買いさせることを狙う。両者は働きかける方向こそ異なるが、互いにサポートしあうものであり、併用してコミュニケーション効果を上げていくことが必要だ。

AIDAモデルとコミュニケーション目標

顧客の態度 (Behavior)	顧客の把握	コミュニケーション目標
注意 (Attention)	知らない	認識度向上
	認知しているが想起できない	再生知名度アップ
興味 (Interest)	興味がない	商品に対する評価育成
欲求 (Desire)	欲しいとは思っていない	ニーズ喚起
行動 (Action)	買おうか買うまいか迷っている	購入意欲喚起

AIDAモデル段階別コミュニケーション手段の有効性

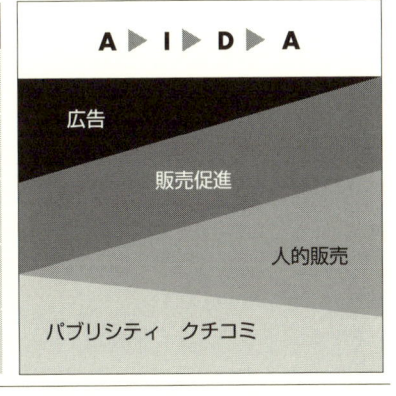

A ▶ I ▶ D ▶ A

広告
販売促進
人的販売
パブリシティ　クチコミ

4 マーケティング・ミックス

17 広告戦略

> **POINT**
> 広告は企業イメージも左右するほど経営に与える影響が大きい。広告戦略はメディア（媒体）戦略とクリエイティブ（表現）戦略とに大別される。メディア戦略の役割は「伝える場の確保」であり、クリエイティブ戦略の役割は「伝えるべきメッセージづくり」である。

◖メディア戦略

メディア戦略の役割は「伝える場の確保」だ。ターゲットのプロフィールやサイズ、エリアに合わせて、さまざまな長所・短所を併せ持つメディア（媒体）を戦略的に組み合わせ（メディア・ミックス）、予算内で最大限の費用対効果を得なくてはならない。たとえば、ターゲットの数や地域が限定されていれば、マスメディアよりもDM（ダイレクトメール）や折り込みチラシなどのほうが、費用対効果が高いこともある。

それぞれのメディアには**表**のような特性があるので、それを生かしたメディア戦略を考えなくてはならない。たとえば、一度に多くの情報を伝達しなければならない広告はテレビ向きではないが、製品イメージを視覚・聴覚に直接訴えたいときにはテレビの力は絶大だ。また、新しいメディアとして成長の可能性を秘めているのがインターネットだ。インターネット広告は双方向性を持っている点が他のメディアとは大きく異なる。最大の特徴として、雑誌並みに多くの情報をテレビのように広い範囲の消費者に伝達できるというメリットがあるが、その一方では関心を持たない消費者にはほとんど見てもらえないというデメリットもある。

◖クリエイティブ戦略

クリエイティブ戦略の第一歩は、企業が伝えるべき製品の属性を選び出すことだ。製品コンセプトを決める際、ポジショニングが明確であれば、それをマーケットにコミュニケートするという観点から確認・検証する。また、ポジショニングが曖昧なときは、どの属性を訴えればマーケティング目標の達成に最も効果的であるかを見極めなくてはならない。

第2のステップは、企業が絞り込んだ製品の属性を、受け手に興味を持って受容してもらえる広告表現に落とし込むことだ。伝えるべき属性をそのままストレート

に伝達するだけで、広告表現が成立するケースはほとんどない。広告メディアの氾濫によって、人が1日に接触する広告の量は膨大になっている。したがって、企業が「伝えたい」メッセージを、顧客の興味を引くような「伝わる」メッセージに翻訳する必要がある。この意味で、すべての広告表現にはエンターテインメントやニュースの要素が必要だ。さらに、各メディアの特徴を生かすようなクリエイティブ戦略を心がけなくてはならない。

◪広告代理店の役割

　広告にはきわめて高い専門性が要求されるので、広告を用いる場合、プロである広告代理店の存在は欠かせない。広告主である企業は代理店に対して、だれにどのようなポジショニングで売り込みたいのか、現在の認知度はどのレベルなのか、といった現状認識や希望を的確に伝えなくてはならない。代理店はそれを踏まえて、広告主の立てた仮説や希望を代理店の立場で検証したうえで、こうあるべきという広告活動の骨子となるメディア・プランを提出する。このとき、広告主が注意しなければならないのは、期待効果を数値目標で確認できるかどうかだ。期待効果は最終的には認知度や好感度、関心度の向上の形で評価されるが、個々の媒体への費用投入の意思決定は、メッセージの到達範囲、頻度、強度の観点から検討する。広告主は代理店の提案を吟味し、精査したうえで最終承認を行う必要がある。

メディア・ミックス

テレビ
- 視覚や聴覚に訴求可能
- 視聴者が多く、注目度が高い
- コストが高く、情報量に制限がある

ラジオ
- 地域、人口動態、ライフスタイルによるセグメンテーションが可能
- 聴取者が少ない
- 視覚に訴求できない

雑誌
- 人口動態、ライフスタイルによるセグメンテーションが可能
- 回読率が高く、媒体価値も長く維持できる
- 出稿までにタイムラグがある
- 掲載ページの指定が難しい

新聞
- 地域によるセグメンテーションが可能
- 媒体として信頼性が高い
- タイムリーな広告出稿が可能
- 1日で媒体価値を失い、回読率も低い

屋外広告（ビルボード等）
- 地域によるセグメンテーションが可能
- 大きなスペースが使用でき、再接触率が高い
- タイムリーな内容変更は不可

インターネット
- 関心領域や行動履歴によるセグメンテーションが可能
- コストが安く、効果測定（購入への誘導）が可能
- 表現の自由度が高く、1対1、1対多の伝達が可能
- 情報過多で埋没するおそれがある

4 マーケティング・ミックス

18　セールス・プロモーションと販売戦略

POINT

広告と並んで影響力を持つコミュニケーション手段に、セールス・プロモーションと人的販売がある。セールス・プロモーションは広告を補う機能を持っている。営業担当者による販売活動はコストがかかるが、顧客と直接双方向的にコミュニケーションを行うには最も有効な手段と言える。

◘セールス・プロモーション

　広告と並んでコミュニケーション戦略の中心に位置するのがセールス・プロモーションだ。広告が顧客の意識下に累積的にイメージを浸透させるプル効果を主目的とするのに対し、セールス・プロモーションは広告などで高まった顧客の関心を購買に直結させる意図を持つため、即物的な面が強い。

　セールス・プロモーションには、流通チャネル向けと消費者向けのものがある。

　流通チャネル向けのセールス・プロモーションは、報奨金や報奨旅行、コンテスト、リベートなどを用いて流通に働きかけることにより、流通側が単独あるいはメーカーと共同で能動的に顧客にプッシュすることを狙う。そのため、ブランド品などの場合は、築き上げたブランド資産を崩さないように細心の注意が必要だ。これらは、卸売業者や小売業者に対するインセンティブなので、消費者の目には触れない形で行われているケースも多い。

　一方、消費者向けのセールス・プロモーションは、製品を試用させたり、値引きや記念品などのおまけ（景品）を付けたりすることによって購入を促す活動だ。その活動は、サンプリングやデモンストレーション、店頭ディスプレー、展示会、試飲会や試乗会、景品付きのキャンペーン、後援やスポーツ・イベントへのスポンサーシップなど多岐にわたる。

　セールス・プロモーションは労働集約的な仕事であり、通常はＳＰ会社と呼ばれる小規模な販売促進専門の代理店が主要業務を担当する。しかし、大型キャンペーンやイベントはテレビ広告や新聞のＰＲなどと連動する傾向にあるので、大手の広告代理店が中心となって総合調整するケースが増えている。

◘販売戦略

　コミュニケーション・ミックスの中で、営業担当者などによる販売活動（人的販

売)は最もコストがかかるが、顧客を最終的な購買に向かわせる双方向コミュニケーション手段としてきわめて有効だ。営業担当者の期待役割としては次のようなことが挙げられる。その中でもとくに重要なのが、需要創造とテクニカル・サポートである。

■**潜在顧客の啓蒙**：潜在顧客が自社製品に対して好印象を持つように仕向け、また製品についてのより深い理解を促す。

■**需要創造**：顧客と直接コミュニケーションをとり、自社にとって新たな顧客を獲得する（取引のクロージング）。

■**ルーチン・サービス**：現在受け持っている顧客に対し、よりよいサービス（とくに注文配送サービスやＳＰの手助け）を提供することによって、その顧客との取引を拡大する。

■**テクニカル・サポート**：エンジニアリング・サポートやアプリケーションの開発、ユーザー・トレーニング、マニュアル作成、または製品仕様におけるアドバイスや手助けといった形で技術的援助を提供する（情報のフィードバック）。

　営業担当者のパフォーマンスは、教育や動機づけによって大きな差が生じる。指導や監督を行う場合のポイントは、営業担当者が邁進すべき方向を明確に示すことだ。たとえば、目標が毎月の販売量なのか、利益なのか、長期的な顧客との信頼関係なのかを明確にしておく必要がある。そして、その目標を達成させるための動機づけとして、ノルマや販売コンテスト・表彰などが用いられる。このときに重要なのが、業績が公平に評価されるということだ。また、営業担当者の努力による成果が昇給や賞与、昇進昇格に結びつくような評価・報酬の仕組みを整備することも、販売戦略で考えるべき項目の一部である。

セールス・プロモーション

販売促進
- 流通チャネル向け
  - ディーラー（特約店）向け報奨金や報奨旅行
  - 量販店向けバックリベート
  - 小売店舗へのディスプレー提案
  - 小売店舗への販売協力
  - 展示会（トレードショー）への協賛
- 消費者向け
  - サンプリング
  - 店頭デモ・フェア
  - 試乗会・試飲会などの体験キャンペーン
  - 各種イベント
  - チラシ・カタログ等の販促資料配布

5 新しいマーケティング潮流

19 顧客維持型マーケティング

POINT

マーケティングの目的は顧客創造重視から顧客維持重視へと徐々にウエートを移し始めている。新規顧客を開拓するよりも、既存顧客の離脱を最小限に抑え、既存顧客からの生涯売上げを最大化するほうが効率的で、高収益につながるからである。

◆顧客維持型マーケティングとその背景

　これまでのマーケティングは基本的に新規顧客を獲得すること、つまり顧客創造に重点が置かれてきた。しかし、それだけでは現在の厳しい競争環境を生き抜くことができなくなってきている。もちろん、新規にビジネスを始めるときにはすべての顧客が新規顧客であり、その意味では、新規顧客の獲得を目的とするマーケティングは今後も必要だ。しかし、ライフスタイルの多様化や顧客ニーズの変化の加速化により、不確実性の高い見込み顧客に対して多大なマーケティング資源を投じる、従来型のターゲット・マーケティングは通用しにくくなっている。そのため、一度引きつけた顧客との良好な関係を維持することで、1人の人間から最大限の収益を得る顧客維持型のマーケティングにも力を入れる必要がある。

　企業にとって、顧客維持の意義は2つある。1つは、広告などを大量に打って新規顧客を獲得するよりも、少ないマーケティング・コストで収益を上げられることだ。ロイヤルティの高い顧客には、購買量の増加、営業費用の削減、クチコミによる紹介などの効果が期待できる。もうひとつは、顧客からのフィードバックを製品開発などのマーケティング戦略に利用できることだ。

　最近はITの進化により、顧客一人ひとりに対する情報管理やコミュニケーションを行うコストが劇的に低下し、顧客維持のための新たなマーケティングの可能性が広がっている。企業は、データベースを有効に活用するなどして、1人の顧客と生涯にわたって良好な関係を築くよう努力しなくてはならない。

　ただし、顧客維持型マーケティングがどのような製品においても有効なわけではない。安価で対象顧客が多く、仲介業者を通すような最寄品は、メーカーの立場からの顧客維持型マーケティングにはあまりなじまない。一方、製品に占めるサービス部分が大きくなるほど、顧客との接点が増えるため、企業は顧客との関係維持により注力する必要がある。

◆顧客維持型マーケティングの類型

顧客維持型のマーケティング手法としては、「ワン・トゥ・ワン・マーケティング」「データベース・マーケティング」などがある。

■ワン・トゥ・ワン・マーケティング（リレーションシップ・マーケティング）

これは「顧客一人ひとり」を把握することを前提に展開されるマーケティングで、市場シェアを高めることではなく、「顧客内シェア」を高めることに焦点が置かれる。つまり、市場内の何人の顧客に買ってもらうかよりも、1人の顧客に何回買ってもらうかを重視するのである。

顧客を企業にとっての「パートナー」と考え、彼らとの間に好ましい関係や歴史を構築しながら、生涯にわたって彼らのニーズを満たす製品を提供し続け、最大限の利益をその顧客から得ることがポイントとなる。

■データベース・マーケティング

IT、とくにデータ処理技術の進展とともに発展してきたマーケティング手法だ。この手法の特徴は、データベース化した顧客情報を加工して何らかの有効な仮説を引き出し、それをもとに新しいマーケティング刺激を創造し、顧客にフィードバックしていく点にある。そして究極的には、良質な顧客の囲い込みおよび拡大を目指す。ただし、データベースは情報の洗い替えや適切な分析加工が難しく、使いこなすためには高いスキルが必要である。

顧客維持型マーケティングと顧客創造型マーケティングの比較

	顧客維持型マーケティング	顧客創造型マーケティング
焦　点	顧客の維持・囲い込み 顧客内シェアの拡大 顧客満足度 双方向コミュニケーション 顧客との協力関係・学習関係 クオリティ志向 エンパワーメント志向	新規顧客の獲得 市場内シェアの拡大 製品認知度 効果的情報伝達 製品品質志向 マネジメント志向
顧客を見る視点	（ピラミッド図：宣伝者／クライアント／カスタマー／エントリー顧客／潜在顧客／非ターゲット、育成）	（ピラミッド図：ターゲット／非ターゲット、均一）

リレーションシップ強度 →

5 新しいマーケティング潮流

20 BtoBマーケティング

> **POINT**
> 一般消費者ではなく、法人顧客を対象としたBtoBマーケティングの重要性が脚光を浴びつつある。製品のコモディティ化による価格競争への処方箋として、顧客のバリューチェーンや購買意思決定プロセスに絡む関係者を俯瞰してマッピングし、顧客の課題解決（ソリューション）を軸に据えたビジネスに転換していくことがポイントに挙げられる。

◘ BtoBマーケティングの特徴

　マーケティングの中でもとくに、法人顧客を対象とするものを「BtoBマーケティング」と呼ぶ。BtoBマーケティングは、顧客が消費者という個人ではなく企業という組織であること、販売する製品・サービスが高額であったり、専門品（購入にあたって特殊なニーズや知識に基づく選択が行われる商品）であったりすることが、一般消費者向けのマーケティング（消費財マーケティング）と異なる点である。

　消費者に対するマーケティングの重要性の高まりと同様、BtoB市場においてもマーケティングの発想に基づくビジネスシステムの構築が重要性を増している。モノが絶対的に不足しており、製品の開発や生産といった上流工程の付加価値が高かった時代は、法人営業は単なる「ご用聞き」でよかった。しかし、市場が成熟化して製品・サービス（財）での差別化が難しくなるにつれ、営業組織のより効率的なマネジメントや付加価値の高い営業提案が求められるようになっている。これらを実現するために、BtoBマーケティングという枠組みでさまざまなマーケティング戦略が考案されるようになった。

◘ 俯瞰思考

　法人顧客による購買の意思決定の多くは、個人ではなく、組織内外の数多い関係者の意向を受けて下される。たとえばコンピュータ・システムの場合、顧客企業の窓口となっている情報システム部門担当者だけでなく、その上司である情報システム部長やCIO（最高情報責任者）の役員、システムを実際に使う営業・生産などの現場部門の担当者など、多くの社内関係者に購入を支持してもらう必要がある。また、そのシステムと組み合わせて使われる他のシステムなどの「補完財」を提供する業者の動向も反映されるだろう。

BtoBマーケティングの活動においては、顧客企業の組織構造、購買意思決定プロセス、そのプロセス上の各関係者が持っている関心事項を「俯瞰」して押さえることは大変重要である。さらに、自社が提供する財が、他のどのような財とともに顧客のビジネスのバリューチェーンの中で位置づけられているのかを「俯瞰」的に把握することも、BtoBのマーケティング戦略を立てるうえで不可欠となる。

◆ソリューション（問題解決）志向

提供する製品がコモディティであるほど、顧客企業の関心はコストにシフトする。したがってマーケティング効率を高めるためには、コモディティの販売からできるだけ脱し、付随するサービスやコンサルテーションの付加価値を高めて、競合との差別化を図ることが必要だ。コモディティ化による価格競争を回避し、顧客の固有の課題に対応することで、独自の価値を創造しようという考え方は「ソリューション志向」と呼ばれる。

ソリューションを提供するうえで大きな鍵となるのは、顧客との接点を担う人々である。営業やコールセンター、テクニカル・サポートといった部門のスタッフが顧客の課題解決を意識しながら対話し、その知恵を組織的に生み出す仕組みを構築する必要がある。そのためには、顧客接点のスタッフに的確なトレーニングやインセンティブを付与することが求められる。

ソリューション志向の難しさは、顧客が受け取った付加価値を自社の収益に転換できるかどうかにある。ソリューションを提供しても、顧客がその付加価値相応の支払いを受け入れなければ、単にコストだけが増えて収益が悪化することになる。BtoBマーケティングにおいては、安易にソリューションを提供するのではなく、それによってどう収益を高めるか、同時に考えることが重要なのである。

ビジネス・マーケティングの特性（消費財マーケティングとの比較）

顧客特性	製品特性
❶エンドユーザーと購入意思決定者が異なる	❶専門品が多い
❷製品・サービスが顧客企業の競争力に寄与するか否かがKBF（購買決定要因）となる	❷高額になることが多い
❸組織ならではの保守性や硬直性を持っている	❸ソリューション化が求められやすい
❹顧客が少なく、特定しやすい	
❺多くのユーザーがいるため、慣性が働きやすい	
❻顧客の事業の成功／不成功に左右される	

5 新しいマーケティング潮流（増補）

21 レピュテーション

> **POINT**
>
> レピュテーション（評判）とは、企業のステークホルダーの中に形成される認知であり、人々が購買や就職などの活動を行う際に非常に大きな意味を持つ。よいレピュテーションを築き、それを保つこと。あるいは、傷ついたレピュテーションを回復すること。レピュテーションへの社員の意識を高め、より能動的に管理することが経営者に強く求められている。

◆レピュテーションの意義

　レピュテーション（評判）は、マーケティングの観点からは、ブランド力の重要な決定要因である。消費者や顧客は、通常、他の条件が同じであればレピュテーションの高い製品・サービスを購入しようとするし、頭の中の優先順位リストの上位に置く傾向がある。形のないサービスや、高額で簡単に試用ができない製品・サービス（コンサルティングなど）は、レピュテーションがとくに重要となる。

　しかし、レピュテーションの効果はこうしたマーケティング面にとどまらない。採用においても、求職者は通常、レピュテーションの高い企業を選ぶだろう（もっとも、商品のレピュテーションと職場のレピュテーションは必ずしも一致しない）。また、従業員のモチベーションも、レピュテーションの高い企業は高くなるだろうし、その逆にレピュテーションの低い企業では低くなるだろう。顧客や社会からの視線を感じずに仕事をすることはできないからだ。

　これ以外にも、協力業者や投資家、企業を誘致しようとする地方自治体や国家なども、レピュテーションを強く意識する。その企業と関わることが、彼ら自身のレピュテーションをも左右するかもしれないからだ。たとえばメーカーは、評判の悪い小売店で自社商品が販売されると、会社のイメージも悪くなってしまうかもしれないので、そうした小売業とは付き合わないだろう。また、不祥事を起こしたタレントをCMに積極的に使うことなどないはずだ。

　レピュテーションを高める（あるいは傷ついたレピュテーションを回復する）ことの重要性は昔から意識されていたが、近年、改めてそれが認識されるようになった背景にはITの進化がある。人々はITの進化によって瞬時に企業のさまざまな情報にアクセスできるようになった。とくに近年は、ブログなどでの個人による情報発信がきわめて容易になっている。匿名掲示板の発達も著しい。検索エンジンの発達も目

を見張る。よくも悪くも、ネット上に大量の情報が渦巻き、だれもが容易にそれにアクセスできるようになったのだ。

◖レピュテーション・マネジメント

こうしたなか、多くの企業は、よきレピュテーションの獲得・維持、傷ついたレピュテーションの回復に改めて意識を向け、力を入れ始めている。

とくに企業が注目しているのは、悪いレピュテーションを初期の段階で食い止めることだ。悪いレピュテーションのほうがよいレピュテーションよりも広がりやすいのはこの世の常だが、近年、とくにこの傾向は強まっている。やるべきこと、やってはいけないことを知らなかったがゆえに、レピュテーションをみすみす毀損してしまうことは少なくない。事故や不祥事が起こった際の経営陣の不用意な発言などは、その典型である。

現代人は忙しく、情報の山に埋もれてしまいがちだ。企業のさまざまな活動やコミュニケーションが、そのまま人々に伝わることを期待してはいけない。人々は、情報の断片を組み合わせて、その企業のレピュテーションを頭の中に形成するからだ。人々を不用意に刺激する発言や行動は、他の真面目なレピュテーションの向上・維持の努力を台無しにしてしまう。認識は受け手が決定するのだ、ということを強く再確認する必要がある。

レピュテーション・マネジメントは、広義には企業の評判維持・向上活動全体を指すが、狭義にはクライシス（不祥事や事故）対応、あるいはメディア対応を指す。とくに経営陣の発言や行動は企業のレピュテーションに大きな影響を与えることから、欧米では経営陣を対象とした危機管理トレーニングや、メディア・トレーニングなどを実施している企業が多い。

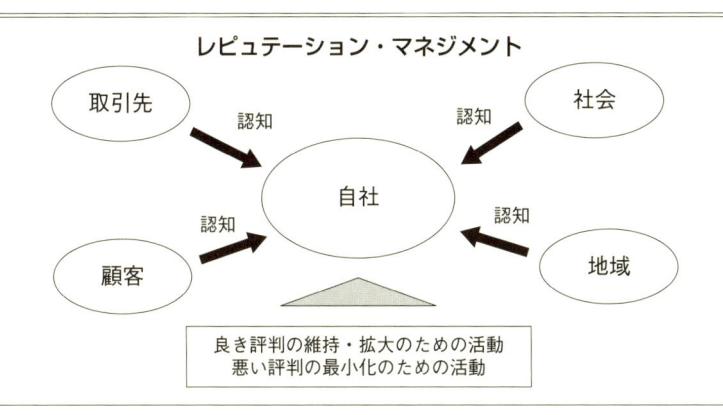

レピュテーション・マネジメント

取引先 →認知→ 自社 ←認知← 社会
顧客 →認知→ 自社 ←認知← 地域

良き評判の維持・拡大のための活動
悪い評判の最小化のための活動

マーケティング

第3部

アカウンティング

1 企業経営とアカウンティング

1 企業経営とアカウンティング

> **POINT**
> 企業の経済活動を映す鏡であるアカウンティングは、ステークホルダーに対して説明責任を果たすことを目的としている。情報の非対称性を軽減するためにも、ディスクロージャー（情報開示）は企業の責務である。最近はとくに、IR活動など自発的なディスクロージャーが重視されている。

■アカウンティングとステークホルダー

アカウンティングは企業会計のことだが、英語のAccountには「説明する」という意味がある。企業はステークホルダーに対して経営活動の実績を説明する責任を負っている。このことをAccountability（説明責任）と言う。

ステークホルダーとは、企業の活動によって直接的・間接的に影響を受ける人々や団体のことを指す。具体的には、株主や経営者、従業員、金融機関、債権者、取引先、競合企業、顧客、地域住民、環境保護団体、格付機関、税務当局、行政官庁などだ。企業とこれらのステークホルダーの利害関係は必ずしも一様ではないので、企業が説明すべき内容は相手によって違ってくる。たとえば、取引先に対しては納入代金の支払いに関する信用状態について、顧客に対しては自社製品の安全性や価格の妥当性について説明しなくてはならない。

ステークホルダーの中でもとくに重要なのは、企業活動を支える資本の提供者である株主だ。企業は株主に対して配当や株価の上昇で応えなくてはならない。したがって、配当や株価に影響を与える自社の経営成績や財政状態を常に説明する姿勢を持つことが大切である。

このように、さまざまなステークホルダーとの関係を十分に理解することが、アカウンティングの出発点となる。

■ディスクロージャー（情報開示）制度

企業の所有者は資本を提供している株主であり、社長や取締役などの経営者ではない。経営者は株主から経営の委託を受けた代理人と位置づけられる。株主と経営者は共に経営活動の効用を最大化するために経済合理的に行動する、というのが前提であるが、経営活動に関する情報収集という点では、株主よりも経営者のほうが優位に立ちやすい。このように、受け取る情報に格差があることを「情報の非対称

性」と言う。

　情報の非対称性が存在することにより、極端な言い方をすれば、経営者は情報面での有利な立場を利用して、株主の知らないところで個人の利益を追求することもできる。そうした事態を防ぐために、株主と経営者との間の情報の非対称性を是正するディスクロージャーが重要になってくる。株主は開示された会計情報に基づいて、経営者の行動（業績）を評価することができる。

　企業のディスクロージャーとして、IR（インベスターズ・リレーションズ：投資家向け広報活動）が注目されている。企業の経営状態や会計情報は、会社法や金融商品取引法、企業会計原則、法人税法などで開示が義務づけられている（制度的ディスクロージャー）。それに加えて、現在とくに重視されているのが、株式市場に自社をアピールするためにコミュニケーション戦略の一部として行われるIR活動だ（自発的ディスクロージャー）。

　IR活動を通じて、❶株主と経営者との情報の非対称性を解消する、❷投資家が自己責任で投資判断できる環境をつくる、❸経営者が説明責任を果たす、❹経営者が透明性や高い公共性の下で社会的責任を遂行する、といった効用が期待できる。その結果、透明度が高く、活発な株式市場の整備が進むと考えられている。

　決算公告、有価証券報告書、決算短信などは制度的ディスクロージャーに当たる。また、決算・会社説明会、アニュアルレポート、事業報告書、出版物、ホームページ、ロードショー（投資家向け証券発行説明会）などが自発的ディスクロージャーに相当する。

情報開示

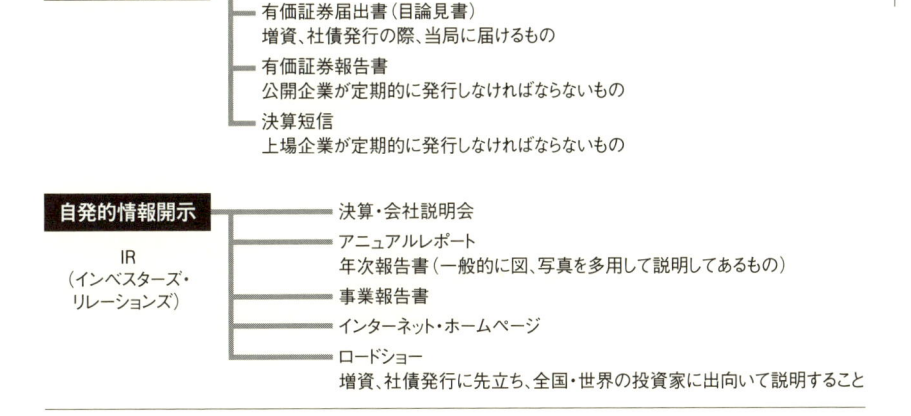

制度的情報開示
- 決算公告
- 有価証券届出書（目論見書）
  増資、社債発行の際、当局に届けるもの
- 有価証券報告書
  公開企業が定期的に発行しなければならないもの
- 決算短信
  上場企業が定期的に発行しなければならないもの

自発的情報開示
IR（インベスターズ・リレーションズ）
- 決算・会社説明会
- アニュアルレポート
  年次報告書（一般的に図、写真を多用して説明してあるもの）
- 事業報告書
- インターネット・ホームページ
- ロードショー
  増資、社債発行に先立ち、全国・世界の投資家に出向いて説明すること

アカウンティング

1 企業経営とアカウンティング

2 アカウンティングの目的

POINT

アカウンティングには、外部ステークホルダー向けの財務会計／税務会計と、内部向けの管理会計がある。財務会計の目的は財務に関して客観的で公正な情報を外部に開示することであり、税務会計の目的は法人税額を算出することだ。一方、管理会計は企業内部の経営管理手法として、経営者の意思決定や業績管理などに活用される。

◆財務会計

　財務会計は、株式会社における所有と経営の分離の理念に基づき、企業が会計原則に従った財務諸表によって、外部ステークホルダーに対して客観的かつ公正な企業の姿を開示することを目的としている。財務諸表は、損益計算書（P/L：Profit & Loss Statement）、貸借対照表（B/S：Balance Sheet）、キャッシュフロー計算書（Cash Flow Statement）の3つを柱に構成されている。これらの詳細は＜4＞〜＜8＞で説明する。

　財務会計はさまざまな法律や規則（会社法・金融商品取引法・税法など）によって厳格に規定されている。株式会社の所有者は株主であり、経営者は株主より経営を委任されて、企業活動に責任を負っている。したがって、株主は自分の所有物である会社の経営状況を把握する権利を持つ。また、株式会社の発達に伴って形成された証券市場を通じて、投資家（株主）は株式を売買し、株式会社は資金調達を行っている。そこで企業は証券市場という枠組みの中で、投資家が適切な投資判断を下せるようにしなくてはならない。そのため、企業は会計原則と証券市場のルールに則して情報開示を行い、会社の状況を的確に伝える義務を負っている。

　証券市場における情報開示の透明度は、一般に日本よりもアメリカのほうが高いと言われる。米国会計基準は日本の会計基準よりもさまざまな点で情報開示に対して高い厳格性を課しているからだ。しかし、企業活動のグローバル化やステークホルダーの多国籍化に伴い、日本企業にもより厳格でより透明度の高い会計基準による情報開示が求められるようになった。そうした動きを反映し、日本でも会計基準の見直しが行われてきている。その例として、連結を主、単体を従とした開示制度や、連結キャッシュフロー計算書の義務化、税効果会計や退職給付会計などの導入が挙げられる。

◆税務会計

　税務会計は法人税額を算出するときの基礎となるもので、企業が課税所得や法人税額を算出し、それを税務当局に申告・納税するときの報告制度である。財務会計の目的は企業の経営状態を開示することだが、税務会計の目的は主として法人税額を算出することだ。このように財務会計と税務会計とでは目的が違うため、収益や費用などを算出するときのルールも異なる。したがって、財務会計上の利益と税務会計上の課税対象所得は必ずしも一致しない。

　財務会計の視点からの「支払うべき税金」と、税務会計の視点からの「税金」の差異を表す会計を税効果会計という。これについては、＜10＞で触れる。

◆管理会計

　管理会計は、会計情報を用いた企業内部の経営管理手法である。管理会計の目的は、財務会計のように外部ステークホルダーへの公開ではなく、経営状況を内部的に把握することにある。具体的には、損益分岐点分析や標準原価の把握、差異分析などの手法がよく用いられる。

　今日、経営における管理会計の戦略的意義は一段と増している。企業経営が複雑化・巨大化し、また企業間の競争が激化するにつれ、部門間の業績評価や新規分野への参入など、意思決定すべきことも複雑化している。経営者が自社の経営状況を把握したり、戦略を策定する際には、どの部門も納得するような合理的な計算を行うことが求められる。そこに管理会計の意義がある。

マネジメント（経営者）の説明責任5W1H

	財務会計	管理会計	税務会計
だれに：Who	ステークホルダー（利害関係者）に	経営者に	税務当局に
何を：What	経営成績、財政状態、その他ステークホルダーの関心事	予算、原価計算など	納税申告書
いつ：When	決算日から3カ月以内、その他随時	予算編成時など	納税期
どこで：Where	株主総会、決算説明会、その他随所	企業内部	税務当局
なぜ：Why	経営者は企業活動の総責任者として、ステークホルダーに対して報告義務があるから	利益計画、コスト・コントロールの必要があるから	納税義務があるから
どうやって：How	監査済みの財務諸表、その他ステークホルダーの求める方法で	任意の方法で	法人税等の法律の規定によって

2 アカウンティングの基礎

3 収益および費用の認識

POINT

アカウンティングは「企業は永遠に継続するもの」という前提に基づき、人為的に区切った会計期間を用いて経営成績を把握する。その結果、実際の現金の収入・支出と会計上の収益・費用の認識との間にズレが生じる。利益を確定するには、収益・費用をどの時点で認識するかを決めなくてはならない。認識基準として、現金主義、発生主義、実現主義がある。

◖期間損益計算

アカウンティングは「企業は永遠に継続するもの」という前提に基づいている（これを「ゴーイング・コンサーン：going concern」と言う）。そのため、企業の存続期間を1年、半年、四半期といったサイクルで人為的に区切って、各期間の経済活動と各期末の財務状態をとらえる。1年間の区切りを「会計年度」と言い、期末の企業財産の状態を確定させることを「決算」と言う。

各期間の経営成績を正しく示すためには、期間損益計算に基づく必要がある。企業は日々活動し、収益（売上高）と費用は絶えず発生する。利益（収益－費用）を確定するには、どの時点で収益と費用を認識するかが問題になる。その認識基準として、現金主義、発生主義、実現主義の3つの方法がある。

◖現金主義、発生主義、実現主義

現金主義では、現金の収入（入金）・支出（支払い）と同時に収益・費用を認識する。したがって、収入＝収益、支出＝費用という関係が成立する。しかし、企業活動の実態を考えると、現金主義による期間損益計算では経営成績を正しく示すことができない場合が多い。たとえば、後で代金を受け取る約束で品物を売る「掛売り」の場合、商品の引き渡しが終わっても、実際に入金されるまでは収益が計上されない。また、家賃を2期分前払いした場合、全額が今期分の費用となってしまう。

そこで、適切な期間損益計算を可能にするのが、発生主義や実現主義だ。発生主義は「経済的価値」が増加または減少した時点で収益・費用を認識する。費用を計上する際には原則的に発生主義が基準となる。発生主義の場合、支出と費用が一致しない（支出≠費用）ことがあるので注意しなくてはならない。たとえば、家賃を2期分前払いした場合、使用期間相当分（1期分）が今期分の費用となり、残りは

翌期分の費用と見なされる。同様に、家賃を後払いする場合は、まだ現金を支払っていなくても、使用期間相当分が今期の費用として計上される。

これに対して、収益の計上基準には実現主義が用いられる。実現主義は、経済的価値の増加が実現したときに収益を認識する。たとえば、顧客から注文を受けた段階で企業の経済的価値は増加したことになるが、発生主義ではこの段階で収益を計上し、実現主義の場合は、確実に商品を顧客宛に発送した段階で収益を計上する。

発生主義や実現主義はその性格上、企業が実際にどのくらい現金を獲得し、消費したかを把握することが難しい。そのため、現在では現金の流れを示したキャッシュフロー計算書が注目されている（詳細は<8>で説明）。

◘費用収益対応原則と保守主義の原則

費用収益対応原則とは、発生した費用のうち、その期の収益獲得に貢献した部分だけをその期の費用として測定・認識することである。複数の会計期間にわたって使用される財産（工場や設備など）に対して行われる減価償却（<17>参照）は、その典型例である。翌期以降に償却される分は、翌期以降の収益獲得に貢献する財産と考えて貸借対照表の「資産」に計上し、毎期決められた分をそこから差し引いて「費用」として計上していくことになる。

費用収益対応原則に対して、費用や損失の認識は早めにというルールもある。これは「保守主義の原則」と呼ばれるものだ。引当金などがその一例で、今期に損失が発生していなくても、将来費用となったり、損害を被ったりする可能性が高い場合は、早めに計上しておく。

会計原則は費用収益対応原則と保守主義の原則とのバランスの上に成り立っているが、最近はとくに公開企業において保守主義が重視される傾向にある。

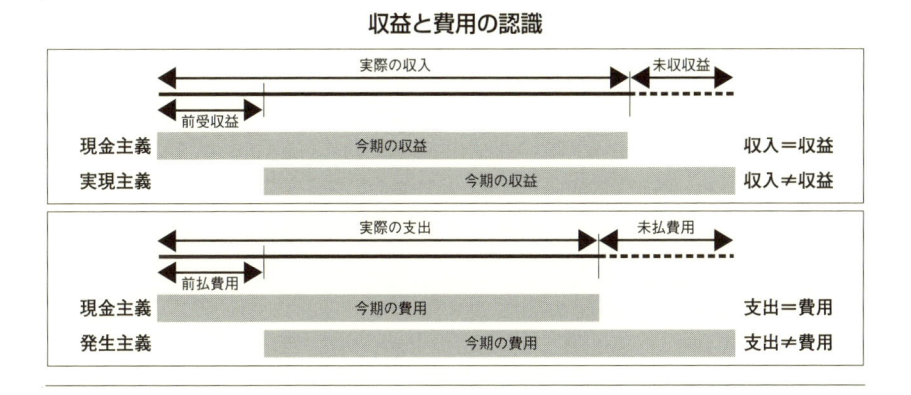

アカウンティング

収益と費用の認識

	実際の収入		未収収益
	前受収益		
現金主義	今期の収益		収入＝収益
実現主義		今期の収益	収入≠収益

	実際の支出		未払費用
	前払費用		
現金主義	今期の費用		支出＝費用
発生主義		今期の費用	支出≠費用

2 アカウンティングの基礎

4 財務諸表の成り立ち

POINT

財務諸表は企業活動における企業の財務状態や業績、その変化を示したものだ。したがって、財務諸表を理解するには、企業活動と資金の流れとの関係を理解しておく必要がある。財務諸表の中で要となるのが、損益計算書（P/L）、貸借対照表（B/S）、キャッシュフロー計算書だ。

◘営業サイクル（営業循環）

　企業は原材料や部品を仕入れ、工場などで製品を生産し、販売する。そして売上代金を回収し、そこで得た利益を分配・再投資する。企業はこうした一連のプロセスを毎年繰り返しながら成長していく。この企業活動のプロセスのことを「営業サイクル」（営業循環）と呼ぶ。営業サイクルに関わる企業活動は主に、営業活動、財務活動、投資活動の3つに分けることができる。

■**営業活動**：企業の本業に当たる活動（登記簿に記載されている事業内容が1つの目安になる）。上の例では、仕入れから代金の回収までを指す。このうち、仕入れから製造までを「仕入れ・生産活動」、販売から代金の回収までを「販売活動」と呼ぶ。

■**財務活動**：資金繰りに関わる活動。財務活動は、必要な現金を用意するために行う「資金調達活動」と、余った資金を活用する「資金運用活動」で構成されている。

　営業活動を行うには、原材料や部品を購入したり、従業員の給料を支払うための資金が必要だ。手元に現金がなければ、銀行から借り入れたり、受取手形を割り引いたりして現金を調達する。一方、営業活動が順調で余剰資金が出たときには、銀行から借りた資金を返すなどして、資金を効率的に運用する。

■**投資活動**：設備投資や事業資産の売買など、企業規模の拡大や縮小に関わる活動。企業はゴーイング・コンサーンを前提としているが、未来永劫同じ製品を同じ量だけ生産・販売していくわけではない。営業活動が順調なときには、生産設備や店舗などを拡大したり、他企業の買収を検討したりする。

◘財務諸表と企業活動

　財務諸表は、企業活動における企業の財産の状態やその変化（移動の経緯）を示したものだ。財務諸表の中で要となるのが、損益計算書、貸借対照表、キャッシュフロー計算書である。それぞれの概要を説明していく。

■損益計算書（Profit & Loss Statement）
　損益計算書は、ある一定の期間（通常1年）における企業の経営成績を示したものだ。企業の1年間の活動をまとめたビデオテープと考えるとわかりやすい。損益計算書に示される過去1年間の成果は、主に営業活動による成果と、それを補完する財務活動の成果によるものだ。損益計算書では、企業活動を内容別に分けて費用と収益を対応させている。たとえば、営業活動の成果を表す営業利益、財務活動の成果を表す経常利益というように、企業活動の流れに沿ってさまざまな段階で利益をとらえることができる（詳細は＜5＞で説明）。

■貸借対照表（Balance Sheet）
　貸借対照表は、ある時点（決算期末時点）での企業の資産内容を明らかにしたものだ。継続的な経済活動を行っている企業の一瞬の姿をとらえたスナップ写真と考えるとわかりやすい。主に財務活動と投資活動の結果が示される。貸借対照表は、資金の具体的な運用形態を示す「資産」と、その資金の調達源泉を示す「負債＋純資産」から構成されている（詳細は＜6＞＜7＞で説明）。

■キャッシュフロー計算書（Cash Flow Statement）
　キャッシュフロー計算書は、企業の各期の現金および現金同等物の増減を整理して示したものだ。企業会計は一般に、＜3＞で説明したように現金の動き（現金主義）ではなく、発生主義・実現主義がとられているため、必ずしも利益（損失）と現金の増減が一致するとは限らない。帳簿上は利益が出ていても、資金繰りの問題で倒産に追い込まれるケース（いわゆる黒字倒産）もある。したがって、事業を継続させるには、利益（損失）だけではなく、実際の現金の動きを把握する必要がある。現金の動きを整理することで、営業活動と流動性（資金繰り）の関係や、営業サイクルに関わる諸活動と現金の流れの関係も明らかになる（詳細は＜8＞で説明）。

製造業における営業サイクル

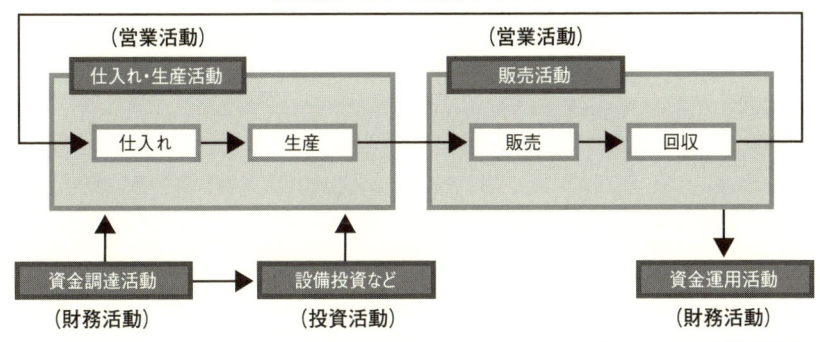

（営業活動）　　　　　　　　　　（営業活動）
仕入れ・生産活動　　　　　　　　販売活動
　仕入れ → 生産　　　　　　　　販売 → 回収

資金調達活動 → 設備投資など　　　　　　　資金運用活動
（財務活動）　　（投資活動）　　　　　　　（財務活動）

2 アカウンティングの基礎

5 損益計算書

POINT

損益計算書（P/L）は一定期間の企業活動をまとめた財務諸表で、企業の経済的価値の増減を示している。損益計算書はその期の売上高から始まり、売上総利益、営業利益、経常利益、税金等調整前当期純利益、当期純利益という具合に、さまざまな利益を段階的に表す。

◘損益計算書とは

　損益計算書の目的は会計期間の経営成績である利益を示すことだ。具体的にどのような企業活動によって生じた利益なのかを、要因ごとにブレークダウンして表しているのが特徴だ。経済的価値が増加する要因としては、収益、営業外収益、特別利益が挙げられる。減少する要因には、売上原価、販売費および一般管理費、営業外費用、特別損失、法人税・住民税および事業税がある。これらの要因は損益計算書に決められた形式で配置され、全体で5段階の利益が示される。また、収益と費用は相殺した結果だけを計上するのではなく、収益・費用いずれもその総額を表示することになっている。

◘5段階の利益

❶売上総利益（売上総利益 = 売上高 − 売上原価）

　売上総利益は粗利益とも言われ、企業の利益の源を示している。売上原価は小売業では販売された商品の仕入原価であり、メーカーでは販売された製品の製造原価である。製造原価には仕入れた原材料や部品などの代金だけでなく、製造ラインの担当者の人件費である労務費や機械の減価償却費、あるいは電気代といった製造経費が含まれる。

❷営業利益（営業利益 = 売上総利益 − 販売費および一般管理費）

　営業利益は企業本来の営業活動における利益を表した数字であり、会社の本業の利益水準はこの段階で測られる。販売費は営業担当者の人件費や広告宣伝費等の販売に関わる費用であり、一般管理費は本社建物の減価償却費等の管理に関わる費用である。いわゆる給与も、製造原価、販売費、一般管理費に、仕事の内容に応じて分けて計上される。

❸経常利益（経常利益 = 営業利益 + 営業外収益 − 営業外費用）

経常利益は企業の営業活動以外も含めた通常の活動から生じる利益を示しており、企業としての総合的な収益力を表している。「営業外収益」および「営業外費用」は主に企業の財務活動から生じる収益・費用であり、経常的に発生する可能性がある。「収益」には受取利息、受取配当金等、「費用」には支払利息、社債利息等がある。

企業の総合力は、とくに営業外損益に表れてくる。たとえば調達金利の低さは資本市場における高い企業評価の結果から得られるものであり、受取配当が大きいことは子会社投資も含めた投資資産の質の高さを示す。

❹**税金等調整前当期純利益**(税金等調整前当期純利益 = 経常利益 + 特別利益 − 特別損失)

「特別利益」や「特別損失」は臨時的・偶発的なもので、企業の日常の営業活動以外の部分から生じる。近年、経営環境の変化や新会計制度の導入などの影響により、損益計算書に臨時的な「特別利益」や「特別損失」が計上される例が多くなった。このうち、特別利益は簿価の低い不動産や持ち合い株を売却したときに多く見られ、特別損失が生じている場合、それを相殺する効果を持つ。なお、税金等調整前当期純利益は、単体のベースのP/Lでは税引前当期純利益と言う。

❺**当期純利益**(当期純利益 = 税金等調整前当期純利益 − 法人税・住民税および事業税 − 少数株主利益)

当期純利益は、一定期間における企業の最終利益を示しており、株主(投資家)が最も注目する利益である。なぜなら、当期純利益の金額の範囲で配当が株主に還元され、また、企業のさらなる成長のための投資の原資となるからである。

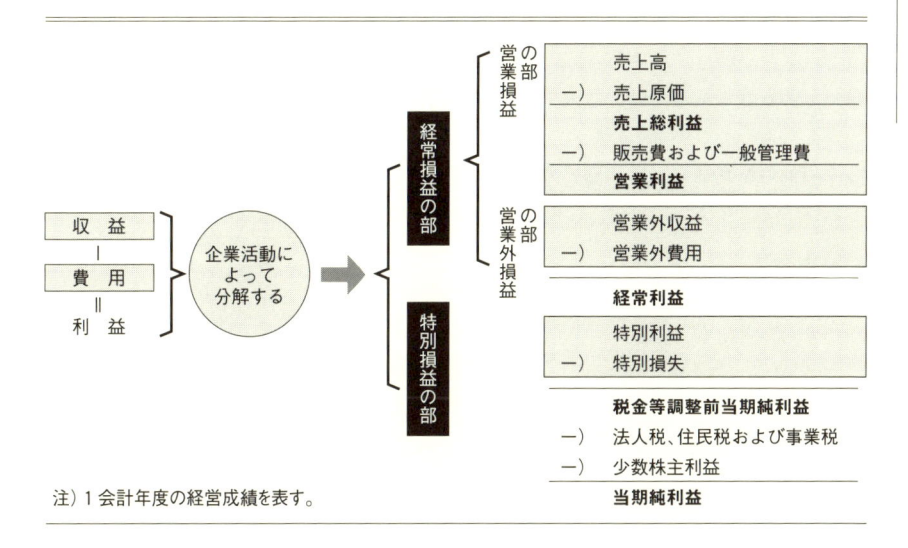

収益 − 費用 = 利益	→ 企業活動によって分解する →	経常損益の部	営業損益の部	売上高
				−) 売上原価
				売上総利益
				−) 販売費および一般管理費
				営業利益
			営業外損益の部	営業外収益
				−) 営業外費用
				経常利益
		特別損益の部		特別利益
				−) 特別損失
				税金等調整前当期純利益
				−) 法人税、住民税および事業税
				−) 少数株主利益
				当期純利益

注)1 会計年度の経営成績を表す。

2 アカウンティングの基礎

6 貸借対照表（資産）

> **POINT**
> 貸借対照表は大きく資産の部と負債・純資産の部に分けられる。そのうち資産は企業が保有する資金の具体的形態を示すもので、文字どおり「企業の財産」のことだ。企業が将来収益を生むための経営資源を表しているので、金額（規模）だけでなく、その適正度（品質）も重視する必要がある。

　資産（Assets）は通常、流動資産、固定資産、繰延資産に分類される。

◘流動資産（Current Assets）

　「流動」とは、主に短期間（1年以内）に現金化できることを意味する。流動資産は「短期間に現金化するもの」と「短期間に費用となるもの」から構成される。

　流動資産は短期間に現金化しやすいものなので、企業の支払能力の基準となっている。たとえば、短期間に返済期限が到来する「流動負債」（詳細は＜7＞で説明）よりも少ない金額しか「流動資産」を保有していなければ、支払不能に陥る可能性があるので、安定性を欠いた状態と見なされる。

　流動資産は、当座資産、たな卸資産、その他流動資産の3つに分類される。これらは、主に営業活動から生じる。

❶**当座資産**：営業活動の販売段階で生じる売掛金・受取手形など、営業活動の回収段階で生じる現金・預金のように現金および現金に近い形の資産を指す。

❷**たな卸資産**：営業活動の仕入れ・生産段階で生じる完成品・半製品などのように販売されることで初めて現金化される資産を指す。

❸**その他流動資産**：1年以内に費用として損益計算書に計上される（費用化される）前払費用などを指す。

◘固定資産（Fixed Assets）

　「固定」とは、主に1年以内に費用化または現金化しないことを意味する。固定資産のほとんどが「長期にわたり費用となるもの」である。たとえば、製造機械などは原材料のように取得したらすぐに消費してしまうわけではないが、事業で使用するにつれて価値が減少し、いずれは使えなくなる。そのため、規定に従って徐々に費用化する（減価償却と呼ぶ）方法がとられる（＜17＞参照）。

　固定資産は、有形固定資産、無形固定資産、投資その他資産の3つに分類される。

これらは、営業サイクルに関わる活動の中で主に投資活動と財務活動から生じる。
❶有形固定資産：建物・機械装置などの償却資産（減価償却の対象になる有形固定資産）と、土地・建設仮勘定などの非償却資産（その価値が時の経過に伴って減少しない資産）から成る。これらは投資活動によって生じる。
❷無形固定資産：法律や契約によって認められた権利に基づく資産。特許権、実用新案権、商標権、鉱業権、電話加入権、借地権などが該当する。ほかにも、有償で他社から買い入れたり、合併した場合に計上されるのれんも無形固定資産だ。これらは投資活動によって生じる。
❸投資その他資産：企業本来の事業活動とは関係ない投資や、支配することを目的として長期的に保有する資産のことだ。投資有価証券、長期貸付金、子会社株式などがこれに該当する。これらは財務活動によって生じる。

◘繰延資産（Other Fixed Assets, Deferred Charges）

　繰延資産は、固定資産と同じく短期に費用化できない資産として特別に認められているものだ。その効果が一定期間継続する（次期以降の収益に貢献する）と考えられるものについて、支出時に一度に費用化するのではなく、一時的に資産として計上する。そして、その効果が及ぶ期間にわたって徐々に費用化していく。社債発行差金や研究開発費などを繰延資産として計上する場合があるが、実際には公開企業の財務諸表の中ではあまり見られない科目である。

営業サイクルにおける資産科目

（営業活動）仕入れ・生産活動
　たな卸資産
　仕入れ → 生産

（営業活動）販売活動
　売掛金・受取手形　現金・預金
　販売 → 回収

資金調達活動（財務活動）

投資活動
　有形固定資産
　無形固定資産

資金運用活動（財務活動）
　有価証券

2 アカウンティングの基礎

7 貸借対照表（負債＋純資産）

POINT
貸借対照表の負債と純資産は、企業活動に必要な資金をどこから用立てたのかという資金調達の源泉を示す。**負債は第三者からの借入れ、つまり将来決められた期日に支払うべき債務である。純資産は株主（企業の所有者）から集めた資金である。**

　負債は通常、流動負債と固定負債に分類され、純資産は通常、株主資本、評価・換算差額等、新株予約権、少数株主持分に分類され、貸借対照表上に計上される。

◘負債（Liabilities）

　負債とは、営業サイクルに関わって生じた債務のことだ。資金調達のために借り入れた長期借入金や、企業が発行した社債などが該当する。また、将来の損失に備えるための各種引当金も企業の負債である。

　貸借対照表では通常、負債は「流動負債」と「固定負債」に分けて計上されている。一般には、将来の支払債務である負債の額が業界適正規模より大きい場合、企業の不健全さを示していると見なされる。

■流動負債（Current Liabilities）

　企業の通常の営業サイクル中または短期間（1年以内）に支払わなくてはならない負債である。代表的な勘定科目として支払手形、買掛金、未払費用、未払金（営業活動の仕入れ・生産の段階に当たる）、前受収益（営業活動の販売の段階に当たる）、未払法人税（営業活動の回収の段階に当たる）、短期借入金（資金調達活動に当たる）などがある。これらは主に営業活動から生じる。

■固定負債（Fixed Liabilities）

　支払猶予期間が長期的な（1年を超える）負債である。企業の資金調達である長期借入金・社債に加えて、退職給付引当金、賞与引当金などの各種引当金から構成される。各種引当金は、将来にわたる支払いが確実に予想されるため、債務として認識し、企業経営に正確に反映させるために固定負債として計上される。これらは、主に財務活動（資金調達活動）に対応する。

◘純資産（Net Assets）

　純資産とは、投資家から集めた出資金と過去の利益を蓄積した株主資本のほか、

評価・換算差額等、新株予約権、少数株主持分の4つ（単体では少数株主持分を除く3つ）に分類される。株主資本と評価・換算差額等を合わせて自己資本とも呼ぶ。一般的には、純資産が負債に比べて厚い企業ほど健全と言える。

ただし、アメリカの会計基準で作成された連結財務諸表を提出している会社の場合、B/Sは資産、負債、純資産の3区分ではなく、資産、負債、少数株主持分、資本の4区分となっている。

■株主資本

株主が企業に拠出した資金と過去の利益の蓄積分である。前者は資本金、資本剰余金、自己株式であり、財務活動に対応する。後者は利益剰余金であり、営業活動に対応する。

■評価・換算差額等

土地や有価証券といった資産の時価評価や為替変動に起因する純資産の増減額である。

■新株予約権

新株予約権を有する者が、会社に対してこの権利を行使した場合、特定の価格で株式を購入できる権利である。

■少数株主持分

連結対象となる子会社の資産や負債を親会社のB/Sに合算する際に、子会社の純資産のうち、持ち株比率に応じて親会社以外の株主（少数株主）に帰属する部分である。

営業サイクルにおける負債・純資産科目

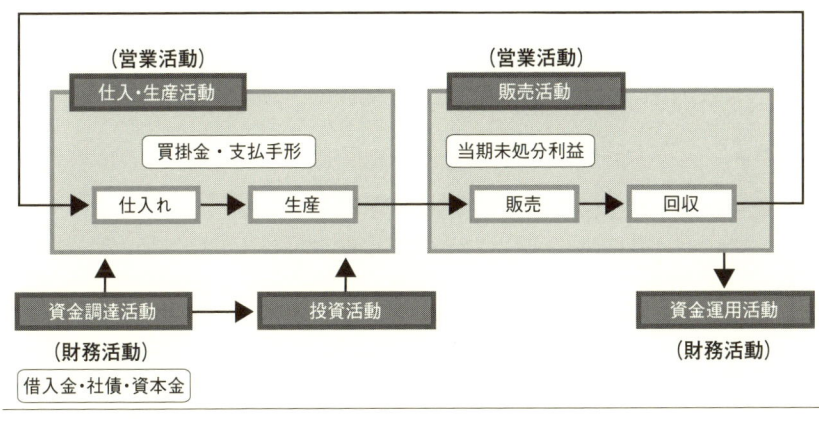

```
（営業活動）                          （営業活動）
仕入・生産活動                         販売活動
  買掛金・支払手形                      当期未処分利益
  仕入れ → 生産     →    販売    →    回収
     ↑        ↑                          ↓
  資金調達活動  投資活動                 資金運用活動
  （財務活動）                          （財務活動）
  借入金・社債・資本金
```

2 アカウンティングの基礎

8 キャッシュフロー計算書

POINT

企業活動を継続させるには、企業の営業成績のみならず、流動性（資金繰り）と現金収支の状況を把握しておく必要がある。営業活動・投資活動・財務活動について各期の現金の増減を整理したのがキャッシュフロー計算書だ。

◘キャッシュフロー計算書の意義

　キャッシュフロー計算書は、会計年度の期首に企業が持っていた現金と現金同等物（当座預金や普通預金など）の額が、期中の活動を経て期末にどの程度増減したかというプロセスを表す。現金は企業活動のすべての面に関わる。売上金の回収や仕入代金の支払い、従業員に対する給与の支払い、借入金の返済などを期日どおりに行うためには、現金収支の状況を正確に把握しておく必要がある。しかし、損益計算書の利益指標には見積もり項目が多く、企業の基礎体力と言える現金収支が正確に反映されていない場合がある。たとえば、営業マンが販売した製品の代金回収を怠っていた場合、実際は手元に現金が入っていなくても、損益計算書には売上高や利益が計上される。企業会計は発生主義に基づくため、未回収の代金は売掛金として処理されるからだ。こうした事態が続けば、表向きは利益が出ていても資金繰りは悪化する。支払不能に陥れば、企業は信用を失い、倒産するかもしれない。そこで、資金繰りを評価する目的でキャッシュフロー計算書が使われる。

　キャッシュフロー計算書は、企業活動に即して営業活動・投資活動・財務活動の3区分を設け、それぞれの現金の増減を表示する。上場企業はグループ会社を含めた連結キャッシュフロー計算書を開示しなくてはならない。投資家は企業グループの現金の創出力を、経営者は各事業の現金の創出力を、評価できるようになる。

◘キャッシュフロー計算書の作成

　営業活動によって生じるキャッシュフローを把握するには、直接法と間接法がある。直接法では、営業活動から生じる現金の入金と支出を直接算出する。間接法は、当期純利益の数字に減価償却費を加え、さらに貸借対照表上の各項目の増減を加えて機械的に現金の増減を算出する。実際のキャッシュフロー計算書は間接法によって作成されたものが多い。つまり、現金の支出を伴わない費用の決算処理項目を調べ、当期純利益に調整を加えることで現金収支をつかむのだ。

投資活動から生じるキャッシュフローでは、通常の営業活動以外の部分、すなわち設備投資の実施、廃棄、固定資産の取得・売却などに伴う現金の増減を把握する。また、財務活動から生じるキャッシュフローでは、直接の営業活動とは結びつかない企業の財務活動、すなわち銀行借入れ、社債発行や株式発行による資金調達、配当支払いや減資などによる現金の増減を計算する。

◆キャッシュフロー計算書の見方

貸借対照表との関係で現金の動きを考えると、おおむね資産の増加は現金の減少を、負債・純資産の増加は現金の増加を意味する。現金は多ければよいわけでもなく、企業の発展段階や業種に応じて適正な水準かどうかがポイントになる。たとえば、現金を必要以上に多く持っていることは、企業活動に活用すべき資金を遊ばせているわけで、好ましい姿ではない。この場合、将来の収益に貢献するような投資や借入金の返済、配当の増額などを検討すべきである。

また、企業の発展段階に応じて資金の流れは変わる。成長中の企業（事業）では、売上げを伸ばすために取引先に対する支払条件を緩和したり、見込み生産を行うので営業活動による現金収支はマイナスに、投資活動では活発に設備投資を行うのでマイナスに、それらを支えるために積極的に資金調達を行うので財務活動ではプラスになる傾向がある。

安定期は、営業活動では支払条件も安定し、需給も調整しやすくなるのでプラスに転じ、投資活動はマイナスだが支出額は減少するので、財務活動はほぼ均衡の状態となる。成熟期には、営業活動の現金収支はプラスに、投資活動は抑えぎみで、財務活動では返済が多くなり、マイナスになる傾向にある。

キャッシュフロー計算書（例）

（単位：百万円）

I. 営業活動	
当期純利益	1,011
減価償却費	3,249
売掛債権の増減	−3,707
たな卸資産の増減	−2,914
その他営業資産の増減	−215
買掛金、未払費用及びその他の負債の増減	1,364
営業活動合計	−1,212
II. 投資活動	
設備投資による支出	−1,780
資産の売却による収入	322
投資有価証券の増減	−52
投資活動合計	−1,510
III. 財務活動	
株主配当金	−318
短期借入金の増減	869
長期借入金の増減	1,000
財務活動合計	1,551
I＋II＋III	**−1,171**
期首現金及び現金等価物	3,951
期末現金及び現金等価物	2,780

3 会計トピックス

9 連結会計

> **POINT**
> 2000年3月期より日本の会計制度は、企業会計のグローバル・スタンダードである連結会計に転換した。これにより、企業集団としての活動実態に関する情報開示が充実してきた。連結財務諸表には特有の勘定科目がある。

◘連結会計の意義

大企業は多数の子会社・関連会社を持ち、企業グループ（企業集団）を形成して事業活動を展開している。子会社や関連会社は法律上、別個の企業と見なされるが、活動実態を見るとグループ全体を1つとして考えるほうが妥当だ。国際会計基準、米国会計基準は従来から連結会計を主とした開示制度をとっていたが、日本でも公開会社を対象に2000年3月期より連結を主とする開示制度に変更された。企業グループの情報開示は連結財務諸表だけではなく、有価証券報告書提出会社（親会社）の財務諸表、連結子会社の明細、セグメント情報も含む一体のものとして考えたい。

◘セグメント情報

セグメント情報とは、売上高や営業利益、資産などの情報を、事業の種別や連結会社の所在地別などのセグメント（区分）ごとに提供するものだ。たとえば、医薬品事業も営んでいる食品メーカーの場合、医薬品事業からの売上高が全体の売上高の10％を超えていれば、食品事業と併せて医薬品事業のセグメント情報も開示しなくてはならない。大企業は複数事業から成り立っている場合が多いが、セグメント情報によって事業ごとに他社との比較が可能となる。

◘子会社・関連会社

企業集団は親会社と子会社と関連会社で形成されている。連結会計の対象となる子会社の基準には、持株基準と支配力基準がある。持株基準とは、親会社が過半数の株式を所有していることだ。ただし、持株が50％以下でも、親会社が役員派遣などを通じてその会社の財務や経営を実質的に支配している場合は連結対象に含める。これを支配力基準と言う。

一方、親会社が20％以上50％以下の議決権付株式を所有している場合は、連結対象の関連会社と見なされる。子会社の場合と違って、関連会社の資産や負債・純資

産が親会社の財務諸表に合算されることはなく、関連会社利益のうち親会社持株比率相当分だけを企業集団の利益として連結財務諸表に含める「持分法」という会計処理が適用される。

◘連結財務諸表特有の勘定科目

連結貸借対照表を作成する場合、親会社と連結子会社の貸借対照表を合算するが、企業集団内部の取引項目は相殺消去する。具体的には以下の方法がとられる。

■**債権・債務の相殺消去**：親会社が子会社に販売活動を行った場合、親会社の売掛金（債権）と子会社の買掛金（債務）は外部との財の移動とは認められない。そのため、連結決算の過程で相殺消去され、連結貸借対照表にはその分の売掛金や買掛金は表示されない。連結損益計算書を作成する際も同様の処理を行う。たとえば、親会社が子会社に商品を販売した場合（内部取引）、親会社の売上高と子会社の仕入れは「内部取引の相殺消去」として処理される。

■**親会社の子会社への出資関連**：仮に子会社の株式のうち親会社が70％を、第三者が30％を保有しているとする。第三者が持つ30％分は親会社以外の株主の持分なので、連結貸借対照表では純資産の中に「少数株主持分」という区分で表示される。また、連結特有ではないが、親会社が子会社を買収した場合、買収金額と子会社の簿価とは異なるのが普通だ。この差額を表す科目を「のれん」と言う。

■**持分法**：関連会社に適用される持分法では、「関連会社の利益×親会社持分」が、まず連結貸借対照表の有価証券科目に上乗せされ、次に投資差額の償却と「配当金×親会社持分」が控除される。連結損益計算書でも持分法による投資利益として示される。

セグメント情報の例

(単位：百万円)

	食品事業	医薬品事業	環境事業	不動産事業	計
Ⅰ．売上高およぴ営業損益					
売上高	1,200,000	600,000	200,000	300,000	2,300,000
営業費用	500,000	200,000	100,000	150,000	950,000
営業利益	700,000	400,000	100,000	150,000	1,350,000
Ⅱ．資産、減価償却費、資本					
資産	1,300,000	800,000	400,000	600,000	3,100,000
減価償却費	120,000	50,000	50,000	60,000	280,000
資本的支出	250,000	130,000	10,000	20,000	410,000

●·········· 3　会計トピックス

10　税効果会計と退職給付会計

POINT
税効果会計と退職給付会計はともに会計制度の国際化の潮流から導入された会計制度だ。税効果会計では法人税等を、退職給付会計では退職一時金と企業年金の積立不足分を費用としてとらえ、財務諸表に反映させる。

◘税効果会計

　財務会計と税務会計では収益や費用に関する規定が異なるため、財務会計上の利益と税務会計上の課税対象所得は必ずしも一致しない。その一方で、会計規則では費用と収益は同一期間で対応させることが原則になっている(費用収益対応原則)。そこで、財務会計上の税引前利益と税務会計上の所得との差違を合理的に期間対応させるための会計処理手続きが「税効果会計」だ。

　たとえば、企業が多額の不良債権を持っている場合、財務会計では回収不能に近い債権という解釈になるため、貸倒リスクに見合った引当金を設定し、損益計算書で費用または損失を計上する。これに対して税務会計では、貸倒引当金は債権の一定額しか認められていないため、回収の見込みのない債権がそれ以上にある場合は、超過分×税率だけ余計に税金を支払わなくてはならない。

　しかし、財務会計の本来の目的は、企業の経営実態をステークホルダーに適正に開示することだ。したがって、企業は税務会計にしばられる必要はない。そのため、税効果会計では、財務会計の視点で計算した今期の納税額よりも税務会計で計算した納税額のほうが少ない場合は、将来の租税負担として「繰延税金負債」を計上する。また、本来その期に納付すべき法人税等のうち、財務会計で計算した当期利益に対応する部分だけを財務会計上の税金とし、実際に払う税務会計上の法人税等の残りは翌期以降に費用計上を繰り延べ、「繰延税金資産」を計上する。つまり、不良債権の限度額超過分に見合う税金額は今期に一括して費用計上するのではなく、機械や建物などの減価償却の扱いと同様に、翌期以降も徐々に費用化していくのだ。

　こうした税効果会計の適用により、貸借対照表には「繰延税金資産」や「繰延税金負債」が、損益計算書には「法人税等調整額」が記載されることになった。

◘退職給付会計

　退職給付会計とは、従業員が退職するときに企業が支払う退職金や企業年金を厳

格に見積もり、これに対する企業の対応状況を開示する会計制度だ。公開企業では2001年3月の決算から適用が義務づけられている。

かつて日本の退職金と企業年金は、将来に支払うべき金額が確定している「確定給付型」が採用されており、企業は実際の支払いが行われるまで拠出金を積み立て運用していた。ところが、金利水準が低いと予定していた運用利回りを確保できず、給付必要額に達しないということが起こる。この不足分は実際の支払いが行われるまでは顕在化しないため、隠れ債務といった形で財務会計上の不整合要素となっていた。しかし、会計のグローバリゼーションが進むにつれ、より透明度の高い開示制度が求められるようになり、この点についても改善が図られるようになった。

現在の会計制度では、将来の支払いに必要な退職一時金と年金給付を一体のものとして考え、現時点で必要な運用原資を退職給付債務に一本化して会計処理を行う。かつては退職一時金のみを引当金（退職給与引当金）として貸借対照表の負債に計上していたが、いまの会計規則では、年金の積立不足額も退職一時金とともに「退職給付引当金」として計上するようになった。

以上のことは、「確定給付型」を採用していることから生じる問題と言える。これに対応するために、将来の企業年金の給付水準が上下するリスクを従業員が負う「確定拠出型」の企業年金制度（いわゆる401kプラン）の導入を検討する企業も増えている。

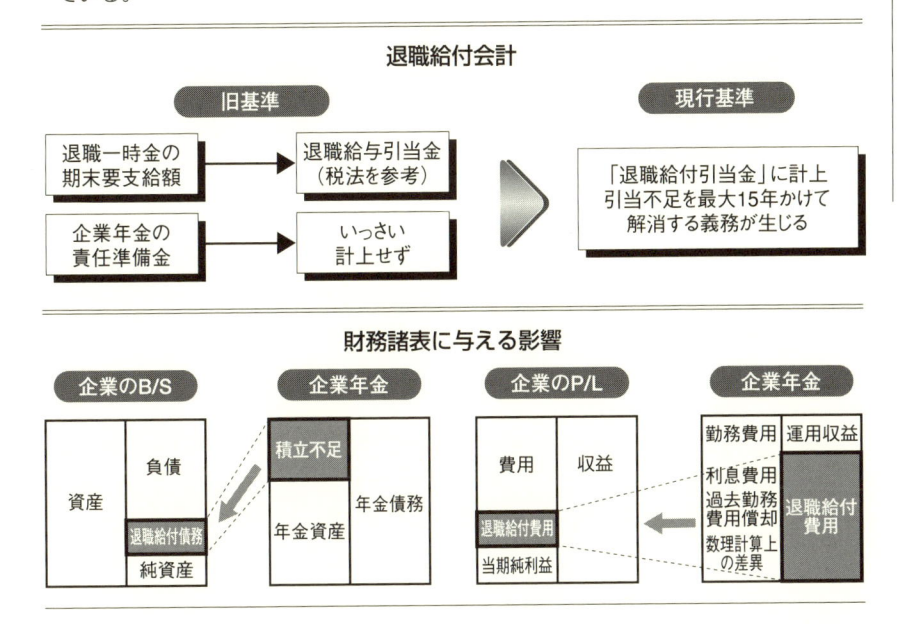

退職給付会計

旧基準

- 退職一時金の期末要支給額 → 退職給与引当金（税法を参考）
- 企業年金の責任準備金 → いっさい計上せず

現行基準

「退職給付引当金」に計上
引当不足を最大15年かけて解消する義務が生じる

財務諸表に与える影響

企業のB/S: 資産／負債・退職給付債務・純資産

企業年金: 積立不足／年金資産・年金債務

企業のP/L: 費用（退職給付費用）・当期純利益／収益

企業年金: 勤務費用・利息費用・過去勤務費用償却・数理計算上の差異／運用収益・退職給付費用

3 会計トピックス

11 有価証券（時価会計）

> **POINT**
> 会計基準の変更に伴い、有価証券は保有目的別に計上基準が異なるようになった。とりわけ、売買目的の保有有価証券は時価法で、子会社・関連会社株式は原価法で計上するようになった点が注目される。

◘従来の日本の計上基準

日本では従来、保有有価証券を計上するときには、大きく分けて原価法（原則取得原価法）と低価法の2つの基準から選択するのが原則だった。

原価法では、10年前に100円で購入した株式は、現在の市場株価が50円であっても1000円になっていても、貸借対照表には購入時の100円で計上する。これは、株式は売却しない限り利益も損失も実現しないので、売却前に価値が増減するのはおかしいという理由からだ。

その一方で、将来の損失はできるだけ早期に見込むべきだという保守主義の要請もある。そこで、市場性のある証券に限って、保有有価証券の市場価格（時価）が取得価格より低下したときのみ、時価を反映させる低価法を選択できるようになっていた。前出の例で低価法を採用すると、株価が50円に下がったときのみ、貸借対照表に100円ではなく50円で計上することになる。

◘会計基準変更後の日本の計上基準

2001年3月期の有価証券報告書から新しい会計基準が適用され、保有有価証券の計上基準が変わった。保有目的別に以下の4つの基準が適用されることになった。とくに押さえておくべき点は、これまでのように選択制ではなく強制適用であることと、従来の低価法がなくなったことだ。この変更は国際会計基準と米国会計基準に則した内容になっている。

❶売買目的有価証券——時価法

売買を目的とした有価証券には時価法が適用される。すなわち、貸借対照表には市場価格で評価計上し、損益計算書には市場価格が取得価格より高ければ有価証券評価益として、低ければ有価証券評価損として計上しなくてはならない。これまでの低価法とは異なり、評価益も計上する点に注意が必要だ。この区分は、一般の事業会社ではあまり見られない。

❷満期保有目的の債券——償却原価法

満期のある債券でかつ満期まで保有する意志のある場合に限って、償却原価法が適用される。たとえば、1年前に97円で購入した債券が、満期時に100円で償還されると仮定する。その価値が1年ごとに98円、99円、100円と1円ずつ増加する場合、今期の決算期末には98円として計上される。

❸子会社・関連会社株式——原価法

この場合、対象企業に対してコントロールを及ぼすことができる点で❶の売買目的の有価証券とは異なる。つまり、子会社や関連会社を事業展開の1単位として考えているわけであり、そうなると時価法は適当とは言えない。そこで、子会社や関連会社の株式については原価法が適用される。

❹その他有価証券——時価法

上記の3分類以外で、短期的に売買されることはないが、長期的には売却が想定される有価証券がこの分類に該当する。一般の事業会社でこの区分が多く見られる。債券の場合は、❶の短期の売買目的でなければ❷の満期保有目的の債券に当てはまるので、ここでは主に株式が対象となる。

この分類に該当する有価証券を計上する際は、原則として時価法が用いられる。したがって、貸借対照表上には市場価格を反映させなくてはならない。ただし、損益計算書上に有価証券損益を計上しない点が、❶の売買目的有価証券の場合とは異なる。

従来の低価法と①売買目的有価証券の評価方法

	従来の低価法	①売買目的有価証券
1000円	B/S100円 P/L— ただし注記	➡	B/S1,000円 P/L900円 評価益
50円	B/S50円 P/L50円 評価損	➡	B/S50円 P/L50円 評価損

（購入時 → 決算期末：評価益／評価損）

②満期保有目的の債券の評価方法

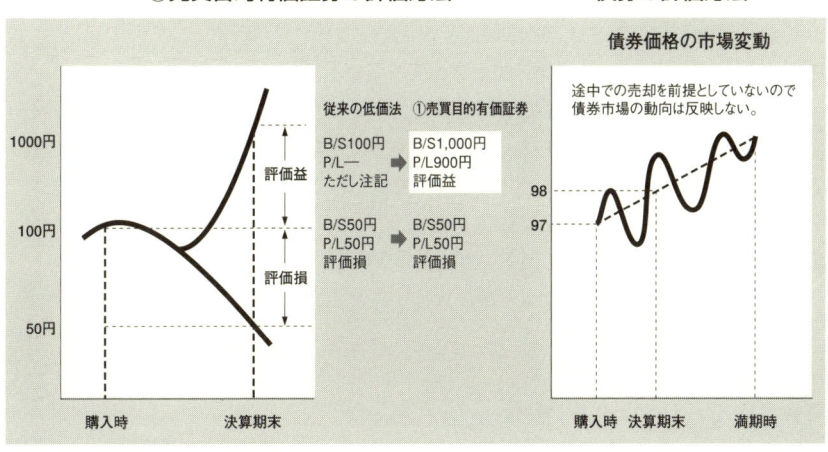

債券価格の市場変動

途中での売却を前提としていないので債券市場の動向は反映しない。

98／97（購入時 → 決算期末 → 満期時）

アカウンティング

4 指標分析

12 総合力分析：ROAとROE

POINT
企業の総合的な収益力を判断するための指標としてよく用いられるのが、ROAとROEだ。
ROAは経営資源である総資産をどの程度効率的に活用し、利益に結びつけているかを示す。一方、ROEは株主資本がどの程度の利益を生み出しているかを判断するために用いる。

◘指標分析の意義

指標分析（比率分析）は経営の実態を見抜いたり、さまざまな意思決定を行う際に有効だ。比率を用いることで、規模の違う競合他社との比較や時系列での評価などが可能になる。各指標の意味を十分に理解し、その限界や留意点を正しく認識することによって、一面的な分析に陥ることを避け、経営に役立てることができる。

◘ROA（Return On Assets：総資産利益率）「利益／総資産」

ROAは収益性分析の代表的な指標である。企業が使用した総資産とそこから生み出された利益の比率を表す。この指標から、債権者と株主から委託を受けている経営者が、総資産という経営資源を使ってどれだけの利益を上げたかを見ることができる。図の計算式からもわかるように、ROAを高めるためには売上高利益率あるいは総資産回転率を向上させる必要がある。

■売上高当期純利益率（当期純利益／売上高）

売上高に対する当期純利益の比率を表す。利益は総資産から直接生じるわけではない。総資産を使って製品やサービスを販売し、その売上げから利益が生じる。売上高利益率を高めるには、売上げに必要な費用（売上原価、販売費および一般管理費）を減らす必要がある。そのためには、仕入コストの低減、販売チャネルの再構成、広告費削減などについて検討することが求められる。

また、この指標は業態によって差が大きい。たとえば、販売会社を経由して販売する場合は粗利益を販売会社と分け合う形になるので、この数値は低くなる（詳細は＜13＞で説明する）。

■総資産回転率（売上高／総資産）

総資産を使って総資産の何倍の売上高を達成したかを表す。この数値が大きいほ

ど、総資産が効率的に売上げに結びついたことになる。しかし、その中身には注意が必要だ。たとえば、将来に備えて積極的に設備拡大を行った場合、稼働率が高まり、安定した売上高を確保できるようになるまでの間、総資産回転率はいったん低下する。また、リースを利用して自前の設備を持たなければこの指標は上向く。

売上高利益率と総資産回転率はトレードオフの関係になる場合もある。衣料を扱うスーパーと高級専門店などがその典型だ。前者は薄利の下で売上高を大きくする効率性重視の戦略をとっている。つまり、総資産回転率を上げるために売上高利益率の低さに目をつぶる。一方後者は、売上高は小さくてもマージンを高める収益性重視（総資産回転率よりも売上高利益率を重視）の戦略をとっている。

◻ROE（Return On Equity：自己資本利益率）「当期純利益／自己資本」

ROAが企業の総合的な事業活動の利益率を示すのに対し、ROEは投下資本に対する利益率を示す。つまり、ROEは株主の投資がどの程度リターンを生み出したかを示すもので、投資家が投資判断に使う。日本でも、株主重視の経営が叫ばれるなか、ROEの重要性が高まっている。ROEを上げるには、「財務レバレッジ」「総資産回転率」「売上高当期利益率」を向上させなくてはならない。

■財務レバレッジ（総資産／自己資本）

銀行借入れや社債発行などを梃子（レバレッジ）として使い、自己資本に対して何倍の資産をつくったか（企業規模を拡大したか）、言い換えれば、負債をどの程度有効に活用しているかを示す指標。ただし、この比率が高くなると負債過多となり、リスクが増大するので注意しなくてはならない。＜14＞で説明する自己資本比率の逆数でもある。

ROEとROAの関係

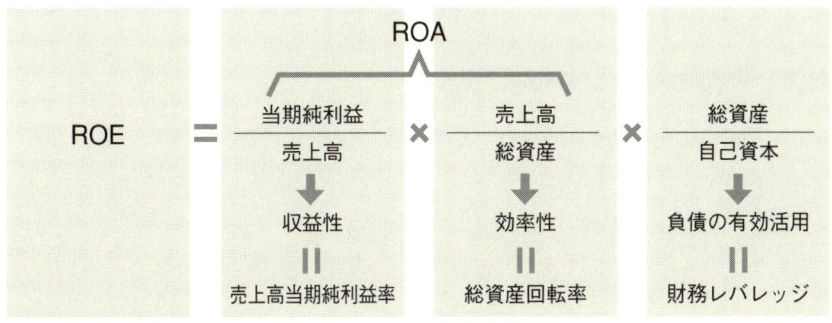

$$ROE = \underbrace{\frac{当期純利益}{売上高} \times \frac{売上高}{総資産}}_{ROA} \times \frac{総資産}{自己資本}$$

	収益性	効率性	負債の有効活用
	売上高当期純利益率	総資産回転率	財務レバレッジ

注）ROAでは、分子の利益には経常利益またはEBIT（支払利息および税金控除前利益）が使われることもある。
　　ROEの場合、利益は当期純利益だけが使われる。

●……… 4 指標分析

13 収益性分析

POINT
売上高利益率とは、売上高に対してどのくらいの利益を獲得することができたかを示す指標であり、どのような利益を用いるかによって数種類の売上高利益率が考えられる。それらを期間比較や他社比較することにより、企業の収益構造上の特徴を把握することができる。

◘なぜ利益と売上高の関係に注目するのか

売上高を100%として損益計算書の構成比率を計算すると、その企業の収益構造と、その裏返しとしての費用構造が見えてくる。つまり、原材料や仕入品にその企業が価値を付加し、市場にその価値を認知させていったプロセスを読み取ることができるのである。

売上高利益率は、企業の営業プロセス（つまりどのプロセスで費用が投入されるか）により規定されるため、事業形態や業種が異なる企業同士を比較してみても優劣をつけることはできない。逆に言えば、似通った事業プロセスの企業や、同一企業を時系列で比較することにより、さまざまなことがわかる。また、以上のような性格から、多角化企業は事業部門ごとに分析することが望ましい。

企業の存続、成長の裏づけとなる利益が、その源泉となる売上高からどの程度の比率で残るかという点は、事業活動を実際に行っている従業員にとって大きな関心事となろう。さらに言えば、自分の責任業務においてどの程度の利益率を確保しているかに最も大きな関心があるのではないか。以下に、各段階ごとの利益率について簡単に説明する。

◘売上高総利益率（売上総利益／売上高）

この指標は、利益率の高い製品を販売しているか否かを示している。一般に景気がよいときは上昇し、不景気になると下落する傾向がある。また業種によって差があるが、同一の業界内では一般に大きな相違はない。売上高総利益率が高いことは、営業力の強さや製品の品質の優秀さを意味するが、年を追ってこの比率が下落するときは、原価率の上昇や商品力の低下などの原因が考えられ、経営者としては何らかの手を打たなくてはならない。

この段階の利益率は、製品や部門ごとに計算することが比較的容易なため、セグ

メント情報に使われることが多い。売上高総利益率を上げるためには、取引先の見直し（大口取引先を増やさず、大口割引を減少させる等）、商品構成の見直し（粗利の高い商品へのシフト）、仕入コスト・生産コストの削減などが有効だと考えられ、これに合わせた行動が必要になってくる。

◘売上高営業利益率（営業利益／売上高）

企業本来の営業活動による利益率であり、本業の利益率が高いかどうかを示している。

この数字を同業他社と比較することにより、販売活動や管理活動の効率性がわかり、合理化の余地の有無なども把握することができる。また販売費の内訳項目、たとえば広告宣伝費の金額を分析することにより、マーケティング戦略の相違などを把握することができる（興味があれば、有価証券報告書によって資生堂やサントリーの広告費が同業他社と比べてどれだけ大きいかを調べてみよう）。

◘売上高経常利益率（経常利益／売上高）

財務活動なども含めた通常の企業活動における利益率である。よって、売上高経常利益率には金融収支のよしあしや資金調達力の相違が反映される。

この比率が年ごとに低下している場合には、固定費的な販売費および一般管理費や支払利息等が増加している場合が多く、合理化が必要になるだろう。また、連結の場合、経常利益は持分法による投資損益によっても影響される。したがって、経常利益を増やしたいのならば、その企業単独の合理化だけでなく、子会社や関連会社などグループ全体のマネジメントを行う必要がある。

価値の付加プロセスと費用構造

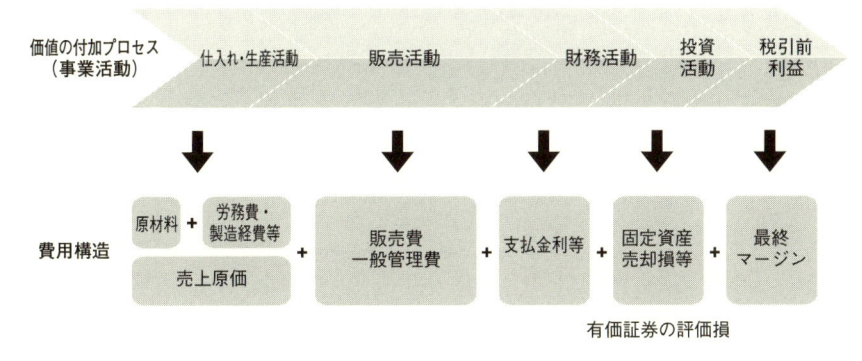

価値の付加プロセス（事業活動）	仕入れ・生産活動	販売活動	財務活動	投資活動	税引前利益
費用構造	原材料 ＋ 労務費・製造経費等／売上原価	＋ 販売費一般管理費	＋ 支払金利等	＋ 固定資産売却損等／有価証券の評価損	＋ 最終マージン

4 指標分析

14 安全性分析

> **POINT**
> 企業の安全性は収益性と並ぶ大きな評価要素であり、この分析を行う指標として、自己資本比率、流動比率、当座比率、固定比率などがある。安全性とは財務体質の健全性を意味し、万一の場合に外部の債権者に対して約束どおりの支払いを行うことが可能であるかどうかを示している。

◧自己資本比率（自己資本／〈負債＋純資産〉）

　自己資本は「株主資本＋評価・換算差額等」、すなわち親会社株主の持分の総額を意味する。総資本に占める自己資本の割合が大きいほど企業の安定度が高く、業績が悪化しても債務超過を避けるだけの抵抗力があると言える。自己資本を厚くするには、増資や内部留保により、長い期間をかけて実現していくことが必要となる。

　収益性という視点では、自己資本の比率は高いほどよいとは限らない。しかし、企業の安全性という点では自己資本が厚いに越したことはなく、リスク投資が多い企業ほど自己資本による担保が求められる。現在、日本の製造業の自己資本比率の平均はおおむね40％前後と言われている。

◧流動比率（流動資産／流動負債）

　短期間（1年以内）に返済する必要のある負債は、同じく短期間（1年以内）に現金化される資産で賄われる必要がある。これを測る指標が流動比率であり、150％から200％程度が望ましいと言われている。ただし、流動資産の中に長期未回収の売掛金や不良在庫が多く含まれている場合もあり、注意を要する。短期間で現金化しようとしても現実には長期間を要したり、価値が低下し、すべてを現金化することが不可能になることもあるからだ。日本の製造業の平均は130〜140％である。

◧当座比率（当座資産／流動負債）

　当座比率は、流動資産のうち、現金化しにくいたな卸資産等を除いた当座資産と流動負債の比率である。したがって、安全性を測るという意味では、流動比率よりもさらに正確である。具体的には、預金、受取手形、売掛金、有価証券等の現金に近い流動資産だけを流動負債の支払手段ととらえている。この比率は100％以上が望ましいと言われている。

◆固定比率（固定資産／純資産）

固定比率とは、固定資産の調達がどれだけ純資産によって賄われているかを示す指標である。固定資産は長期にわたって保有される性格のものであるため、これを調達するための資金は長期に安定した調達手段によるべきであり、短期資金で購入することは望ましくない。この比率は100％以下であるのが望ましいが、現実には製造業で120％程度となっている。

◆固定長期適合率（固定資産／〈純資産＋固定負債〉）

固定長期適合率は、純資産だけでなく長期の負債である社債と長期借入金も分母に加えることにより、長期に安定した調達手段をより広義にとらえたものである。この比率は製造業で80％程度となり、日本企業の安全性は固定比率だけから考えたほどには悪くないことがわかる。

◆インタレスト・カバレッジ・レシオ（〈営業利益＋金融収益〉／支払利息）

事業利益が支払うべき金利の何倍あるか、という金利支払能力を示す指標であり、製造業平均で18倍と言われている。この比率は高いに越したことはないが、厳密には企業の成長度合いとの関係で評価されるべきである。なぜなら、成長途上の企業は一時的に借金を増やしてでも事業を拡大することが多く、その際にはこの指標は悪化するからである。厳密に言えば、分母の支払利息は現金で支払うもの（キャッシュフロー）であるため、分子も会計上の利益ではなく、キャッシュフローで計算すべきである。しかし、目安として見るときには会計上の利益でも十分であろう。

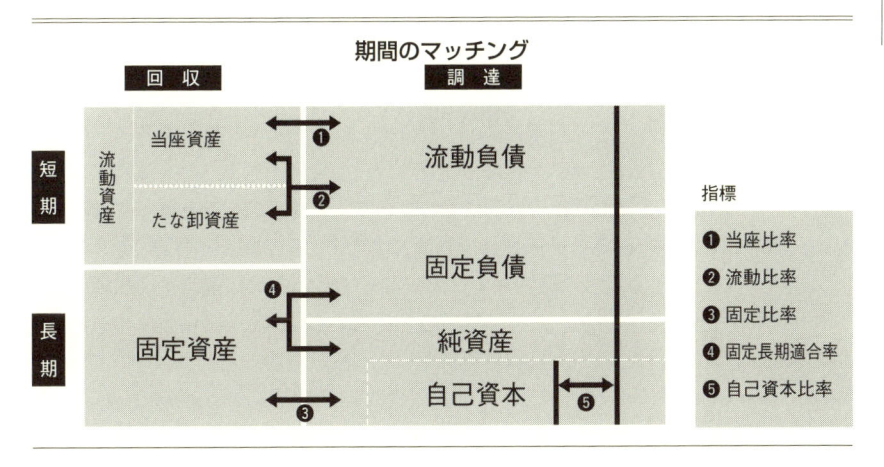

期間のマッチング

回収	調達

短期：流動資産（当座資産、たな卸資産） — 流動負債
長期：固定資産 — 固定負債、純資産、自己資本

指標
1. 当座比率
2. 流動比率
3. 固定比率
4. 固定長期適合率
5. 自己資本比率

アカウンティング

4 指標分析

15 株式市場が企業を評価する指標

> **POINT**
> 株式投資家は企業の会計データに加えて、将来への期待や含み資産(負の場合もある)なども考慮して企業を評価する。株価は投資家の意見を代弁するもので、投資家の評価の度合いを反映する。株価を高めるには、企業は株価と会計データとを関連づける指標を理解しておく必要がある。

❑投資家が注目するポイント

投資家が株式投資をするときの判断材料は多様だ。値動きやチャートで判断したり、保有する技術に注目したり、あるいは単純に「安値だから買い時だ」と考えることもある。投資家が感じる株式銘柄の魅力も、安定的な配当だったり、将来値上がりする可能性だったりする。このように、定性的な判断で株式投資が行われることが多いが、投資家が比較的よく見る指標もある。

株価は投資家の評価が高ければ上昇し、低ければ低迷する。株主に対して配当や株価の上昇で応えなくてはならない経営者は、投資家が注目する指標を理解し、投資家に評価してもらえるような企業経営を心がけなくてはならない。代表的な指標としては以下のものがある。

■時価総額(発行済み株式数×株価)

株主資本(当該企業の株主の持分)の総額を時価で表したものだ。ファイナンスでは株主資本価値と呼ばれる。M&Aのときに注目される指標でもある。

■配当性向(配当金総額／税引後当期純利益)

利益のうち配当にどれだけの比率を振り向けているかを示す指標だ。投資家にとっては通常、配当性向はある程度高いほうが好ましい。配当金が高くなることに加えて、余剰利益がそれだけ多い、すなわち財務状況が健全であることを意味するからだ。しかし、日本企業は利益の多寡にかかわらず、一定額の配当を維持する安定配当政策をとる傾向がある。その場合、計算式の分子(配当金総額)は一定で分母(利益)だけが変わるので、分母が少ない(利益が少ない)ために配当性向が高くなるケースも出てくる。実際に、バブル崩壊後の不況により、多くの企業において当期純利益は急速に低下したが、配当性向は高くなった。

■EPS(Earnings per Share:1株当たり利益)(税引後当期純利益/発行済み株式数)

企業の利益を1株当たりに換算して、収益性を見るための指標だ。EPSを算出す

るときは、分子には債権者に利息を返した後の株主に分配すべき利益という意味で、税引後当期純利益が用いられる。期の途中で新株が発行された場合は、それに応じた調整が図られる。企業によって発行済み株式数はまちまちだ。株式投資家が同業他社と比較しながら対象企業の収益性を判断する場合は、株式数の違いを取り除いたEPSで判断することが多い。

■PER（Price Earnings Ratio：株価収益率）（株価／EPS）

株価と1株当たりの利益（EPS）の比率を表す指標だ。株価がEPSの何倍かを見るために用いる。つまり、その企業の価値を、EPSで示された利益の何年分かという尺度で評価していることになる。株式市場では、業種や発展段階に応じて、その時々の適正なPER水準に関するコンセンサスがある。そのため、個別銘柄が同業他社と比べて際立って高いPERを示していたら、利益額に比べて株価が割高ということになるので、一般に買われすぎと判断され、売却の判断材料の1つとなる。

■PBR（Price to Book Ratio：株価純資産倍率）（株価／1株当たり純資産額）

株価と1株当たりの純資産の比率を表す指標だ。1株当たりの純資産とは「総資産―負債総額」を株数で割った値のことだ。PBRの高い企業は、株式市場がその企業に対して、簿価以上の価値を見出していることを意味する。つまり、簿価には表れない保有技術やノウハウ、人材などを積極的に評価していることになる。逆に、PBRが1を下回っていると、株式市場が評価している株価は企業の清算価値（会社を解散した際に、最後に株主の持分として残る純資産）を下回っていることになり、投資判断における一種の危険信号としてとらえられる。

○○○株式会社の情報（例）

取引値 15:00 228		前日比 -5 (-2.15%)	前日終値 233	出来高 594,000	時価総額 192,849百万円
始値 235	高値 236	安値 225	買い気配 ―	売り気配 ―	発行済株式数 845,828,704株
配当利回り 1.32%	1株配当 3.00円	PER 58.61倍	EPS 3.89円	PBR 2.14倍	一株当純資産 106.79円
株主資本比率 18.5%	ROE 3.51%	ROA 0.56%	調整EPS 3.84円	分割原資 10,876百万円	株式額面 50円

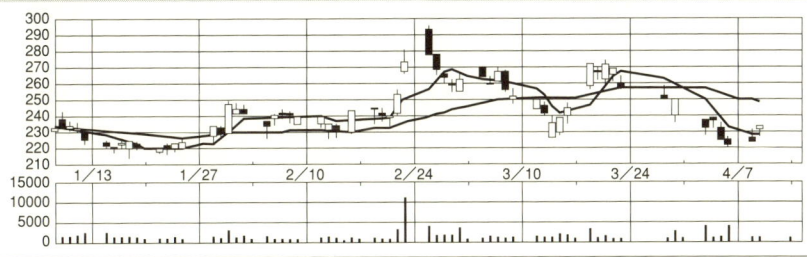

5 財務諸表分析の注意点

16 たな卸資産

POINT

<16><17>では、費用として計上するとき、どのような認識方法を採用するかによって利益の金額に大きな影響を与える資産項目を取り上げる。たな卸資産の場合は先入先出法、後入先出法、平均法などがあり、どの方法を用いるかによって売上原価や期末残高が変わる。また、たな卸資産を評価する基準には、原価法と低価法がある。

■評価方法（単価計算）

販売されたたな卸資産の単価の計算には3つの代表的な方法がある。通常は同じ種類のたな卸資産であっても調達時期により仕入価格が異なるので、どの時期で仕入れたたな卸資産を販売したと認識するかによって、同じ売上高でも会計上の利益額は異なってくる。それにより、期末において貸借対照表上のたな卸資産の金額も異なる。

会計原則の継続性から考えると、企業はたな卸資産を評価する方法を決定した後は、その方法を毎期継続して採用すべきである。しかし昨今のように業績が厳しい時期になると、評価方法を変更することにより営業利益を操作する企業もある。

1 先入先出法（FIFO：First In First Out Method）

たな卸資産に加わった古い順から販売（払い出し）していくと仮定した方法で、結果的に在庫として残るのは新しく取得・製造した製品となる。物価が上昇し製造コストも販売単価も上昇している時期には、FIFOでは「現在の販売価格（高い）－昔の原価（安い）＝営業利益（大きい）」となるため、結果として利益が大きく計上されることが多い。

2 後入先出法（LIFO：Last In First Out Method）

FIFOとは逆に最新の仕入在庫から順に販売していくと仮定した方法で、売上総利益（販売価格－原価）は常に最新の状況を示すこととなり、会計上の利益は小さくなることが多い。逆に、貸借対照表上のたな卸資産の在庫は昔の簿価で計上されるため、これが積み重なると在庫の金額（簿価）は現在の状況（価格）を反映しているとは言い難くなる。

3 平均法（Average Method）

個別の仕入（製造）原価に注目せず、1期間の期首在庫を含めた総仕入金額と総

仕入数量からその期の平均単価（簿価）を算出し、その期中に販売されたすべての製品についてその価格（簿価）を原価とする総平均法と、仕入れのたびに平均単価を算出し直し、払出原価を計算する移動平均法がある。

◻︎評価基準

たな卸資産は、同一品でも時間が経てば価値が変動することを認識しておかねばならない。

1 原価法

たな卸資産を取得原価で評価する方法である。ただし、時価が取得原価（簿価）より著しく下落したときには、回復する見込みがある場合を除き、原価法を採用している場合でも、強制的に時価を評価額としなければならない（強制低価法）。以前は、日本の公開企業のほとんどは、この原価法を採用していた。

2 低価法

低価法とは「時価と原価を比較していずれか低いほうの価格で評価」する方法であり、価値を堅く見積もる保守主義に基づく。日本では、以前は低価法・原価法のいずれを採用するかは任意であったが、国際的な会計ルールとの整合をとることを主眼に、2008年4月からは新たに「たな卸資産の評価に関する会計基準」が適用され、トレーディング目的以外のたな卸資産の評価基準は低価法が義務づけられた。

たな卸資産の評価方法と利益の関係

●インフレのとき

	期末在庫	売上原価	利益
先入先出法	大	小	大
後入先出法	小	大	小
平均法	中	中	中

●デフレのとき

	期末在庫	売上原価	利益
先入先出法	小	大	小
後入先出法	大	小	大
平均法	中	中	中

5 財務諸表分析の注意点

17 減価償却と固定資産

POINT

固定資産は、いわば将来の収益を生み出す経営資源である。その資源の使用料として毎年計上される費用が減価償却費だ。主な減価償却費の計算方法として、定額法と定率法がある。

◆減価償却

　減価償却とは、時が経つにつれ使用価値（生み出す収益力）が減少していく機械や建物等の有形固定資産に対し、使用期間（耐用年数：財務省が定める「減価償却資産の耐用年数等に関する省令」に従うのが一般的）にわたって費用処理を行うことである。その価値の減少分が減価償却費であり、徐々に取得原価から差し引いていく。最終的には所定の残存価額が残るように償却していく。ただし、有形固定資産であってもその使用価値が減少しないと考えられる土地等は、償却の対象とはならない。

　注意すべき点は、減価償却は費用として認識されているが、実際にはキャッシュの流出を伴わないことだ。キャッシュは通常、費用を計上するときではなく、資産を購入した時点で流出している。したがって、多額の減価償却を計上している企業の場合でも、実際のキャッシュフローは潤沢であることが多い。

　有形固定資産の減価償却の方法には、定額法と定率法の2つがある。

❶**定額法**：減価償却費を各期間にわたって均等に計上する方法である。

　減価償却費（定額法）＝（取得原価－残存価額）×（1÷耐用年数）

❷**定率法**：償却の初期に多くの減価償却費を計上する方法である。

　減価償却費（定率法）＝（取得原価－減価償却費の累計額）×償却率

　なお、これまでは税法上、残存価額は取得原価の10％というのが一般的だったが、2007年度税制改正で、厳密には「備忘価額である1円」まで償却を行えることになった。ただし、残存価額をゼロとすると、定率法の償却率が計算できなくなるため、250％定率法が導入された。

　250％定率法とは、償却率を定額法の償却率（＝1／耐用年数）を2.5倍した率とし、毎年の減価償却費が定額法によって期首帳簿価額を残りの耐用年数で償却するとした場合の償却額を下回るとき、償却法を定率法から定額法に変更して償却していくものである。

　定額法と定率法の比較は**図**に示したとおりである。

◘ 減価償却と企業方針

これまで日本の大部分の製造業は、競争力の向上や技術革新に遅れないようにするために定率法を採用してきた。物理的な設備寿命以上のスピードで償却を進め、そこで得た資金を再投資につぎ込むためである。投資機会が多く、資金調達が成長の制約となる事業環境下においては、この方針が望ましい。実際、日本の償却費は欧米企業に比べて高く、製造業の生産額に占める償却費の割合は5％に達していると言われる。

しかし、このような設備投資競争も、現在の設備過剰の状況や今後の低成長時代を考えると修正していかざるをえない。また、営業利益を確保するために、定率法から定額法に変更する企業も数多く見られる。企業を評価する際、減価償却法を必ずチェックする必要がある。

◘ 無形固定資産の償却

無形固定資産も償却しなければならない。特許権、商標権などの法律上の権利である資産は、前述の有形固定資産の減価償却と同様の償却を行う。ただし、一般には定額法により、残存価額ゼロで償却される。耐用年数も法定有効期間内が望ましいとされている。

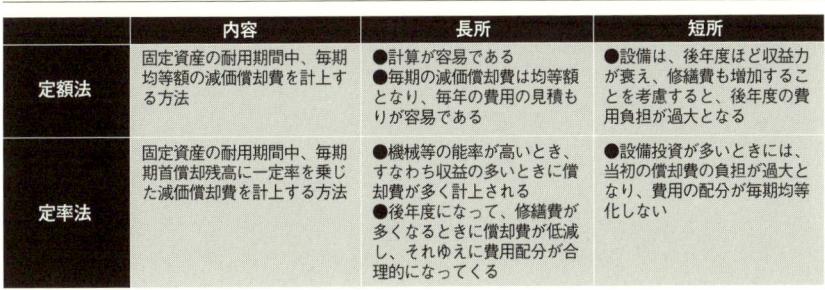

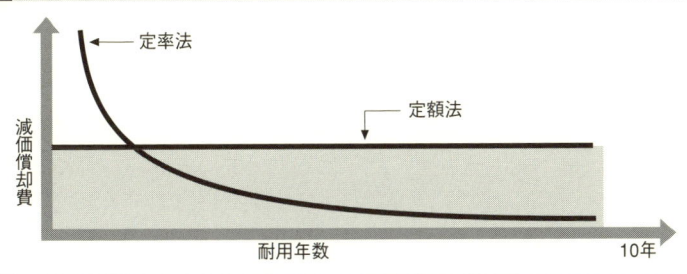

	内容	長所	短所
定額法	固定資産の耐用期間中、毎期均等額の減価償却費を計上する方法	●計算が容易である ●毎期の減価償却費は均等額となり、毎年の費用の見積もりが容易である	●設備は、後年度ほど収益力が衰え、修繕費も増加することを考慮すると、後年度の費用負担が過大となる
定率法	固定資産の耐用期間中、毎期首償却残高に一定率を乗じた減価償却費を計上する方法	●機械等の能率が高いとき、すなわち収益の多いときに償却費が多く計上される ●後年度になって、修繕費が多くなるときに償却費が低減し、それゆえに費用配分が合理的になってくる	●設備投資が多いときには、当初の償却費の負担が過大となり、費用の配分が毎期均等化しない

6 管理会計

18 損益分岐点分析

POINT

損益分岐点とは、ある事業を個別で見たときに最終利益がプラスマイナス・ゼロになる売上高（採算点）のことである。損益分岐点が低い場合には実際の売上高が小さくても赤字にならず、余裕のある事業と言える。

◘損益分岐点とは

今日のように急激な為替の変動や市況の変化等、企業を取り巻く環境が急変している状況においては、企業には生産量（売上高）の変化に柔軟に対応できる体制が求められる。具体的には、製造業であれば予期せぬ工場操業度の低下に備えて、当初から低操業に耐えられるような設備投資を行う必要がある。そのための判断指標の1つとして損益分岐点分析がある。損益分岐点分析を行うことは、単に個別事業の採算性を分析するだけではなく、各事業別の業績評価を明確に行うことにもつながり、管理上必要不可欠である。

損益分岐点を計算するためには、まずすべての費用を「変動費」と「固定費」に分ける必要がある。「変動費」とは一定の生産能力や販売能力の下で生産量に応じて（比例して）変化する費用であり、製造業の材料費・工場労務費、販売会社の商品売上原価、直接の販売費・運送費等が挙げられる。「固定費」は操業度の変動にかかわらず一定期間変化しない費用であり、工場の賃料、設備の減価償却費、工場スタッフの給料、金利などが挙げられる。

「変動費」「固定費」を用いた利益算出は次のようになる。

売上高－変動費－固定費＝利益
もしくは
限界利益－固定費＝利益
（ただし　限界利益＝売上高－変動費）

損益分岐点売上高＝固定費÷限界利益率
（ただし　限界利益率＝限界利益÷売上高）

損益分岐点の比率＝損益分岐点売上高÷現在の売上高

損益分岐点比率は不測の事態に備える安全率を意味し、これが低いほど経営が安定していると言える。固定費が適正な水準に抑えられているので、環境変化に対して柔軟に対応できるからである。超優良企業では70%、優良企業では80%と言われている。

過剰な設備投資や従業員数は固定費アップの大きな要因であるため、設備投資や従業員の採用にあたっては慎重に判断することが望まれる。

損益分岐点は限界利益が固定費を超える点であり、限界利益率が高いほど、将来売上げが伸びた場合の（損益分岐点を超えたときの）利益増加額は大きくなる。逆に言えば、売上げが損益分岐点を割り込んだ場合、損失額がより大きくなる。

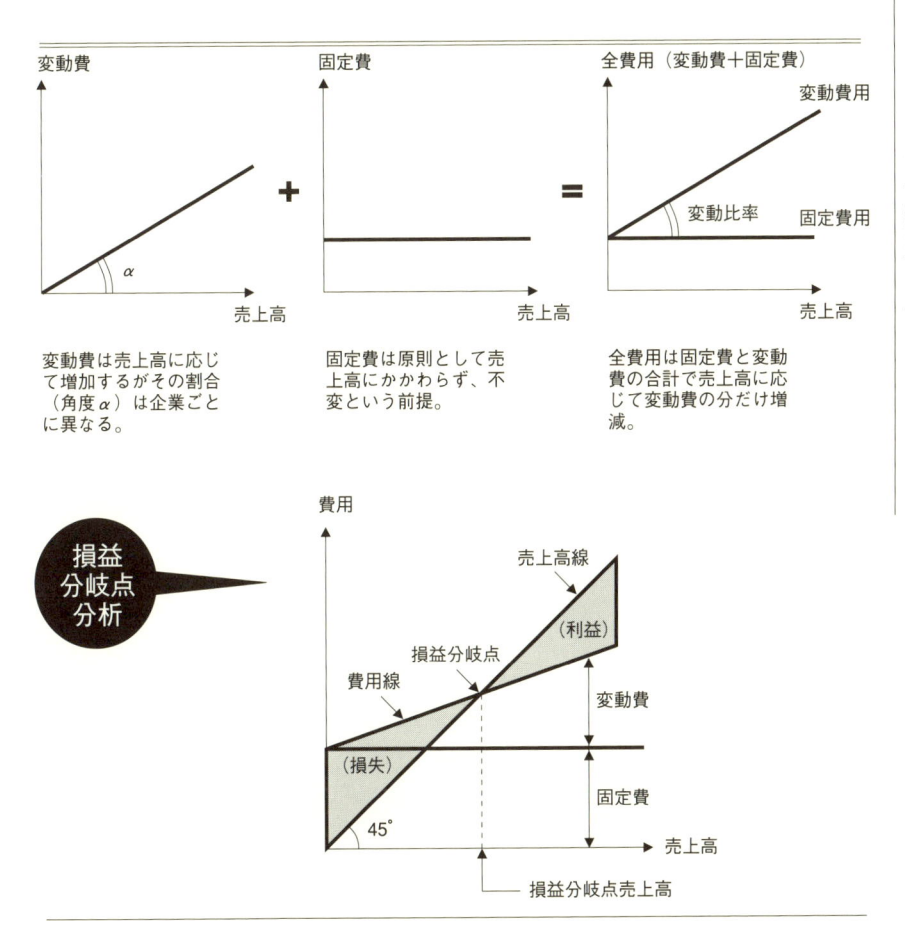

変動費は売上高に応じて増加するがその割合（角度α）は企業ごとに異なる。

固定費は原則として売上高にかかわらず、不変という前提。

全費用は固定費と変動費の合計で売上高に応じて変動費の分だけ増減。

損益分岐点分析

●⋯⋯ 6　管理会計

19　原価計算

> **POINT**
>
> 直接原価計算では「変動費」「固定費」の概念を導入し、「変動費」のみを製品原価とし、「固定費」は期間費用として処理する。また、どの製品やサービスに帰属するかが明確ではない間接費について、その発生と関係の深い活動を間接費の配賦基準とし、できるだけ正確なコスト（原価）を計算する目的で生み出されたのが、ABC（活動基準原価計算）だ。

◘全部原価計算と直接原価計算

　原価計算とは、製品、部門、顧客などの対象別にコスト（原価）を測定することを言う。原価やコスト構造の把握は、その製品や事業の採算性や効率性を評価するうえで重要であり、製品戦略や事業戦略の策定に欠かせない。

　原価計算にはさまざまなものがあるが、会計制度上は「全部原価計算」が用いられている。全部原価計算では、変動費・固定費という区別にこだわらない。原価には固定費部分も含まれるので、生産量の増加に伴って製品単位当たり原価が下がる傾向がある。そのため、売上げの増減と利益の増減は比例しなくなる。

　これに対して、「直接原価計算」では変動費と固定費を明確に区別し、「変動費」のみを製造原価とする。工場の操業度にかかわらず発生する「期間原価」（工場管理者の給料および減価償却費など）は「間接費の固定費分」として処理される。したがって、製品単位当たり原価は一定になり、売上高に応じた利益額を明瞭に示すことができる。直接原価計算を用いると損益構造が明確になり、製品別・事業別の利益分析、業績評価が容易になる。また、事業の運営状況を検討するための経営指標としても役立つ。

◘製造間接費配賦の問題

　企業の取扱商品が増えたり、FA（Factory Automation）化や社会全体のソフト化が進展した結果、製品原価の中で直接的な材料費や労務費の比率が低下する一方で、製造間接費の比重が高まってきた。製品原価以外でも、製品の種類や販売チャネルの多様化に対応して、管理、ノウハウ、物流などに関わる間接費の比重が大きくなっている。そのため、売上基準や時間基準などにより製造間接費を大雑把に配賦する従来の原価計算では、正確なコスト（原価）が把握できないという問題が生

じている。また、このやり方では前年に売上高を大きく伸ばした部門に多めに間接費が配賦されるため、翌年の同部門の製品原価が上昇してしまい、不公平感が生じるといった問題が起こる。そうした事態を解決するために、ABC（活動基準原価計算）という手法が考案されている。

◪ABC（Activity-Based Costing）

間接費の配賦方法は製品やサービスを構成する活動にまで立ち入って調べるべきだというのが、ABCの考え方だ。原価が発生する要因のことをコスト・ドライバー（原価作用因）と言うが、ABCの特徴はコスト・ドライバーとして「活動」に焦点を当てて考えるところにある。

ABCではまず、発生した間接費を、調査や生産、販売などの活動に応じて分解する（図のStep 1参照）。その後、それぞれの活動を個々の製品、部門、顧客などの原価計算対象別に割り当てていく（図のStep 2では製品を用いている）。一見すると、活動が間に入ることで複雑になったように見えるが、活動別に原価を割り振ることで、より客観的で納得感のある製品原価が把握できる。たとえば、人件費（間接費）は、購買、生産、管理、保守、販売などさまざまな活動から生じている。

ABCを用いることで、製品原価を合理的に把握することが可能になる。その結果、製品戦略や価格戦略設定のベースとなるコスト情報の精度を向上させることができる。また、コスト（原価）の構成内容が明確になり、コストダウンの糸口をつかみやすくなる。業績評価や、製造技術を決定するときの判断材料としても役立つ。

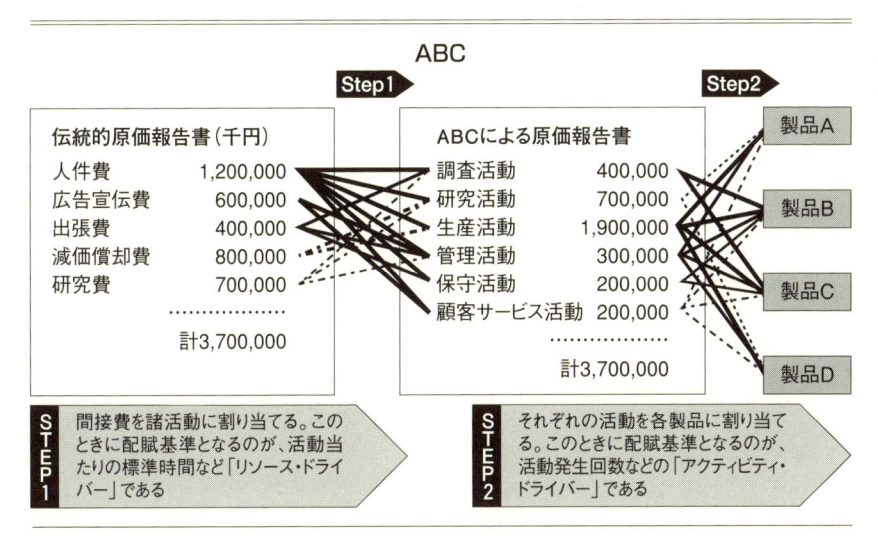

ABC

Step1

伝統的原価報告書（千円）
- 人件費　　　1,200,000
- 広告宣伝費　　600,000
- 出張費　　　　400,000
- 減価償却費　　800,000
- 研究費　　　　700,000
- ……………
- 計3,700,000

ABCによる原価報告書
- 調査活動　　　　400,000
- 研究活動　　　　700,000
- 生産活動　　　1,900,000
- 管理活動　　　　300,000
- 保守活動　　　　200,000
- 顧客サービス活動　200,000
- ……………
- 計3,700,000

Step2
- 製品A
- 製品B
- 製品C
- 製品D

STEP1 間接費を諸活動に割り当てる。このときに配賦基準となるのが、活動当たりの標準時間など「リソース・ドライバー」である

STEP2 それぞれの活動を各製品に割り当てる。このときに配賦基準となるのが、活動発生回数などの「アクティビティ・ドライバー」である

6 管理会計

20 マネジメント・コントロール

> **POINT**
> 分権化した組織を、全社目標達成に向けて効果的に業務遂行させることがマネジメント・コントロールの役割である。コントロール・プロセスを確実に機能させていくためには、適切な管理責任単位の設定と管理会計の知識、そして人間への深い洞察が必要である。

◘マネジメント・コントロールと管理会計

　経営管理には、経営者が主体となって全社的観点から経営戦略を策定するステップと、さまざまな職能分野を担当する現場管理者が行う日常のオペレーション管理の2つのステップがある。マネジメント・コントロールとは、この2つのステップの橋渡しを行い、全体としての組織活動に秩序を与えることである。

　企業規模の拡大に伴い、分権化が進み、複数の管理者に権限が委譲されていく。分権化が進めば、各部門が必ずしも企業全体の目標に合致するような動きをするとは限らなくなる。そこで、全社的視点から各組織をコントロールする統合の仕組みが必要になる。このコントロール・プロセスの中の、行動の方向性指示、実績モニタリング、評価といった場面で管理会計システムが有効となる。

◘管理責任単位

　財務的な目標数値によって行動の方向性が示されても、目標達成のための手段や権限なしには機能しない。責任もインセンティブも働かないからだ。このような観点から、管理責任単位（業績評価単位）は、主に以下の2つが多用されている。

❶コスト・センター

　販売の権限を持たない工場や管理部門は、コストにのみ責任を負わされることが多い。その部門の責任者は、決められた質の仕事を最小限のコストで遂行することが期待されており、原価管理が強調される。

❷プロフィット・センター

　製品事業部のように、売上げと費用の最適な組み合わせを選択できる事業単位には、利益の責任を負わせることができる。必ずしも製品事業部のみならず、かつての日立製作所のように工場が営業部門や他社に販売する権限を持つことにより、工場が1つのプロフィット・センターになる場合もある。

◆コントロール・プロセス

一般に、マネジメント・コントロールのプロセスは以下の4段階から成る。

❶部門別実行計画策定
全社の戦略計画を各部門の実行計画に翻訳し、方向づけするプロセスである。
（1）全社目標を各事業部門の行動目標に落とし込む
（2）行動目標を達成するための行動の範囲と方向性を定める
（3）目標達成に必要な経営資源を見積もる

❷経営資源配分計画策定（プログラミング）
具体的にどのプロジェクト、セクションにどれだけの資源を配分するか決定する。

❸予算編成（バジェッティング）
各種の課題別実行計画を、各管理責任単位の管理者が責任を負えるような形の収益や費用に置き換えるプロセスである。

❹実績分析・業績評価・報告（レポーティング）
実績をプロジェクト別、管理責任単位別に記録集計し、予算との差異を分析することにより、業績評価や行動修正のための資料として活用する。

◆BSC

会社が長期的に戦略を遂行するためのマネジメント・ツールとして注目されているのが、BSC（Balanced Scorecard）である。BSCでは、財務、顧客、内部ビジネスプロセス、学習と成長の4つの視点から、それぞれ戦略と関連性が強い指標を選択する。とくに重要な指標をKPI（Key Performance Indicator）と言う。それらをモニターすることで戦略の達成状況を確認し、さらに各指標の目標値を各部門や個人に与えることによって戦略達成へ向けて組織全体を動かしていく。

企業経営におけるマネジメント・コントロール

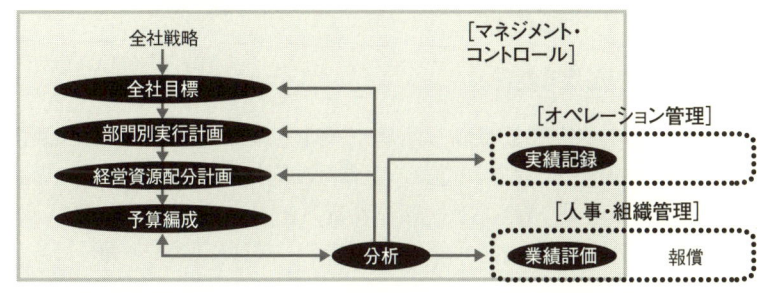

6 管理会計（増補）

21 内部統制

POINT

内部統制とは、企業の財務報告の信頼性を確保し、事業経営の有効性と効率性を高め、かつ事業経営に関わる法規の遵守を促すことを目的として企業内部に設けられ、運用される仕組みである。市場や資金調達先がグローバル化し、透明性が高く求められる近年、内部統制を的確に実行することは企業経営に不可欠の要素となりつつある。

◎SOX法誕生の経緯

　内部統制が世界的に重視されるようになったきっかけは、アメリカで起きたエンロンとワールドコムの会計スキャンダルである。2つの事件で特徴的だったのは、監査法人が粉飾決算や証拠の隠滅に大きく関与していたことである。2社の監査を担当していたアーサー・アンダーセンは、当時、世界5大会計事務所の1つとされていたにもかかわらず、市場の信頼を失い、2002年に解散に追い込まれている。

　こうした事態を受け、企業会計の信頼を早急に回復すべく、2002年7月に上場企業会計改革および投資家保護法（通称SOX法）が制定された。SOX法は、全11章から成っており、その中で最も重要とされているのが内部統制について述べた第4章404条である。同条項では、CEO（最高経営責任者）とCFO（最高財務責任者）に対し、財務諸表に関わる内部統制システムの構築・運用と、その有効性の検証を義務づけている。同時に、外部監査人がその監査および監査意見表明を行わなくてはならないと定められている。

　日本でも、こうした動きを受けて日本版SOX法の導入が検討されることとなり、さまざまな議論を経て、2006年6月、金融商品取引法改正の一環として、内部統制報告書の提出が義務づけられることとなった。

◎内部統制の目的と構成要素

　内部統制は、❶業務の有効性および効率性、❷財務報告の信頼性、❸事業活動に関わる法令などの遵守（コンプライアンス）、❹資産の保全——の大きく4つの目的を有する。このうち、❶～❸はアメリカSOX法のベースとなっているCOSO（トレッドウェイ委員会支援組織委員会）のフレームワークに準拠しており、❹は日本の実情を加味して独自に付加されたものである。

内部統制は6つの構成要素に大別される。❶経営者の経営理念や基本的経営方針、取締役会や監査役の有する機能、社風や慣行などからなる統制環境、❷企業目的に影響を与えるすべての経営リスクを認識し、その性質を分類し、発生の頻度や影響を評価するリスク評価の機能、❸権限や職責の付与および職務の分掌を含む諸種の統制活動、❹必要な情報が関係する組織や責任者に適宜、適切に伝えられることを確保する情報・伝達の機能、❺これらの機能の状況が常時監視され、評価され、是正されることを可能とする監視活動、そして❻これらの諸要素がITによって効率的に実行されること。

なお、アメリカのSOX法では❶～❺を定めており、❻は日本独自に追加されたものである。

これらの要素が経営管理の仕組みに組み込まれて一体となって機能することで先の一連の目的が達成されるのである。

◘最近の進展

このような内部統制の概念と構成要素は、国際的にも共通に理解されているものである。しかし、それぞれの企業において、どのような内部統制の仕組みを構築し、どのように運用するかについては、各国の法制や社会慣行あるいは個々の企業が置かれた環境や事業の特性などを踏まえ、経営者自らが内部統制の機能と役割を効果的に達成し得るよう工夫していくべきものである。

なお、先行したアメリカでは、内部統制に絡む企業のコスト負担が予想以上に大きくなってしまったことから、規制を緩和する動きも現れている。そうした意味で、仕組み自体が導入期にあり、定常状態に落ち着くまでにはさまざまな試行錯誤を経るものと認識しておくべきであろう。

米国COSOの内部統制フレームワーク

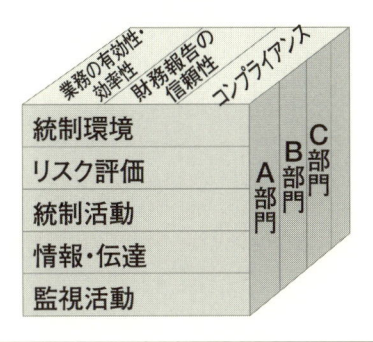

統制環境
リスク評価
統制活動
情報・伝達
監視活動

業務の有効性・効率性　財務報告の信頼性　コンプライアンス

A部門　B部門　C部門

第4部

ファイナンス

●………1 企業経営と企業財務

1 企業経営と企業財務

> **POINT**
> 企業経営における財務の役割は、経営目標の実現（一般には企業価値の最大化）のために、①どのような投資対象にいくら投資するか、②どのような手段で必要な資金を調達するか、を判断し実行することである。そのためには、金融市場に関する理論であるファイナンス理論の理解が不可欠である。

◘企業財務と企業会計の違い

　企業財務と企業会計はしばしば混同される。会計とは企業の日々の事業活動を、所定の規則に従って数字の形で表現し、記録・報告することだ。そのため、会計では原則的に過去と現在を視野に入れて考える。これに対して、財務では経営目標の実現を目指して、事業活動と表裏一体で流れている資金（キャッシュフロー）を管理し、その活動を通じて企業価値の最大化を図ろうとする。今後の企業活動から生じるキャッシュフローをいかに効率的に増加させるかを主眼としているので、財務では当然ながら企業の将来に重点が置かれる。したがって、財務戦略は企業にとって事業戦略と同様に重要な支柱となる。

◘企業財務の役割

　それでは、財務が企業経営においてどのような役割を果たしているのか、少し具体的に見ていこう。企業の事業活動には資金が必要である。原材料の仕入代金や従業員の給与など日々生じる経費は通常、売上げから賄われる。しかし、そうした日常的な支払いとは別に、企業が長期的に存続していくためには、どのような資産を保有し、何に投資すべきかといった長期的な資金運用についても検討する必要がある。同時に、資金をどこから、どのように調達するかも決めなくてはならない。これら短期と長期の資金計画の策定・管理を行うのが財務の役割である。

　図は資金が投資家あるいは金融機関から企業へ流れ、再び投資家あるいは金融機関へ戻る様子を単純化して示したものだ。まず、企業は資金を得るために、（1）有価証券等（株式、債券）を投資家向けに発行したり、銀行から借り入れて、（2）この資金が主に企業の事業活動に要する資産の購入などの事業投資活動に充てられる。その後、事業活動が成功すれば、（3）これらの事業投資が収益（キャッシュフロー）を生み出す。このキャッシュフローは、（4a）企業内で留保されて再び事業投資に

振り向けられるか、(4b) この企業に資金を提供した投資家や銀行に還元される。

　財務活動が目指しているのは、経営目標の実現にどれだけ貢献できるかということである。その中でも、<2>で説明する「企業価値の最大化」が中心的な課題となる。したがって、企業財務の役割は、企業の事業活動のために金融市場から資金を調達し、資金提供者に報酬（リターン）を返しつつ、企業価値の最大化を図っていくことだと言うこともできる。

◘金融市場に関する理論（ファイナンス理論）の重要性

　財務の役割を遂行するためには、金融市場に関する理論であるファイナンス理論の理解が不可欠だ。企業が投資や資金調達を行う際に、ファイナンス理論を踏まえていなければ、的確な意思決定ができないからだ。

　たとえば、企業が工場拡張資金を調達する目的で債券を発行しようとする場合、財務担当者は債券の発行条件や価格を決めなくてはならない。それには、債券の価格がどのような理論に基づいて決定されているかを知る必要がある。また、債券発行が株主に及ぼす影響を検討するときにも、負債と株主資本（株式）の関係を理解しておかなくてはならない。生産現場のマネジャー・従業員にとっても、事業投資に関して意思決定を行ううえで財務の知識が重要になりつつある。

　企業価値の源泉となるキャッシュフローは事業活動によって生み出されるが、ファイナンス理論は、そのキャッシュフローがどのようなメカニズムで企業価値に反映されるかを教えてくれる。近年、企業価値の最大化の重要性が叫ばれているなかで、企業全体が一丸となってこの目標を追求するには、財務担当者のみならず現場の従業員たちもファイナンスの知識を十分に理解していなければならない。

資金の流れ

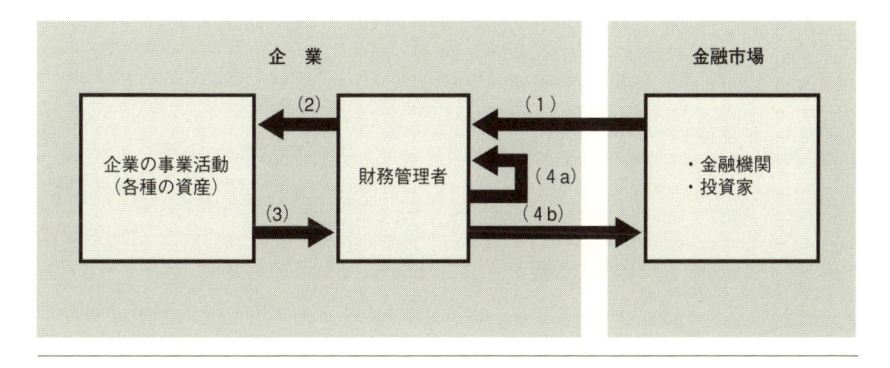

```
[企業]                                    [金融市場]
企業の事業活動  ←(2)―  財務管理者  ←(1)―   ・金融機関
（各種の資産）  ―(3)→              ←(4a)   ・投資家
                                  ―(4b)→
```

● .... 2　ファイナンスの基本概念

2　ファイナンス理論の体系

POINT

ファイナンス理論は大きく、投資理論（インベストメント）と企業金融理論（コーポレート・ファイナンス）の2分野で構成されている。前者は余剰資金の運用に関する理論であり、後者は金融市場からの資金調達に関する理論である。両者は互いに密接に関係している。

◘投資理論と企業金融理論

　ファイナンス理論は大きく、投資理論（インベストメント）と企業金融理論（コーポレート・ファイナンス）の2つに分けられる。前者は企業に余剰資金を提供して運用したいと思っている投資家の理論、後者は事業に必要な資金を金融市場から調達したいと思っている企業側の理論と言うことができる。図のように、両者は表裏の関係にあり、互いに密接に関係している。

　金融市場において、調達側の企業はなるべく低利で資金を調達しようとし、運用側の投資家はなるべく高い利回りで資金を運用しようとするため、激しい競争が展開される。こうした利益追求競争がある一定のところで均衡を保った状態のときに金融市場での取引が成り立つ、というのがファイナンス理論の考え方だ。

◘投資理論

　投資理論では、投資家が投資した際のリスクと利回り（リターン）の関係や、投資対象資産の価値・価格が主要なテーマとなる。たとえば、我々はよく「ハイリスク・ハイリターン」「ローリスク・ローリターン」という言葉を口にするが、投資家にとってのリスクはどのように計測されるのだろうか。また、そのリスクに対して投資家はどの程度の利回りを期待すべきなのか。いろいろな資産に分散して投資すること（ポートフォリオ投資）は、単一の株式銘柄に投資することに比べて、投資リスクや要求利回りにどのような影響を与えるのか。そもそも個別の投資対象となる資産（株式や債券、デリバティブなど）の「正当な価格」はどのように計算されるのか——こうしたテーマを扱うのが、広い意味での投資理論である。

　<3>～<8>で主に株式に投資する場合の理論について説明する。また、<20>で「デリバティブ」（金融派生商品）の一種であるオプションについて簡単に解説する。デリバティブとはその名のとおり、ある資産（石油などの商品や株式、債券など）

の価格を元にして、派生商品の価格が定まる仕組みの新しい金融商品のことである。

◆企業金融理論

企業金融理論の中心的なテーマは、企業が資金調達を行う際に、どのような手段で調達すれば企業価値を最大化できるかということだ。

企業の資金調達方法としては大きく、負債（社債や銀行借入れ）による調達と株主資本による調達という2つの手段がある。そこで第1のテーマとして、この2つの調達手段にはどのようなメリットやデメリットがあるか、資金を提供する投資家に支払わなければならないコストは何か、その水準はどのように決まるのかということを考えなくてはならない。投資家に支払うコストとは、とりもなおさず投資家の期待利回りの裏返しなので、この部分は投資理論ときわめて密接に関係する。

企業金融理論の第2のテーマは、最適資本構成や配当政策である。企業経営者はいろいろな資金調達手段を組み合わせて、企業の価値を最大にするという経営目標の達成を目指す。企業の価値について考えるときの前提になるのが、「企業価値は、将来その企業が生み出すと予想されるキャッシュフローを現時点の価値に換算したものに等しい」という考え方だ。そして、負債と株主資本をどのように組み合わせれば、計算上の企業価値が最大になるかを検討する。その結果を踏まえて、企業経営者は戦略的な意思決定を行わなくてはならない。

<9>～<18>でこれらのテーマについて詳しく扱う。また<19>では、企業価値創造経営を社内に徹底するための手段として近年注目されている、EVA®（経済付加価値）について解説する。<21><22>では近年の資本市場に関連したテーマを解説する。

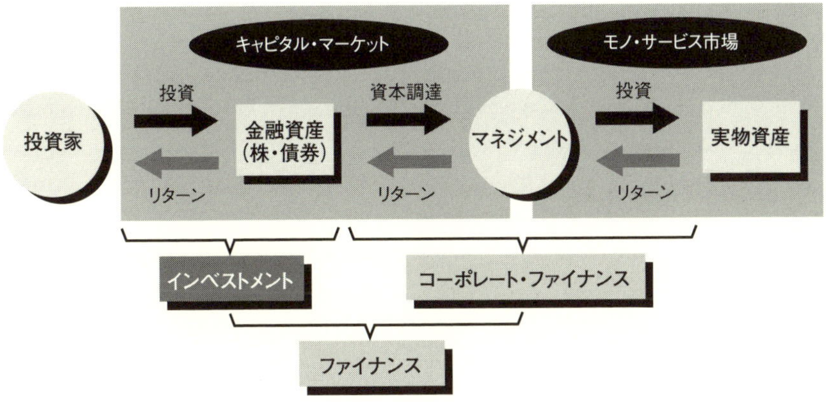

2 ファイナンスの基本概念

3 金銭の時間的価値：現在価値

> **POINT**
> ファイナンスでは、「金銭には時間的価値がある」、つまり「今日の1円は明日の1円よりも価値がある」と考える。将来のある金額と同等の価値がある今日の金額のことを、（将来のある金額の）現在価値と言う。

◯金銭の時間的価値

ファイナンスでは、「今日の1円は明日の1円よりも価値がある」という考え方をする。これは、❶今日の1円は銀行に預金すれば金利を稼ぐことができる、❷明日の1円は今日の1円に比べて不確実である、という理由からだ。❷の不確実性には、期待していた額面の金銭が手に入らない（たとえば、明日1円入手できると思っていたが、結局0.9円しか手に入らなかった）場合や、インフレーションやデフレーションにより金銭の購買力が変化する（たとえば、1円を手に入れることができても、インフレで値段が上がり、予定していたものが買えなかった）場合がある。

◯現在価値（Present Value）

将来受け取る金銭の、今日の時点での価値のことを「現在価値」と呼ぶ。n年後に受け取る現金Cの現在価値（PV）は、割引率（後述）をrとすると、以下の式で計算することができる。

$$PV = \frac{C}{(1+r)^n}$$

たとえば、金利（国債の金利）が2％のとき、1年後に年金として政府から100円受け取るとする。このときの100円の現在価値（PV）は、金利をそのまま割引率として用いると下記のとおりになる。

$$PV = \frac{100}{1.02} = 98.04 円$$

この結果から、1年後の100円と今日の現金98.04円は同じ価値になることがわかる。政府が「年金を一時金として今日95円受け取るか、来年まで待って100円受け取るか」と選択を迫ってきたら、来年まで待ったほうがよい。なぜなら、来年の100円は今日の現金にすると98.04円に相当するため、95円よりも価値が大きいからである。

◆リスクと割引率（Discount Rate）

　A社の社債保有者は１年後にA社から100円受け取ることになっているとする。このときの100円の現在価値はいくらになるだろうか。A社がたとえ優良企業であっても、倒産する危険性はゼロではない。つまり、A社から１年後に100円受け取れるかどうかは不確実で、政府から１年後に100円受け取る場合に比べてリスクが高い。そのため、A社からの100円の現在価値は98.04円（政府からの100円の現在価値）よりも小さくなるはずだ。割引率を５％として現在価値を求めてみよう。

$$PV = \frac{100}{1.05} = 100 \times 0.9524 = 95.24円$$

　ここで用いた0.9524（"１＋割引率"の逆数）をディスカウント・ファクター（Discount Factor）と言う。割引率は将来受け取るキャッシュフローのリスクに応じて決められる。リスクが高いほど割引率は高くなり、現在価値は小さくなる。

　リスクがあってもそれに見合う利回りが期待できれば、投資家は投資を行う。たとえば、１年後に100円受け取る予定のA社の社債にはリスクがあり、それに見合う期待利回りが５％だった場合、A社の社債の今日の価格は95.24円でなければならない。95.24円で社債を購入し、１年後に無事に100円を受け取ることができれば、結果的に利回りは５％〔＝(100円－95.24円)/95.24円〕になるからだ。

　現在価値は、将来の現金の「現在の金銭的価値」であると同時に、（それが投資機会の場合は）「投資額がいくらであるべきか」ということも表している。割引率は、同程度のリスクがある投資機会で得られるであろう利回りと同じ率となる。これは、他の投資機会をあきらめてA社の社債に投資をするので「投資の機会費用」と言える。このように、現在価値や割引率は投資の概念と密接に関連している。

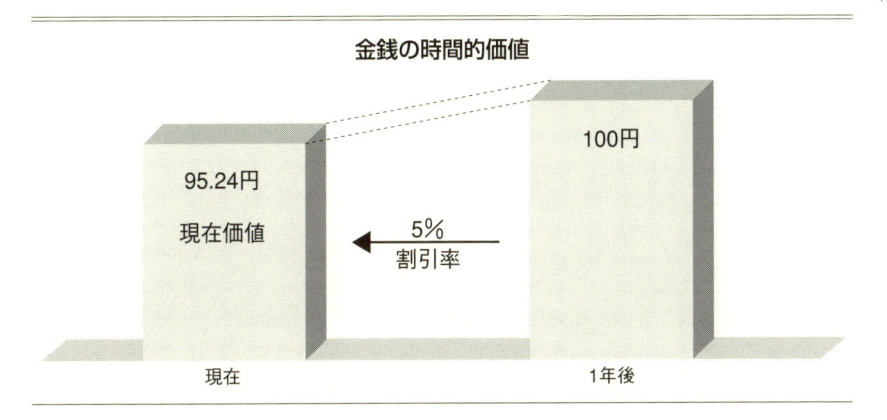

金銭の時間的価値

95.24円　現在価値　←　5% 割引率　　100円

現在　　　　　　　　　　　　　１年後

2 ファイナンスの基本概念

4　DCF法

> **POINT**
> ファイナンスでは、資産の価値を「その資産が将来生み出すキャッシュフローの現在価値」としてとらえる。キャッシュフローの現在価値を算出するときに用いるのが、DCF法（割引キャッシュフロー法）である。

◘DCF法（Discounted Cash Flow Method：割引キャッシュフロー法）

　DCF法とは、キャッシュフローの現在価値を算出するときに用いる方法だ。DCF法では、資産の金銭的価値を「その資産が将来生み出すキャッシュフローの現在価値」と定義する。ある資産が、1年後、2年後、3年後……n年後にC_1、C_2、C_3……C_nのキャッシュを生み出すと想定する。このときのリスク（割引率）をrとして、DCF法で資産の価値（PV）を求めると以下のようになる。

$$PV = \frac{C_1}{1+r} + \frac{C_2}{(1+r)^2} + \frac{C_3}{(1+r)^3} + \cdots\cdots + \frac{C_n}{(1+r)^n} = \sum_{i=1}^{n} \frac{C_i}{(1+r)^i}$$

　たとえば、年間の家賃収入が350万円、維持管理費が50万円で、10年後に取り壊される予定の住宅の金銭的価値は、割引率を5％とすると下記のようになる。

$$PV = \frac{300}{1.05} + \frac{300}{1.05^2} + \cdots\cdots + \frac{300}{1.05^{10}} = 2316.5万円$$

　図は、住宅の事例を使ってDCF法のロジックを説明したものだ。DCF法では、「住宅を所有すること」と「住宅が生み出すキャッシュフローを所有すること」は同等の価値がある（イコールの関係）と考える。また、「住宅が将来生み出すキャッシュフローを所有すること」と「そのキャッシュフローの現在価値相当分の現金を今日所有すること」も同等の価値がある。したがって、「住宅の金銭的価値」は「それが将来生み出すキャッシュフローの現在価値である」という結論が導き出される。

◘将来のキャッシュフローと価値の関係

　DCF法では価値を「将来のキャッシュフロー」と定義し、それ以外に価値は認めない。常識的に考えれば、住宅を持っていることが個人にとって社会的なステータスを表していたり、その住宅を先祖から受け継いでいた場合などは、キャッシュフロー以上の価値があってもおかしくない。しかしDCF法では、そうした価値を認めない、あるいはそれらの価値はすでにキャッシュフローの中に織り込まれているは

ずだと考える。

◘ 典型的なキャッシュフロー

キャッシュフローにはさまざまなパターンが存在するが、ここでは3つの典型的なパターンとその現在価値を紹介する。

■**永久年金（Perpetuity）**：一定額の受け取りが永久に続くキャッシュフローを永久年金と呼ぶ。土地や耐用年数の十分長い不動産などは、永久年金を生み出すものとして資産価値を計算する。毎年の受取額をCF、割引率をrとすると、永久年金の現在価値は以下のようになる。

$$PV = \frac{CF}{r}$$

■**割増永久年金（Growing Perpetuity）**：毎年の受取額がある一定の割合で永久に増えていくキャッシュフローを割増永久年金と呼び、成長が著しい新興企業の企業価値の計算などに用いられる。1年目の受取額をCF_1、キャッシュフローの成長率をg、割引率をrとすると、割増永久年金の現在価値は以下のようになる。

$$PV = \frac{CF_1}{r-g}$$

■**年金（Annuity）**：ある一定額の受け取りが特定期間続くキャッシュフローを年金と呼び、社債の現在価値の計算など広範なものに適用される。毎年の受取額をCF、受取期間をn、割引率をrとすると、年金の現在価値は以下のようになる。

$$PV = \frac{CF}{r} \times \left[1 - \frac{1}{(1+r)^n}\right]$$

DCF法のロジック

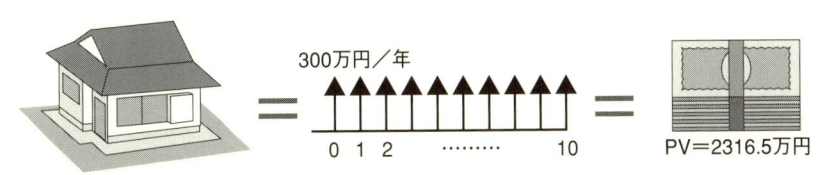

住宅を所有すること ＝ 住宅が生み出すキャッシュフローを所有すること ＝ 現在価値相当の現金を今日所有すること

300万円／年　0 1 2 ……… 10　PV=2316.5万円

3 投資の意思決定

5 投資評価のさまざまな方法

> **POINT**
>
> 代表的な投資の意思決定方法として、①NPV（正味現在価値）法、②IRR（内部収益率）法、③ペイバック（回収期間）法がある。①②はキャッシュフローや金銭の時間的価値の考え方が反映された方法であり、基本的に同じ結果を導く。③はファイナンス理論に基づいた方法ではないが、直感的に理解しやすく、現在も広く使われている。

　投資を決定する場合によく利用される投資評価法は、NPV法、IRR法、ペイバック法の3つである。それぞれについて説明していく。

◆**NPV（Net Present Value：正味現在価値）法**

$$NPV = （投資が生み出すキャッシュフローの現在価値）-（初期投資額）$$

　NPV法では、投資により生み出されるキャッシュフローの現在価値（PV）と初期投資額を比較することで、その投資を評価する。金銭の時間的価値やリスクなどのファイナンス理論に基づいており、最も望ましい評価手法と言える。NPV法による投資評価は、次に示す4つのステップで行う。

❶投資により生み出されるキャッシュフローを予測する
❷キャッシュフローの現在価値を計算する
❸NPVを計算する
❹NPVが正（NPV>0）ならば投資を行い、負（NPV<0）ならば投資しない

　キャッシュフローの現在価値を求めるときの割引率は、その投資のリスクに応じた率（リスクに応じて期待される利回り）を用いる。たとえば、＜4＞で用いた住宅が2000万円で購入できる場合のNPVは、以下のようになる。

$$NPV = 2,316.5万円 - 2,000万円 = 316.5万円$$

　DCF法で計算すると、この住宅は今日の現金で2316.5万円相当の価値（PV）がある。それを2000万円で買った場合、正味で今日の現金316.5万円相当（NPV）が手に入ることになる。したがって、これは有利な投資だと判断できる。

◆**IRR（Internal Rate of Return：内部収益率）法**

　IRRとは投資の利回りのことだ。IRR法では、同程度のリスクを持つ投資案件の利回り（ハードル・レート）と当該投資機会の利回り（IRR）を比較することにより、

投資を評価する。IRRはNPV＝0となる割引率として定義される。初期投資額をCF_0（負）とすると以下のようになる。

$$CF_0 + \frac{CF_1}{1+IRR} + \frac{CF_2}{(1+IRR)^2} + \cdots\cdots + \frac{CF_n}{(1+IRR)^n} = 0$$

IRR法による投資評価は、次の4つのステップで行う。

❶ハードル・レートを設定する
❷投資により生み出されるキャッシュフローを予測する
❸IRRを計算する
❹IRRがハードル・レートよりも大きければ投資を行い、小さければ投資しない

IRR法もNPV法と同じようにファイナンス理論に基づいており、通常はどちらを用いても同じ結果になる。しかし、（1）規模の異なる投資機会を比較するとき、（2）キャッシュフローが途中でプラスからマイナスへ（あるいは、マイナスからプラスへ）転じるとき、（3）キャッシュフローが途中から永久年金となるときなど、稀に誤った投資評価を導く場合があるので、注意する必要がある。

◆ペイバック（回収期間）法

ペイバック法は、「初期投資額は特定の期間内（カットオフ期間）に回収されるべきだ」という考え方に基づく。たとえば、1000億円を投資すると毎年100億円を生み出す場合、回収期間は10年となる。

ペイバック法は直感的に理解しやすく、実際に広く使われている。しかし、①金銭の時間的価値の概念が考慮されていない、②カットオフ期間（投資を回収すべき期間）以降のキャッシュフローが考慮されない、③カットオフ期間を合理的に設定することが不可能である、④キャッシュフローではなく会計上の利益を用いることも多いなどの理由から、必ずしも望ましい評価手法とは言えない。

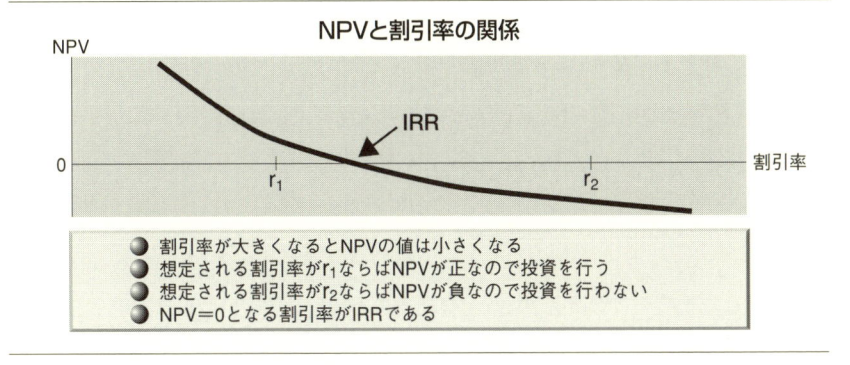

NPVと割引率の関係

- 割引率が大きくなるとNPVの値は小さくなる
- 想定される割引率がr_1ならばNPVが正なので投資を行う
- 想定される割引率がr_2ならばNPVが負なので投資を行わない
- NPV＝0となる割引率がIRRである

●·········· 3　投資の意思決定

6 分散投資の効果（1）：ポートフォリオ理論

> **POINT**
> 投資のリスクとは不確実性のことで、予想される投資利回りの標準偏差（または分散）で表される。投資家は、多くの資産に分散投資する（ポートフォリオを組む）ことにより、投資のリスクを低減させることができる。

◧投資の利回り

　株式に投資する場合、運がよければ儲かるが、損失を被るおそれもある。このように、利回りにばらつきがある資産のことをリスク資産と言う。リスク資産に投資する場合、投資を行う時点で将来の利回りがどうなるか、確実にはわからない。そこで、どの程度の利回りがどの程度の確率でもたらされるかを推定して、その分布の「期待値」を投資の（期待）利回りと考える。たとえば、ある資産の利回りがp_1の確率でr_1となり、p_2の確率でr_2となり、……p_sの確率でr_sとなると予想される場合、投資の（期待）利回りRは以下の式により計算できる。

$$R = p_1 \times r_1 + p_2 \times r_2 + \cdots\cdots + p_s \times r_s$$

◧投資のリスク

　リスク資産に投資する際の投資リスクの大小を数値化するために、ファイナンスでは、予測される利回りの分布の標準偏差（または標準偏差の2乗である分散）を投資のリスクと定義する。標準偏差（または分散）は、統計で分布のばらつきを表す指標として用いられる概念だ。上の例では、投資のリスク（標準偏差）σは以下のように求めることができる。

$$\sigma = \sqrt{p_1 \times (r_1 - R)^2 + p_2 \times (r_2 - R)^2 + \cdots\cdots p_s \times (r_s - R)^2}$$

　図1では、標準偏差の大きい資産Bのほうが資産Aよりもリスクが高い。

◧ポートフォリオによるリスクの低減

　保有資産すべてを1つの資産に集中させず、多数の資産に分散投資することを「ポートフォリオを組む」と言う。ポートフォリオ全体の期待利回りは、個別資産の期待利回りをそれぞれの資産が投資全体に占める割合で重み付けした加重平均により求められる。

一般にn個のリスク資産から成るポートフォリオで、個別資産の期待利回りをR_1、R_2……R_n、それぞれの資産のウエートをw_1、w_2……w_nとすると、ポートフォリオ全体の期待利回りR_pは以下のようになる。

$$R_p = w_1 \times R_1 + w_2 \times R_2 + \cdots + w_n \times R_n$$

これに対して、ポートフォリオ全体のリスクは、標準偏差(または分散)を単純に構成比で加重平均したものとはならない。たとえば、2つの資産から構成されているポートフォリオで、資産1と資産2のリスク(標準偏差)をσ_1とσ_2、全体に占める割合をw_1とw_2とすると、ポートフォリオ全体のリスクσ_pは、以下の式で計算される。

$$\sigma_p = \sqrt{w_1^2 \times \sigma_1^2 + w_2^2 \times \sigma_2^2 + 2 \times w_1 \times w_2 \times \rho_{12} \times \sigma_1 \times \sigma_2}$$

このとき、右辺に相関係数(ρ_{12})と呼ばれる項が加わる。相関係数は2つの資産の利回りが互いにどのくらい関係して変動するかを測る尺度で、＋1～－1の値をとる。相関係数が＋1の場合、2つの資産の利回りは完全なる正の相関関係を持つと言う。また、0の場合は無相関、－1の場合は完全なる負の相関関係を持つと言う。上の式をよく見るとわかるが、単純な加重平均に比べて、ポートフォリオ全体のリスクは同じ(相関係数が＋1)か、小さい値(それ以外)となる。

以上の点を具体例で見てみよう。いま2種類のリスク資産があって、資産Aは期待利回り21％、リスク40％、資産Bは期待利回り15％、リスク20％、両資産の利回りの相関係数を0.3とする。**図2**は、この2資産のポートフォリオへの組み入れ比率を、資産Aが100％、資産Bが0％から、資産Bの割合を徐々に増やし、資産Aが0％、資産Bが100％になるまで変化させていったときのリスクと期待利回りの関係を表したものだ。相関係数1と－1の線は、2つの資産の利回りが完全なる正および負の相関にあるときの軌跡だ。この図から、相関係数が小さくなるほど、ポートフォリオのリスク低減効果は大きくなることがわかる。

図1 投資のリスク評価

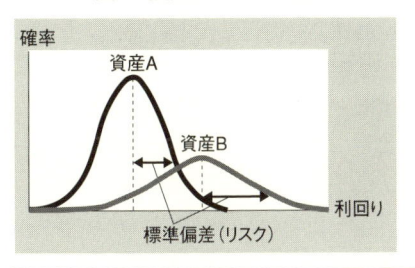

図2 ポートフォリオによるリスクの低減

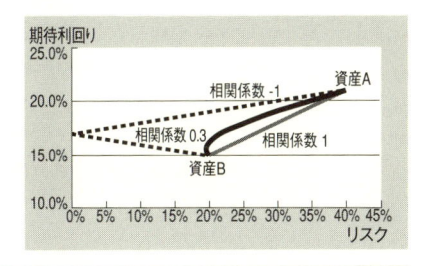

●·········· 3　投資の意思決定

7　分散投資の効果（2）：効率的フロンティアと資本市場線

POINT

この世に存在するすべてのリスク資産を組み合わせたポートフォリオの期待利回りとリスクをプロットしたとき、その上縁部分を効率的フロンティアと言う。無リスク資産が存在する場合、すべての投資家は効率的フロンティア上の1点であるマーケット・ポートフォリオと無リスク資産を組み合わせた、資本市場線上のポートフォリオに投資する。

◘ 2種類のリスク

＜6＞で2つのリスク資産から成るポートフォリオを組むことで、リスクを低減できることを説明した。それでは、ポートフォリオに次々と新しいリスク資産を加えていくと、無限にリスクは低減できるのだろうか。結論から言うと、こうした方法でのリスク低減には限界がある。

図1は横軸にポートフォリオに含まれるリスク資産の数、縦軸にポートフォリオのリスク（標準偏差）をとってグラフにしたものだ。このグラフは右下がりの曲線になっている。つまり、資産の数を増やしていくとポートフォリオ全体のリスクは低減されていくが、ある一定の値以下には下がらないことがわかる。

資産の数を増やすことで低減されるリスクをアンシステマティック・リスク（Unsystematic Risk：ユニーク・リスクや分散可能なリスクとも言う）、資産の数を増やしても除去できないリスクをシステマティック・リスク（Systematic Risk：マーケット・リスクや分散不能なリスクとも言う）と言う。前者は個別資産に固有の原因により、後者は景気など、すべての資産に影響を与える原因により発生する。

◘ 効率的フロンティア（Efficient Frontier）

多数の資産について、ありとあらゆる組み合わせのポートフォリオをつくり、リスクと期待利回りを軸にとって各ポートフォリオをプロットすると、図2のようになる。このとき、投資家は同じリスク（標準偏差）であれば、より大きい利回りを期待できるポートフォリオを好むだろう。つまり、すべての投資家は自分が許容できるリスクに応じて、最大の期待利回りが上げられる分布（左上方向にある分布）の上縁部（図の太線上）にあるポートフォリオのどれかを保有することになる。この太線を「効率的フロンティア」、太線上の一群のポートフォリオを「効率的ポートフ

ォリオ」(Efficient Portfolio) と言う。

◘無リスク資産の存在と資本市場線

　ここまでは、リスク資産だけのポートフォリオを考えてきた。しかし現実には、国債のように、満期まで保有すれば一定の利回りがあらかじめ保証されている資産、すなわちリスクのない資産（無リスク資産）が存在する。無リスク資産とリスク資産を組み合わせる場合、すべての投資家は、効率的フロンティア上の唯一のリスク資産ポートフォリオ（マーケット・ポートフォリオと呼ばれる。図3のM）と、無リスク資産を組み合わせるべきである。

　無リスク資産とマーケット・ポートフォリオの組み合わせをプロットすると、「資本市場線」(Capital Market Line) と呼ばれる直線（図3の無リスク資産から効率的フロンティアへ引いた接線）になる。ここでは、マーケット・ポートフォリオ以外の効率的フロンティア上のポートフォリオ（たとえば、ポートフォリオA）に投資することは、もはや合理的とは言えない。なぜならば、無リスク資産とマーケット・ポートフォリオを組み合わせた資本市場線上のポートフォリオBのほうが、Aと同じリスクで、より高い利回りを期待できるからだ。

　なお、アメリカではS&P500、日本ではTOPIXなどがマーケット・ポートフォリオに近似するポートフォリオとして用いられることが多い。

図1　2種類のリスク

縦軸：ポートフォリオの標準偏差
横軸：ポートフォリオを構成するリスク資産（1, 5, 10, 15）
アンシステマティック
システマティック

図2　効率的フロンティア

期待利回り
効率的フロンティア
個々のリスク資産
標準偏差（リスク）

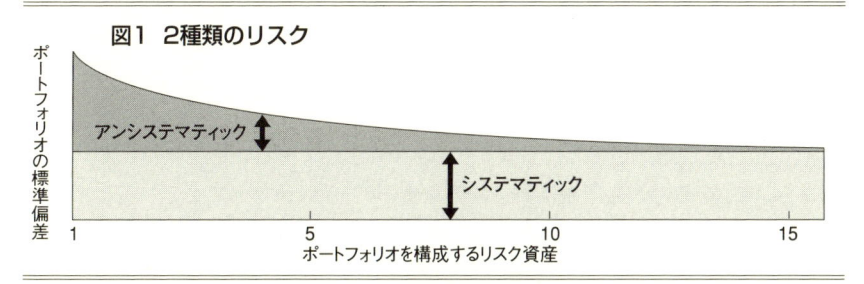

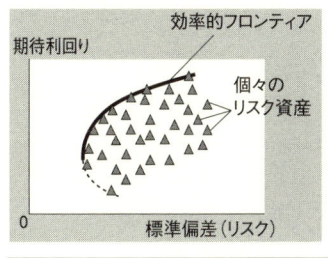

図3　資本市場線

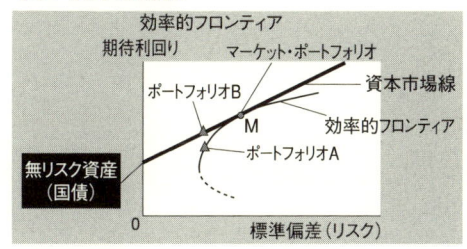

期待利回り
効率的フロンティア
マーケット・ポートフォリオ
資本市場線
ポートフォリオB
M
効率的フロンティア
ポートフォリオA
無リスク資産（国債）
標準偏差（リスク）

●・・・・・・・・・・3 投資の意思決定

8 分散投資の効果（3）：CAPM（資本資産価格モデル）

POINT

CAPM（資本資産価格モデル）は資産へ投資することのリスクと期待利回りの関係を定量化するモデルで、投資家の間で広く利用されている。個別資産のリスクは β（ベータ）で表され、マーケット・リスクプレミアムと無リスク資産利回りから、個別リスク資産の期待利回りが求められる。

◘CAPM（Capital Asset Pricing Model）とマーケット・ポートフォリオ

<7>までのポートフォリオ理論をさらに進めたのが、「CAPM」（資本資産価格モデル）だ。CAPMはスタンフォード大学のW.シャープ教授やハーバード大学のJ.リントナー教授などによって1960年代に考案され、株式などの個別銘柄の期待利回りを計算するときに実務で広く使われている。ただし、CAPMの前提には「全投資家は将来に対して同一の予見を持つ」など、やや非現実的なものが含まれるので、注意が必要である。

CAPMの基礎理論部分は次のとおりだ。<7>で無リスク資産（国債）とリスク資産がある世界では、すべての投資家はマーケット・ポートフォリオと国債をある比率で持つべきだということを説明した。すべての投資家がマーケット・ポートフォリオを持とうとする以上、個別資産のリスクとリターンの関係は、その株式の全リスクではなく、どれだけマーケット・ポートフォリオのリスクにその個別資産が影響を与えるか、つまりどれだけシステマティック・リスク（マーケット・リスク）を持っているかということで決まる。個別資産のアンシステマティック・リスク（ユニーク・リスク）をなくすにはポートフォリオを組めばよいが、それはだれにでもできることだ。したがって、それを怠った投資家に対して、報酬（利回り）を与える必要はないとする。

◘β（ベータ）

個別資産のリスクを「マーケット・ポートフォリオにどのような影響を与えるか」という見方で定義したのが、個別資産の β である。個別資産の β はマーケット・ポートフォリオの β を基準として算出される。マーケット・ポートフォリオの β は1と規定されるため、β が1よりも大きい個別資産を新規にマーケット・ポートフォリオに組み入れると、マーケット全体のそのリスクに大きな影響を与える。

βは個別資産の市場全体（マーケット・ポートフォリオ）に対する感応度でもある。たとえば、市場全体の利回りが1％変動（上昇または下落）したとき、β＝1.5の資産の利回りは1.5％変動（上昇または下落）することが期待される。

◘CAPMと証券市場線

個別資産の持つシステマティック・リスク（マーケット・リスク）をβで測定すると、個別資産のβと期待利回りの関係は、以下のような単純な計算式（CAPMの計算式）で求められる。

個別資産の期待利回り＝無リスク資産の利回り＋β×（マーケット・ポートフォリオの期待利回り－無リスク資産の利回り）

図は、CAPMの下での個別資産のリスク（β）と期待利回りの関係を表している。βと期待利回りの関係は、無リスク資産を通る右上がりの直線となる。この直線のことを「証券市場線」（Security Market Line）と言う。また、CAPMの計算式の右辺にある、マーケット・ポートフォリオの期待利回りと無リスク資産の利回りとの差を、マーケット・リスク・プレミアム（Market Risk Premium）と言う。

マーケット・リスク・プレミアムを推定する際には、過去のマーケット・ポートフォリオ近似のポートフォリオ（たとえばTOPIX）の利回り実績と国債の利回り実績との差を使うことが多い。この数字は、アメリカの証券市場では歴史的に6～8％、日本の証券市場では4～6％程度であると言われるが、どの程度の期間の実績を使うかによって推定値が変わってくる。

仮に国債の利回りが2％、マーケット・リスク・プレミアムが4％であるとすると、β＝1.5の資産（株）の期待利回りRは以下のようになる。

$R = 2.0\% + 1.5 \times 4.0\% = 8.0\%$

ここで注意すべきは、この資産の期待利回り8％の意味は、このくらいのリスクをとれば8％程度の利回りが得られるのではないかと「期待」されているにすぎず、この利回りが保証されているわけではないことだ。実際には、この資産（株式）の価値が暴落して大損を被る危険性もある。

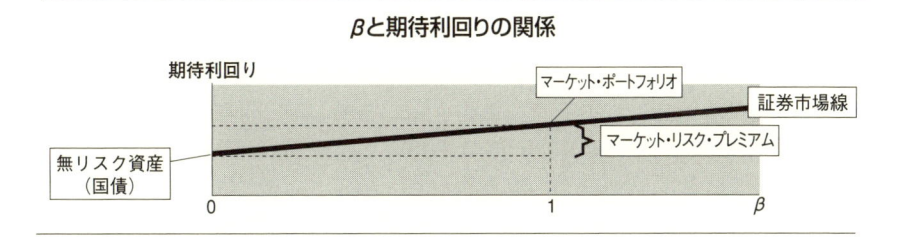

βと期待利回りの関係

●……… 4 資金調達と資本政策

9 企業の資金調達手段

POINT

近年、金融の自由化と国際化の流れの中で、大企業を中心に資金調達手段が多様化している。最大の変化は、社債やCPの発行といった、市場から直接資金を調達する直接金融の手段が増加したことである。

◘企業の資金調達手段

　一般に企業の資金調達は大きく2つに分類されている。それは、負債（Debt）と株主資本（Equity）である。

❶負債：企業が株主以外の外部の関係者に対して負っている債務の総称であり、このことから外部資本とか他人資本と呼ばれることもある。負債は借入れのみでなく、社外の仕入先から、現金決済を一定期間猶予してもらうという形で資金を調達している買掛金や支払手形も含む。負債は返済もしくは決済期限を持っており、その期限までに債権者に対して返済されなければならない。

❷株主資本：資本金、法定準備金、剰余金（内部留保）を含み、株主に帰属するべき持分の総称である。いったん調達された株主資本は、企業が存在する限り原則的に返済されることはない。企業が倒産した際には、負債の返済が優先される。また、株主に対しては、配当という形での利益還元がなされるが、負債の対価としての金利に比べ、企業は業績に応じて弾力的に配当額を決定できる。

◘資金調達手段の多様化

　戦後長い間、日本企業の資金調達手段の中心は金融機関からの借入れ（間接金融）と市場から直接資金を調達する株式発行（直接金融）であり、それ以外の手段による資金調達は規制に阻まれていた。しかし、金融の自由化と国際化の進展の結果、大企業を中心に、社債やコマーシャル・ペーパー（CP）発行など新たな直接金融手段の利用が増加した。以下に、代表的な直接金融による資金調達手法である社債について説明する。

　社債の中には、負債の性格を持つ普通社債と、負債と潜在的株主資本の性格を併せ持つ、転換社債（転換社債型新株予約権付社債）や新株予約権付社債（ワラント債）がある。転換社債は、将来社債の償還の代わりにその企業の株式を一定数受け取ることを選択できる権利（転換権）を付けた社債である。新株予約権付社債（ワラント

債）は、将来その企業の株式を一定価格で購入できる権利（新株予約権＝ワラント）を付した社債である。これらの新株予約権付社債（広義）は、転換権や予約権を投資家に与える代わりに、社債部分の金利が普通社債よりも低い。

◻間接金融 VS 直接金融

　直接金融は一部の優良企業にしか調達の道が開かれておらず、起債やＣＰ発行の条件は年々緩和されてきているとはいえ、まだまだ中小企業には利用しにくい手段である。また、一定期間企業の財務内容を開示（ディスクローズ）することが条件となっているため、経営について外部からチェックされることを好まない経営者は、借入金融機関という限られた相手のみに決算書を提出するだけで済む借入れを選ぶことが多い。一方で、直接金融のメリットを感じる企業もある。外部のチェックを経ることで、自社のリスクが外部からどのように評価されているか、その実態を把握できる、あるいは外部に対して情報を開示できる体制を整えられるからだ。

　間接金融を好む企業は、直接金融に伴う資金の調達可能性（アベイラビリティ）の相対的な低さを指摘する。とくに、信用力の低い（格付けの低い）企業は、期待どおりの資金を集められない場合がある。また、企業が最も資金を必要とする緊急時には、投資家がリスクに過敏になり、資金を供給してくれない確率が高まる。アベイラビリティの確保は、直接金融を行っている企業が金融機関からの調達の道を完全には排除していない最大の理由でもある。しかし間接金融の場合も、金融機関からの急な資金引き上げや貸し渋りなどのリスクが存在する。

調達形態	調達方法	調達コスト	アベイラビリティ	経営上の安全性	期間
負債	借入金	・拘束預金が必要な場合割高	・手続きが簡単	・利払い、元金返済が必要 ・経営介入のおそれ	・短期中心
	社債	・固定金利	・格付けにより制約 ・情報ディスクローズが必要 ・手数、日時を要する ・市場環境によるリスク	・経営悪化時には調達困難 ・利払い、元金返済が必要	・長期安定資金
	買掛金・支払手形	・見かけ上なし ・預金支払いによる割引があればそれがコスト	・容易 ・取引先との交渉力による制約	・経営介入のおそれなし	・短期
株主資本	株式	・収益状況や配当政策により変化	・手数、日時を要する	・返済義務なし ・株式構成に要注意	・長期安定資金
	内部留保	・見かけ上はなし ・機会費用がコスト	・収益力がなければ留保できない	・経営にとり最も安全	・長期安定資金

ファイナンス

●……… 4　資金調達と資本政策

10　資本コスト

> **POINT**
>
> 企業は借入れに対しては「利息」というコストを、株式に対しては「配当」と「値上がり益」というコストをかけて資金を調達している。加重平均資本コスト（WACC）とは、企業が1円調達するのに何%のコストがかかっているかを表すものである。

◘利息と株主期待利回り

　投資家は企業に、❶社債の購入、❷株式への投資という2つの方法により資金を提供する。社債の購入で企業に資金を貸し付ける場合、投資家は企業が行っているビジネスのリスクを見ることにより、そのリスクに応じた利息 r_D を要求する。一方、株式に投資する場合は、ビジネス上のリスクのほかに、どの程度の負債を抱えているかという財務状況も勘案して利回り（配当と値上がり益の合計）を期待する。この利回りのことを株主期待利回り（株主要求利回り）r_E と呼ぶ。

　社債は毎年決められた額の利息が支払われるが、株式の場合は儲かることもあれば損することもあり、利回りは不安定だ。したがって、株式のほうが社債よりもリスクが高い。また、その企業が倒産した場合、社債の一部は返還される可能性があるが、株式はただの紙切れになってしまう。このため、当然ながら株主期待利回りのほうが利息よりも大きくなる（$r_D < r_E$）。

◘資本コスト

　借入れに対する利息（r_D）と株主期待利回り（r_E）は、企業サイドから見れば、資金調達に伴うコストとなる。この場合、r_D は借入コスト、r_E は株主資本コストと呼ばれる。企業は毎年債権者に対して r_D の利回りを返さなければ倒産につながる。一方、株主の期待に反して r_E の利回りを達成できなければ、株主総会などで経営責任を厳しく追及され、最悪の場合経営陣は解任されてしまう。つまり、企業は債権者と株主の両者を満足させなければならない。

◘加重平均資本コスト（WACC: Weighted Average Cost of Capital）

　企業は負債コスト r_D と株主資本コスト r_E を個別に知ること以上に、資金を1円調達するのにいくらのコストがかかっているかを示す加重平均資本コスト（WACC）

に関心がある。ビジネスではWACC以上の利回りを上げることができれば負債コストと株主資本コストの両方をカバーでき、債権者と株主を共に満足させることができるからだ。WACCは以下の式により求めることができる。

$$WACC = \frac{D}{D+E} \times r_D \times (1-税率) + \frac{E}{D+E} \times r_E$$

Dは負債総額、Eは株式の時価総額(株価×発行済み株式数)だ。支払利息は税額控除となるため、税引後の実質負債コストは $r_D \times (1-税率)$ と低くなる。

たとえば、資金調達の60%を負債、40%を株主資本に依存している企業があるとする。この企業の(平均)負債コストが6%、株主資本コストが9%、法人税率が50%とすると、WACCは次の式で求められる。

$$WACC = 0.6 \times 6\% \times (1-0.5) + 0.4 \times 9\% = 5.4\%$$

◘資本コストの推定

負債コストは比較的計算しやすい。債権者に対して支払うコストとは、主に利息(金利)だ。企業が借入れの対価として銀行の当座預金に一定の残高を預けることによる機会損失や、手形割引の割引料など金利以外で支払われるコストがある場合は、これらも年利換算して表す。負債額(D)についても、割引発行などがある場合は、額面ではなく、市場価格に換算する必要がある。

負債コストに比べて株主資本コストを推定することは少々難しい。株主資本は企業側から見れば返す必要のない資金だ。とくに、株の持ち合いが広く行われていたわが国では、しばしば、配当だけ支払っていればよい低コストの資金と誤解されていた。しかし現在では、<11>で詳しく述べるように、CAPMなどのモデルを使い、株主資本コストを推定することが実務的に行われるようになっている。

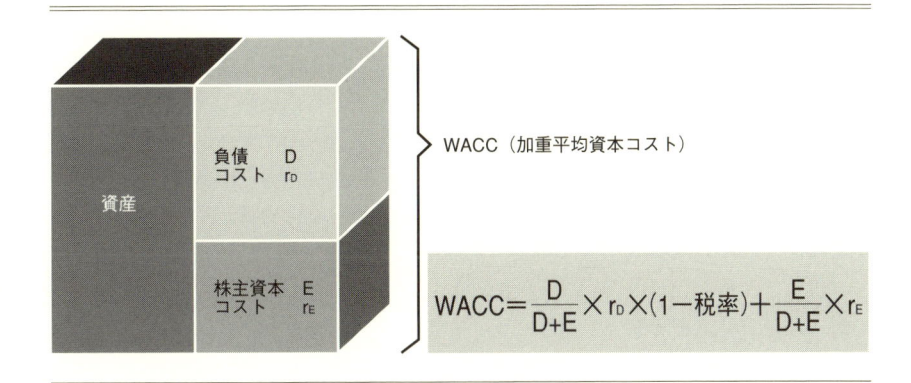

ファイナンス

● .... 4　資金調達と資本政策

11　株主資本コストの推定

> **POINT**
>
> 株主資本コストは、投資家の期待利回りと言い換えることができる。株主資本コストを推定するときには、リスクと期待利回りの関係を示すCAPMおよび将来にわたる配当の現在価値をもとに算出する配当割引モデルが利用されることが多い。

◖CAPMを利用した株主資本コストの推定方法

　株主資本のコストを理解するには、資金供給者である株主の立場から考えるほうがわかりやすい。株主が企業の発行する株式を購入するのは、株式投資からの期待利回りが、他の資産への投資をあきらめても、経済的に合理性を持つ水準にある場合である。それは、株式が価格変動を伴うリスクのある資産である以上、株式投資の期待利回りが、無リスク資産（国債）の利回り（リスク・フリー・レート）を上回っている（リスク・プレミアムがある）場合にほかならない。＜8＞で説明したCAPM（資本資産価格モデル）は、このリスクと期待利回りの関係を示したものだ。

　企業側から見た株主資本コストは、この投資家側から見た期待利回りに一致するはずである。企業が株式を発行して資金調達する場合は、投資家の期待に見合った収益、つまり配当と株価の値上がり益（キャピタル・ゲイン）を提供しなければならない。したがって、株主資本の推定にはCAPMを利用するのが一般的である。

　CAPMを利用して株主資本コストを推定するには、3つの要素が必要になる。すなわち、❶リスク・フリー・レート、❷マーケット・リスク・プレミアム、❸個別企業のβ（ベータ）である。

　リスク・フリー・レートは、無リスク資産の中でも国債の利回りを使うのが一般的である。マーケット・リスク・プレミアムは、過去の株式投資による利回りを見ながら決定されると考えられる。これは、投資家は「過去の実績として、株式投資はこれだけ儲かっていたから、今後もこの程度の利回りは期待できるだろう」と考えて投資するからだ。個別企業のβについては、個別企業の株価と、市場全体の株価の動きの相関を求めることで、推定する。

　以上のプロセスを経て、リスク・フリー・レート（r_f）、マーケット・リスク・プレミアム〔$E(\tilde{r}_M) - r_f$〕、個別企業のβが推定されれば、その企業の株主資本コスト

(r_E)も図に示した式で算出できる。

たとえば、$r_f = 5.0\%$、$E(\tilde{r}_M) - r_f = 6.0\%$、$\beta = 0.85$とすれば、この企業の株主資本コストは、$0.05 + 0.85 \times 0.06 = 0.101$で10.1%と推定される。すなわち、この企業が増資すると、コストが10.1%の資金を新たに調達することになり、その分だけ同社の加重平均資本コスト（WACC）も変動する。したがって、調達した資金は、少なくとも資金調達後の負債・株主資本比率に基づいて算出したWACCを上回る利回りが期待できるようなプロジェクトに投資すべきである。

◆配当割引モデルを利用した株主資本コストの推定方法

＜18＞で詳しく説明するが、将来にわたる配当の現在価値が理論株価になる。このことは、「将来の配当を、現在の株価に割り引くための割引率が株主の期待利回り、すなわち株主資本コストである」ということでもある。このことを式で表すと以下のようになる。

$$P_0 = \frac{D_1}{1+r_E} + \frac{D_2}{(1+r_E)^2} + \frac{D_3}{(1+r_E)^3} \cdots$$

P_0＝現在の株価、r_E＝株主資本コスト、$D_t = t$期における配当

ここで、株価は実際の数値をとることができるが、将来の配当の流列は予測しなければならない。一般的には、配当は一定の成長率で増加を続けるとの仮定の下に計算することが多い。その場合の式は以下のようになる。

$$r_E = \frac{\frac{D_1}{P_0}}{} + g$$

g＝配当の成長率

株主資本コスト ＝ リスク・フリー・レート ＋ ベータ × マーケット・リスク・プレミアム

$$E(\tilde{r}) = r_f + \beta \times [E(\tilde{r}_M) - r_f]$$

（自社株式の期待利回り）

r_f → 国債利回り

β → 自社のベータ

$E(\tilde{r}_M) - r_f$ → 株式市場全体の期待利回り（マーケット・ポートフォリオの期待利回り）

ファイナンス

4 資金調達と資本政策

12 市場の効率性

> **POINT**
>
> 世間にある情報をもとに恒常的に利益を上げることはできない、という考え方を「効率的市場仮説」と言う。効率的市場には、ウィーク、セミストロング、ストロングの3フォームがある。効率的市場仮説に基づき、最初から市場平均を上回るのではなく、市場並みの利益を目指す運用を行うことをパッシブ運用と言う。

◆効率的市場仮説とは

　これまで投資におけるリスクと利回り（リターン）の関係について説明してきたが、この考え方には「投資や企業に関する情報が資産価格に与える影響を無視している」という批判があるかもしれない。そうした批判に対して、ファイナンス理論では、常に一投資家が情報に基づいて市場で利益を上げることはできないと考える。なぜなら、今日の資本市場では情報は瞬時に世界を駆け巡り、市場で取引されるさまざまな金融資産の価格（相場）に影響を与える。したがって、ある投資家が「いち早く」企業情報を得たとしても、世界中の投資家も同時にその情報を入手し、即時に相場に織り込まれることになるからだ。このような考え方を「効率的市場仮説」と言う。この仮説が成り立つ状況では、以下に説明するように、リスクをとらずに情報のみでリターンを上げる方法はないことになる。

　シカゴ大学のE.ファーマ教授は、効率的市場を3段階に分類した。

　第1段階はウィーク・フォームの市場の効率性である。これは、過去の資産価格や収益率のデータに基づいて取引ルールをつくっても、それによって他の投資家以上の利益を恒常的に上げることはできないというものだ。このウィーク・フォームの効率的市場が成り立っているとすれば、投資情報誌などに掲載されている「株価チャート分析」というものは意味がない。これはまさに、株価がこれまでどう動いてきたかという過去の情報をもとに取引を行う手法であるからだ。

　第2段階はセミストロング・フォームの市場の効率性である。これは、価格や収益率だけでなく、世間に公表されている情報であればいかなるものでも、その情報を使ってつくられた取引ルールで他の投資家以上の利益を恒常的に上げることはできないというものだ。セミストロング・フォームの市場の効率性を前提にすれば、情報端末や経済誌、新聞やテレビの経済ニュースによって資産の売買を行っても、

勝ち続けることはできない。

　第3段階はストロング・フォームの市場の効率性だ。これは、非公開情報を含むあらゆる情報を使っても、他の投資家以上の利益を恒常的に上げることはできないというものだ。この前提に立つと、アナリストが企業にヒアリングなどを行い、その分析結果に基づいて取引しても、他の投資家以上の利益を上げ続けることはできない。また、投資信託でプロにファンドの運用を任せても、市場平均以上の利益を上げ続けられる保証はない。この考え方に基づき、最初から市場平均並みの利益を上げることを目的に資金を運用することをパッシブ運用と言う（市場以上の利益を上げようとする運用を、アクティブ運用と言う）。

◪効率的市場はどこまで現実的か

　アメリカでは効率的市場仮説に関して多くの実証研究が行われ、長い目で見ればおおむねセミストロング・フォームまでの市場の効率性が成り立っていることが証明されている。ただし、短期的には市場に何らかの非効率（ミス・プライシング）が存在する可能性がある。たとえば、アメリカには「1月効果」といって、1月の最初の週に小型株を中心に高い収益率がもたらされるという現象があった。こうした市場の非効率に気づいた投資家は、一時的に勝ち続けられるかもしれない。投資の神様と言われるような投資家は、このような非効率を見抜くのがうまい人々だ。

　しかし、非効率に気づいても、決して本を書いたり、テレビでしゃべったりすべきではない。他の投資家がその非効率に気づいたとたんに、収益機会が消えてしまうからだ。メディアで一世を風靡したトレーダーがその成功のゆえに収益機会を失い、やがて消えてしまうことが往々にしてある。ヘッジファンドの神様と称されたジョージ・ソロスも、自らのファンドで大損を出し、解散へと追い込まれた。

3段階の効率的市場

名称	定義	恒常的利益の上がらない取引実例
ウィーク・フォーム	過去の資産価格や収益率のデータに基づいた取引ルールでは恒常的に利益を上げられない	株価チャートなどのテクニカル分析に基づく取引
セミストロング・フォーム	世間に公表されている情報であれば何でも、その情報に基づいた取引ルールでは恒常的に利益を上げられない	情報端末や経済誌、新聞やテレビの経済ニュースに基づく取引
ストロング・フォーム	非公開情報を含むあらゆる情報に基づいた取引ルールでは恒常的に利益を上げられない	企業のインサイダー情報やアナリストの企業ヒアリング分析結果などに基づく取引

4 資金調達と資本政策

13 企業の最適資本構成（1）：理論

> **POINT**
> モジリアニ＝ミラーの命題は、完全市場においては、企業の負債と株主資本の構成比は、企業価値に影響を与えないことを示した。多くの前提を置いてはいるものの、この命題から最適資本構成に至る理論を理解することは、経営者が自社の資本構成を決定するうえでの手助けとなる。

　＜9＞で説明したように、資金調達の手段は負債と株主資本に二分される。プロジェクトごとにどちらで調達すべきかという判断は、最終的には貸借対照表における負債と株主資本の構成比率をどうすべきかの判断に行き着くことになる。それでは、企業価値を最大化するためには、どのような資本構成にすべきなのだろうか。まず、理論の世界で最適資本構成について考えてみる。

◪企業の最適資本構成とモジリアニ＝ミラーの命題

　長らく最適資本構成をめぐる議論が行われていたが、なかなか結論が出ることはなかった。ところが、1958年にこの「最適資本構成」について、「完全市場（定義はのちほど説明する）においては、資本構成は企業価値に影響を与えない」ということを論証する学者が現れた。フランコ・モジリアニとマートン・ミラーの2人である。彼らの議論はモジリアニ＝ミラーの命題（MM命題）と呼ばれる。MM命題は特殊な前提の上に成り立ってはいるものの、いまでも企業の最適資本構成について考えるときのスタート地点となっている。

◪モジリアニ＝ミラーの命題

　モジリアニとミラーは、完全市場の下では、企業の資本構成は企業価値に影響を与えないことを示した。MMの命題の前提となる完全市場の定義は、以下のとおりである。
❶取引される証券にかかる情報は市場参加者のすべてに一様にコストなしに伝わる。
❷資本市場への参入障壁がなく、またどの市場参加者も価格に影響を与えるほどの力を持っていない。
❸資本市場への参入に伴うコストはなく、証券の取引は自由に行われる。
❹税制は存在しない。
　いま、将来にわたってまったく同じキャッシュフローを生み出すと予想される2

つの企業、U社とL社があると仮定する。両社の違いは資本構成だけである。すなわち、U社は100%株式資本のみで資金を調達しているが、L社は負債と株主資本の両方で資金を調達している。U社、L社の企業の市場価値をそれぞれV_U、V_L、株主資本の市場価値総額（時価総額）をそれぞれE_U、E_L、そしてL社の負債の市場価値総額をD_Lとする。このとき、$V_U = E_U$ ……①、$V_L = E_L + D_L$ ……②となる。

ここで、U社の株式の10％に投資をすると、その価値は、①式より$\mathbf{0.1E_U = 0.1V_U}$ ……③ と表され、その効果は今後発生するキャッシュフローの10％を保有したのと同様である。

これを、L社の株式の10％とL社の負債（社債等）の10％に投資をした場合と比較してみる。この投資の価値は、②式より$\mathbf{0.1E_L + 0.1D_L = 0.1V_L}$ ……④となるが、その効果は今後発生するキャッシュフローから負債に対して支払う利息総額を引いたもの（すなわち、株主に帰属するキャッシュフロー）の10％と、負債に対して支払われる利息総額の10％を保有したことになり、その合計は、負債に対する利率のいかんにかかわらず、常に今後発生するキャッシュフローの10％を保有したのと何ら変わらない。

したがって、上記2つの投資の価値は、まったく同じキャッシュフローとリスクを持つことから、価値が等しくなければならない。

③、④式より、$V_U = V_L$ が成り立つ。

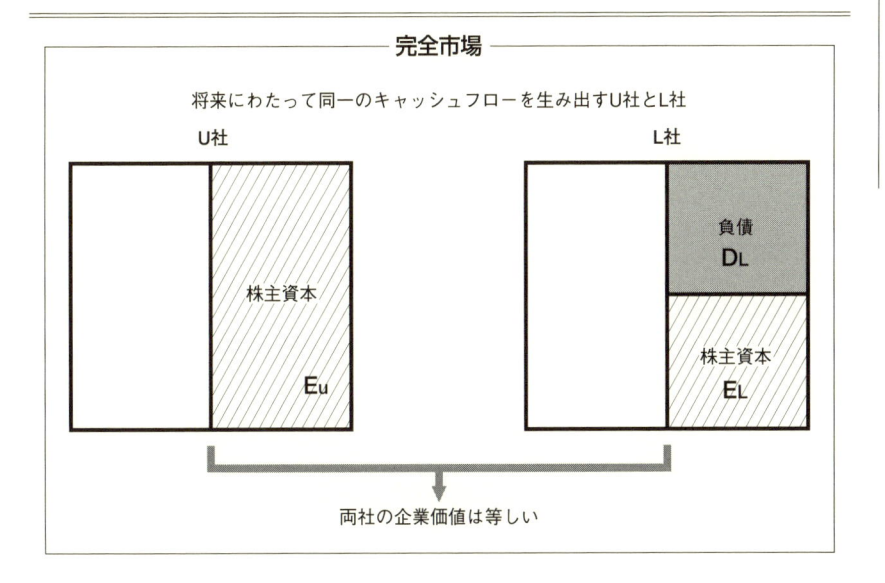

―― 完全市場 ――

将来にわたって同一のキャッシュフローを生み出すU社とL社

U社　　　　　　　　　　　　　　　　L社

株主資本　E_U

負債　D_L

株主資本　E_L

両社の企業価値は等しい

ファイナンス

4 資金調達と資本政策

14 企業の最適資本構成（2）：実際

> **POINT**
> 企業は、負債を増やせば節税効果により企業価値が高まる。しかし、極端な負債の増大は倒産リスクが高まるため、負債調達コストが上昇し、企業価値を減少させる。これら2つの効果の分岐点となるのが最適資本構成点である。

◘節税効果による企業価値の増大

＜13＞では、税制が存在しないことを前提としていた。しかし、現実の企業は当然ながら法人税を支払わなければならない。法人税があれば、負債に対する金利の支払いは費用として収益から控除される。利益が圧縮されることにより、その分税金の支払いが減少してキャッシュフローが増加するため、その現在価値である企業価値も増大する。すなわち、経営者は負債比率を高めることによって企業価値を高められるのである。

◘負債比率増加による企業価値の減少

以上の説明では、負債比率を100％にすることにより企業価値を最大化できることになる。しかし、100％近い負債比率の企業は、当然自己資本比率が低く、また金利負担が大きくなるため、倒産する確率も高いだろう。そうなると銀行は貸付利子率を上げることだろう。つまり、倒産リスクが高まることにより負債の調達コストが上昇し、企業価値を減少させることになるのである。

実際には、どの程度の負債比率の上昇に対して、どの程度負債調達コストが上昇するのか（これをリスク・プレミアムと言う）を判断するのは容易ではない。しかしながら近年の社債市場の発達によって、このリスク・プレミアムを判断するための有効な資料が集積されつつある。それは、社債の格付けである。社債の発行利回りはほぼ格付けに従って決まっており、各格付け間の利回り格差を見れば、リスク・プレミアムがどの程度あるかということもわかることになる。

リスク・プレミアムが判明したら、今度は負債比率と格付けの関係を解明すれば、負債比率をどの程度まで引き上げるとリスク・プレミアムがどの程度上昇するかも推定できることになる。もちろん格付け機関の企業判断の材料は負債比率だけではないものの、負債比率と格付けの間に強い相関があることは、研究によって実証されている。

一般には、負債比率が20％以内の企業が最上格（AAA）、負債比率が50％を超えると投資適格の最低線（BBB）より下の格付けとなることが多いようである。

◆目標負債比率決定の実際

このようにして、負債比率とリスク・プレミアムとの関係がある程度判明したら、そのデータに基づいて自社のターゲットとする負債比率を決めることになる。たとえば、ある企業の負債コストが5％、株主資本コストが10％、法人税率が50％だとすれば、この企業は総資産に対する負債比率を10％引き上げることによって、WACC（<10>参照）を0.75％低下させることができる。あとは、負債比率を引き上げたことによって格付けが下がったときに、調達コストがどの程度上昇するかを推定すればよい。実際には、企業はこのようにして負債比率、すなわち資本構成を決定することが多い。

◆経営者の株主への責任

経営者にしてみれば、無借金経営は健全経営の印象を与える。また、自社の格付けが下がるということは、企業イメージや社員の士気への影響を考慮すると、容認し難いことであるかもしれない。したがって、実際の目標負債比率の決定は、資本コストだけでは測定できない要素も勘案しながら行われる。

最後に1つだけ注意を喚起しておきたいのは、必要以上に負債比率を低く抑えている経営者は、株主の目から見れば、株主の利益の最大化という最大の使命を怠っていると映るケースもありうるという点である。とくに、安定成長期に入って資金に余裕があり、新規投資のための資金もあまり必要でない企業は、借入金を全部返済するのではなく、少しぐらい負債を残して、その分の資金を配当で株主に還元してほしいというのが、大方の株主の意見であろう。

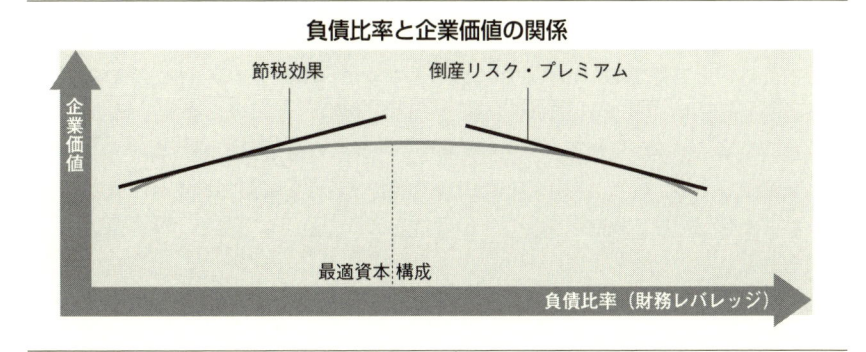

負債比率と企業価値の関係

（グラフ：縦軸＝企業価値、横軸＝負債比率（財務レバレッジ）、節税効果、倒産リスク・プレミアム、最適資本構成）

4 資金調達と資本政策

15 配当政策

> **POINT**
> 完全市場の仮定の下では、株主に対する利回りは、配当で還元しても株の値上がり益で還元しても同じということになる。しかし現実には、税の存在や投資家と企業との情報や投資機会が不均等であるため、配当政策は企業価値に影響を与える。
> したがって、経営者はこれらの問題を総合的に考慮して配当政策を決定しなければならない。

◘配当政策

配当をどれだけ支払えば、株主に対して最も多くの利益をもたらすことができるのか。配当が多いほど投資家のためになるとは限らない。企業の総価値から負債を引いたものが株主の持分だという前提に立てば、配当として支払われずに企業に残る内部留保もまた株主のものである。したがって、「株主にいくら配当するか」という配当政策は株主価値に影響を与えないことになる。

モジリアニとミラーはこの点に関しても、＜13＞で触れた「完全市場」という前提の下で証明に成功した。

しかし、実際の世界では、資本構成と同様に税や情報の問題があったり、企業と投資家にとっての投資機会が均一ではないことなどから、配当政策は株主にとっての企業価値（株価）に影響を与える。そのため、経営者はこれらの問題を総合的に考慮したうえで配当政策を決定する必要がある。

◘税制の影響

日本では、上場株式の配当にかかる税率とキャピタル・ゲイン（株式売却益）にかかる税金とでは、その時々の政策によって高低は変わってくる。また、それぞれ、ある金額を境に税率が変わるケースもある。さらに、損益通算に関わるルールもしばしば変更がある。配当は支払われた時点で課税されるのに対し、キャピタル・ゲインは株式を売却して利益を実現しない限り支払う必要がないため、課税先送りの効果もある。

個人投資家と法人投資家、大株主と小口株主など、だれの利益を最も重視するかによって、配当政策は影響を受ける。

◘情報と企業にとっての投資機会の影響

　企業の経営状況やその企業が持つ投資機会については、企業経営者の持つ情報のほうが、投資家の持つ情報よりもはるかに多い。そのため投資家は、配当政策を経営者の持っている情報を推測するための「シグナル」として利用するため、配当政策の変更が株価にも影響を与える可能性がある（第7部＜9＞参照）。

　たとえば、企業が配当を削減するという発表をした場合、一般的にはその会社の株価は下がる。それは配当の削減の原因が、企業の業績不振に伴う手元資金繰りの逼迫による場合が多いからだ。投資家が、「経営者が企業の業績の先行きに不安を持っていて、万が一に備え手元に資金を残しておこうとしているのではないか」と、その企業の評価をネガティブに見直す結果、株価が下がるわけだ。

　ところが、同じ配当削減でも、場合によっては株価にプラスに働くこともある。たとえば、成長期のベンチャー企業が画期的な技術に対する新規投資を考え、配当削減を発表したとする。成長期の企業は一般に、魅力的な投資機会に恵まれているが、その割に資本が乏しいため、稼いだ利益を極力再投資に回すことが望ましい（一方、安定成長期に入り、それほど魅力的な投資機会を持たなくなった企業は、配当を支払うことで株主に資金を返還し、新たな成長企業に投資資金を振り向けてもらうべきだ）。仮に、あるベンチャー企業が配当を削減した場合、それが新規投資の資金調達に不可欠な施策だと納得すれば、投資家はその企業の評価をポジティブに見直し、株価が上昇するかもしれない。

　実際に、アメリカでは創業期に無配の企業も少なくない。たとえば、マイクロソフト社は1975年の創業以来、2003年まで一貫して無配当政策を維持していた。この間、同社はコンピュータ市場の発達にも支えられ、目覚ましい成長を遂げ、投資機会にも恵まれた。同社の株価は事業の成長に伴って急上昇し、キャピタル・ゲインだけで株主を満足させるに十分であった。

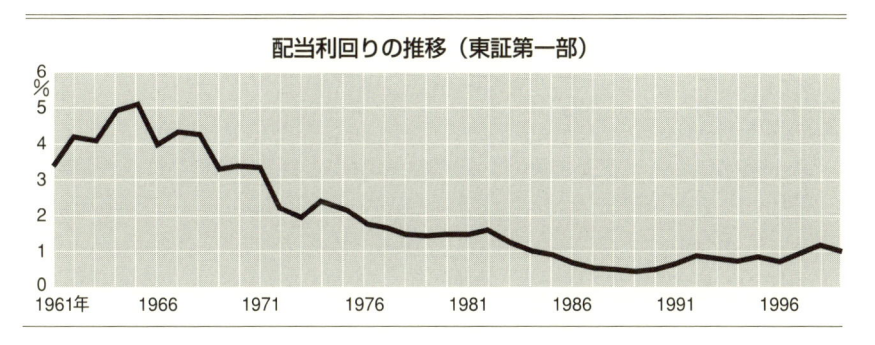

配当利回りの推移（東証第一部）

5 企業価値

16 フリー・キャッシュフロー

> **POINT**
> フリー・キャッシュフローとは、資金提供者（債権者と株主）に理論的に帰属するキャッシュフローであり、フリー・キャッシュフローの現在価値が（債権者と株主にとっての）企業価値となる。

◆フリー・キャッシュフロー（Free Cash Flow）とは

フリー・キャッシュフロー（FCF）とは、DCF法により企業価値を計算するときに使われるキャッシュフローのことであり、以下のように定義される。

$$FCF = EBIT \times (1-法人税率) + 減価償却費 - 投資 - \triangle WC$$

EBIT（Earning Before Interest and Tax：支払金利税引前利益）は営業利益に金利以外で恒常的に発生する営業外損益を加えた額、$\triangle WC$はワーキング・キャピタル（Working Capital：運転資本）の前年度との差額（増加運転資本）である。

◆フリー・キャッシュフローの帰属先

DCF法において、企業価値は、企業が将来生み出すフリー・キャッシュフローの現在価値として定義される。このとき、フリー・キャッシュフローの帰属先（受け手）は、企業の法的な所有者である株主ではなく、資金提供者（債権者および株主）であることに注意が必要だ。これは、企業価値の計算をより単純化するための技術的な理由からだ。DCF法によりフリー・キャッシュフローから企業価値を計算すると、債権者と株主の持分を合わせた額になる。したがって、株主の持分（株主にとっての企業価値）を知りたい場合は、全体の企業価値から負債総額を差し引かなければならない。また、フリー・キャッシュフローは資金提供者に帰属する額を表すもので、必ずしも資金提供者がこの額を受け取れるわけではない。

◆ワーキング・キャピタル

ワーキング・キャピタル（WC）は日々のビジネスを回すのに使われている資金の額を表す。企業は何らかの形で（通常は短期有利子負債等により）この額を調達しなければならない。ワーキング・キャピタルは以下のように定義される。

$$WC = （現金等価物を除いた）流動資産 - （有利子負債を除いた）流動負債$$

流動資産[※1]の主なものとしては売掛金やたな卸資産が、流動負債の主なものとし

ては買掛金がある。

フリー・キャッシュフローの定義式で投資と△WCがマイナス項目として登場するのは、その分だけ資金調達が必要になるからだ。たとえば、前年度に比べてワーキング・キャピタルの額が増加する場合、企業はその分を補うために新たに資金を調達しなくてはならない。また、前年度より設備を増強する場合も、（設備）投資を行うための資金が必要になる。

◘フリー・キャッシュフローの意味

DCF法により不動産価値を計算する場合、不動産が将来生み出すキャッシュフローは、テナントが支払った賃料から維持や管理のための費用などを差し引いた、不動産所有者が受け取る正味の金額を用いる。すでに維持・管理のための費用が差し引かれているため、所有者が受け取った額をどのように処分しようとも、不動産は資産として維持される。フリー・キャッシュフローもまさしく資金提供者が受け取る正味の額であり、自由に処分できる。

フリー・キャッシュフローの定義式を見ていくと、EBITの段階ですでに各種の費用の支払いを終え、そこから税金を差し引き、将来のための（設備）投資やワーキング・キャピタルへの手当を完了してしまえば、たとえ資金提供者が全額を企業から引き出しても企業はビジネスを継続できる。定義式で減価償却費を加えているのは、営業利益を計算するときに減価償却費は費用として差し引かれているが、現金の支出は伴っていないからだ。

※1：現金等価物（現預金や換金性の高い短期有価証券）は本来有利子負債と相殺できるものとして、フリー・キャッシュフローの計算上の流動資産からあらかじめ差し引いておくのが一般的である。

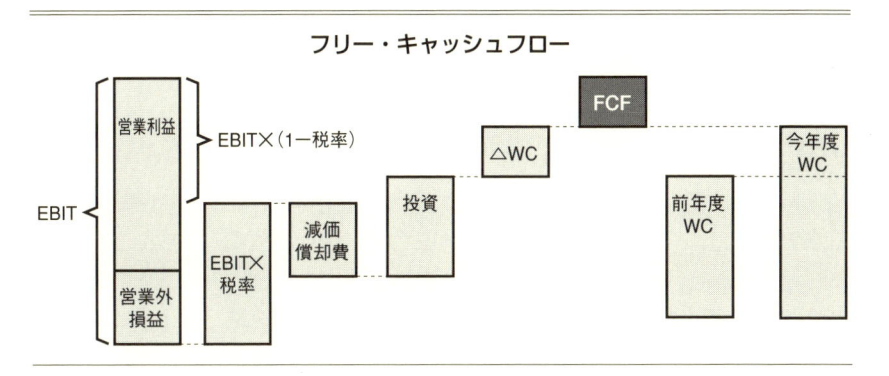

フリー・キャッシュフロー

167

5 企業価値

17 企業価値の算出

POINT

企業価値とは、理論的にはその企業が将来生み出すであろうキャッシュフローの現在価値である。企業価値の算出方法として、会計上の利益をもとに推定する方法と、企業の清算価値により推定する方法がある。

◘DCF法による企業価値

企業価値といった場合、大きく分けて、今後ともこの企業が事業活動を継続していくことを前提とする価値（継続価値＝Going-Concern Value）と、解散するとした場合の価値（清算価値＝Liquidation Value）の2つの考え方がある。一般的には、企業は永続的な存在であると考えられるため、企業価値も継続価値で考えられるべきであろう。この考え方に基づけば、図のように、企業価値とはその企業が将来生み出すであろうキャッシュフロー（一般的にはフリー・キャッシュフロー：＜16＞参照）の現在価値であると言える。現在価値を求めるときの割引率には加重平均資本コスト（WACC）が使われる。

実際の企業価値の算定は、❶予測財務諸表を作成し、そこから求められるフリー・キャッシュフローとWACCから価値を算定する期間と、❷それ以降の期間に分けて行われる。後者の期間の価値を継続価値と呼ぶ。つまり、フリー・キャッシュフローとWACCから求めた価値に継続価値を足し合わせると企業価値になる。継続価値の計算には、フリー・キャッシュフローが永久年金（あるいは割増永久年金）として半永久的に生み出されると仮定して計算する方法などがある。

何年間のフリー・キャッシュフローを計算し、何年以降を継続価値として計算するかは、長期にわたり予想財務諸表をつくるための手間や、長期の業績予測の正確さなどを勘案して、マネジメントが総合的に判断すべきである。

◘会計上の利益から算出する企業価値

財務諸表上の企業の利益をもとにして、企業の価値を推定しようという考え方は、その簡便さゆえにかなり多くの投資家に利用されている。その際、一般に企業利益として用いられるのは、「株主にとっての企業価値」という観点から、負債に伴う金利等の費用や支払税を差し引いた税引後利益を使うことが多い。

では、利益から企業価値をどのように算出するのだろうか。1つは、単純に現在

の利益の何倍かがその企業の価値であるという考え方である。その際、倍率の指標として利用されるのが、株価収益率（PER）である。

株価収益率とは、現在の株価が前期実績または今期予想の1株当たり利益の何倍になっているかを示したものである。ここで、この考え方は、企業価値は株式時価総額と一致するとの立場に立っていることに注意する必要がある。

数式で表すと次のようになる。

$PER = S / (EAT/N) = (S \times N) / EAT$

PER：株価収益率（今期予想ベース）、EAT：今期予想税引後利益、N：発行済み株式数、S：株価

上の式からわかるように、PERは企業の価値（株価で測った株主資本の時価総額）が税引後利益の何倍となっているかを表している数字でもある。

ここで、将来のPERをどのように予測するかという問題がある。成長産業においてはPERを高めに、成熟・安定産業においてはPERを低めに見積もる必要がある。一般的には、現在のその企業のPERと業種の平均をベースに、その企業固有の要素を加味して決定することになる。

◘解散するとした場合の価値（清算価値＝Liquidation Value）

これは、企業をいま解散するとして、資産を個別に洗い直して処分価値を合計したものから、負債を差し引いた金額を企業価値とする考え方だ。資産の処分価格は通常、貸借対照表上の簿価とは異なる。土地などでいわゆる「含み」がある場合は、簿価よりも高くなったり低くなったりする。負債も、簿価ではなく実際の金額を確定する必要がある（たとえば、社債を期日前償還する場合、ペナルティが課せられることが多く、その分も負債に上乗せする必要がある）。

このように、処分価格から実際の負債金額を差し引いた金額が純資産であり、その企業の清算価値となる。

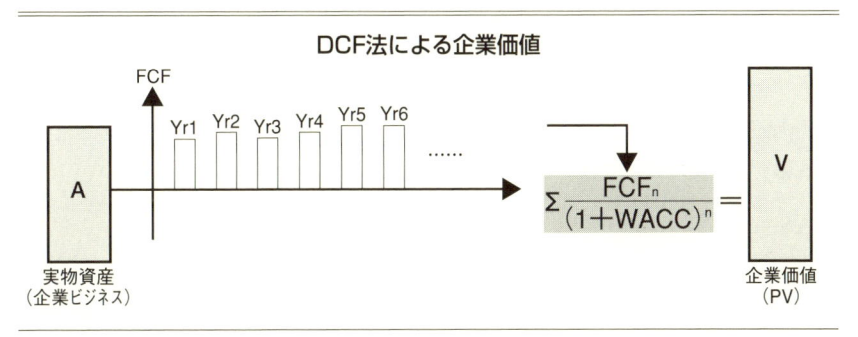

DCF法による企業価値

$$\sum \frac{FCF_n}{(1+WACC)^n} = V$$

A：実物資産（企業ビジネス）
FCF：Yr1, Yr2, Yr3, Yr4, Yr5, Yr6 ……
V：企業価値（PV）

5 企業価値

18 株式評価モデル

POINT

自社の株価がどの程度の水準にあるべきかを客観的に知っておくことにより、企業経営者は機動的な財務戦略をとることが可能になる。理論株価を算定する方法には、フリー・キャッシュフローを利用するキャッシュフロー割引モデルと、配当を利用する配当割引モデルがある。

◘理論株価と財務戦略

企業経営者にとって、自社の株価が理論的に見てどの程度の水準にあるべきかを客観的に知っておくことは重要だ。それによって、日々の短期的な株価の動きに迷わされることなく、長期的に株主資本価値を上げていくための方策が見えてくる。また、株価が理論値よりも過大に評価されている場合には、増資によって株式市場から資金を調達し、過小評価されているときには自社株を市場で買入消却するというように、機動的な財務戦略をとることも可能になる。

◘キャッシュフロー割引モデルによる理論株価

企業活動から発生すると予想される毎年のフリー・キャッシュフロー（FCF：＜16＞参照）を加重平均資本コスト（WACC）で割り引いた現在価値をすべて合計することで、企業の総資産価値（TEV：Total Enterprise Value）が得られる。TEVはキャッシュフローから割り出された企業の価値なので、そこから負債（厳密には有利子負債から現金等価物を差し引いた純有利子負債：＜16＞参照）の価値を差し引けば、株主資本の価値（株式の時価総額）が得られる。このようにして株式の価値を求める方法をキャッシュフロー割引モデル（Discounted Cash Flow Model）と言う。

以下、数式で示すために理論株価をS、発行済み株式総数をN、今期末以降1年後、2年後、…t年後、…のフリー・キャッシュフローをCF_1、CF_2、…CF_t、…、企業のWACC（将来にわたり一定と仮定）をr_A、負債の時価をDとする。企業が永遠に活動すると考えれば、以下の関係が成り立つ。

$$S = \frac{1}{N} \times \left[\frac{CF_1}{1+r_A} + \frac{CF_2}{(1+r_A)^2} + \cdots + \frac{CF_t}{(1+r_A)^t} + \cdots - D \right]$$

たとえば、ある企業の今期末のフリー・キャッシュフローが200億円で、今後永久に年率1％で増加し続けることが見込まれるとする。この企業の発行済み株式総

数は10億株、負債は1000億円、WACCは将来にわたり5％の場合、＜4＞で説明した割増永久年金の公式により、この企業の理論株価は下記のようになる。

$$S = \frac{1}{10億株} \times \left[\frac{200億円}{1+0.05} + \cdots + \frac{200億円 \times (1+0.01)}{(1+0.05)^2} + \cdots + \frac{200億円 \times (1+0.01)^{t-1}}{(1+0.05)^t} + \cdots - 1000億円 \right]$$

$$= \frac{1}{10億株} \times \left(\frac{200億円}{0.05-0.01} - 1000億円 \right) = 400円$$

同社の市場株価が400円を大きく上回る場合は、増資などして有利な資金調達が可能だが、大きく下回る場合は、自社株式の買入消却を行ったほうがよい。

◻配当割引モデルによる理論株価

理論株価のもうひとつの算定方法として、配当割引モデル（Dividend Discount Model）がある。この方法では、株主にとっての株式の価値は、将来にわたって受け取れるであろう全配当の現在価値の和に等しいと考える。具体的には、前述の計算式のフリー・キャッシュフローが配当に、WACCが株主資本コストに代わり、負債の差し引きの部分がなくなる。配当は負債提供者に対する支払いを済ませた後に株主に対して支払われる。したがって、配当割引モデルでは割引率として株主資本コストを用い、負債を差し引くことなく直接株主資本の価値を求めることができる。

このモデルの問題は、企業経営者は自由に配当を設定できる点だ。とくに日本のように、企業が安定配当を重視して配当を低めに設定したり、成長期の企業が無配当政策により新規プロジェクトへの再投資を行ったりする場合は、配当が必ずしも企業の将来の業績と連動せず、正確な企業価値が求められないことがある。そのため、企業の成長に最低限必要な留保額を除いた税引後利益はすべて「理論上」配当可能という仮定を置き、その「理論配当額」を割り引くなどの工夫が必要になる。

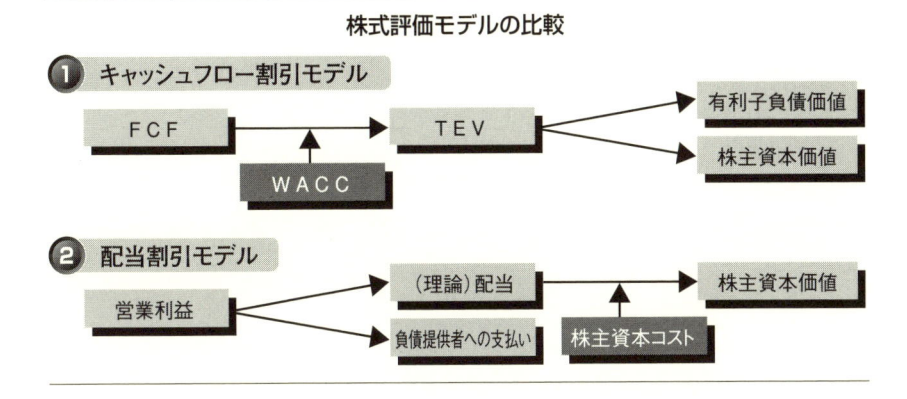

株式評価モデルの比較

① キャッシュフロー割引モデル

FCF → TEV → 有利子負債価値 / 株主資本価値
（WACC）

② 配当割引モデル

営業利益 → （理論）配当 → 株主資本価値
営業利益 → 負債提供者への支払い
（株主資本コスト）

6 今後の企業財務

19 EVA®

> **POINT**
> EVAは、単年度の税引後営業利益から、過去の投下総資本に加重平均資本コスト（WACC）を掛けた「資本コストの実額」を差し引いたキャッシュフローベースの指標で、単年度業績評価などに利用される。EVAを経営指標として取り入れ、企業価値の増大に成功している企業もある。

◖EVAとは

　最近、日本で注目されている経営指標にEVA®（経済付加価値、以下®省略）という概念がある。EVAはアメリカのコンサルティング会社のスターン・スチュワート社の登録商標で、Economic Value Addedの頭文字を取ったものだ。アメリカでは実際に、コカ・コーラがEVAの利用により企業価値の増加に成功していることが知られている。日本でも、花王、旭化成、キリンビールといった一流企業が導入し、雑誌などで大きく取り上げられた。

　日本企業がこうした経営指標を重視するようになった背景には、近年の株主価値重視、キャッシュフロー重視の流れがある。EVAでは、当期利益ではなく企業の純粋な営業活動による利益から、調達資金にかかるすべての資本コストを差し引いたものを企業の真の利益（付加価値）として認識する。資本コスト支払い後の企業の付加価値を増大させ、ひいては株主価値を増加させようという考え方である。

◖EVAの計算方法

　ある年度のEVAは以下のような計算式で求められる。

$$EVA_n = NOPAT_n - WACC \times Capital_{n-1}$$

　　EVA_n：n年度のEVA
　　$NOPAT_n$：n年度の税引後営業利益（Net Operating Profit After Tax）
　　＝$EBIT$（支払金利前税引前利益）×（1－法人税率）
　　$Capital_{n-1}$：n年度期初（n－1年度末）の投下総資本（過去の投資から減価償却費を控除し、ワーキング・キャピタルなどの累積増加分を加算したもの）

　この計算式を見ると、EVAの概念はフリー・キャッシュフロー（＜16＞参照）にきわめて近いことがわかる。フリー・キャッシュフロー(FCF)は、

$$FCF = \underline{EBIT \times (1-法人税率)} + 減価償却費 - 投資 - \triangle WC$$

という式で求められたが、下線部分はNOPATとまったく同じものだ。両者の違いは、EVAが過去の投下総資本にWACCを掛けたもの、すなわち「総資本に対して当該期間に稼ぎ出すべき資本コストの率ではなく実額」を差し引くのに対し、FCFはその年度の投下資本を全額控除する点である。ここでは説明を省くが、今後発生すると予測されるEVAの現在価値の総和は、正味現在価値（NPV）と等しくなる。

◆EVAとフリー・キャッシュフロー

スターン・スチュワート社は、単年度のFCFを経営目標にした場合、投資の多い年度のFCFはマイナスになる可能性があるため、現場のマネジャーに大きな投資を先送りする動機を与えかねないと指摘する。EVAでは、その年に増加した資本分に見合う資本コストの実額さえ稼いでいれば、大きな投資をした年度でもEVAがマイナスになることはまずないので、投資先送りの危険性は少ないというのだ。

たしかにFCFを単年度で利用する場合、投資を別枠で考えなければ指摘しているような不都合が起こる。たとえば、部門別の業績にまでFCFを落とし込んだ場合、過去莫大な投資をしてその遺産で多額の利益を上げている部門と、少ない投資でそこそこ利益を上げている部門とでは、前者のほうが優れているという結論になりかねない。

しかし、FCFはもともと企業や投資プロジェクトの価値を求めるための概念であり、単年度の企業や部門業績の評価に使うものではない。一方、EVAは単年度業績評価などに利用するためにアレンジされたキャッシュフローベースの指標である。こうした違いをよく理解し、有効な場面を考えながら利用するとよい。

EVA®とFCF

[図: EVAの場合 — 0年度は投資時に何も発生しない。1年度: 減価償却費10、資本費用 100×6%=6、NOPAT 14、EVA。2年度: 減価償却費10、(100−10)×6%=5.4 資本費用、NOPAT 14.6。投下資本が減価償却により減少しているため、資本費用は減少。投資金額100、定額法で10年間償却、NOPATは毎年20で一定、資本コスト6%。

FCFの場合 — 0年度: 投資時に投資金額を支出として認識 −100。1年度: 減価償却費10、実際の現金収入20。2年度: 減価償却費10、実際の現金収入20。]

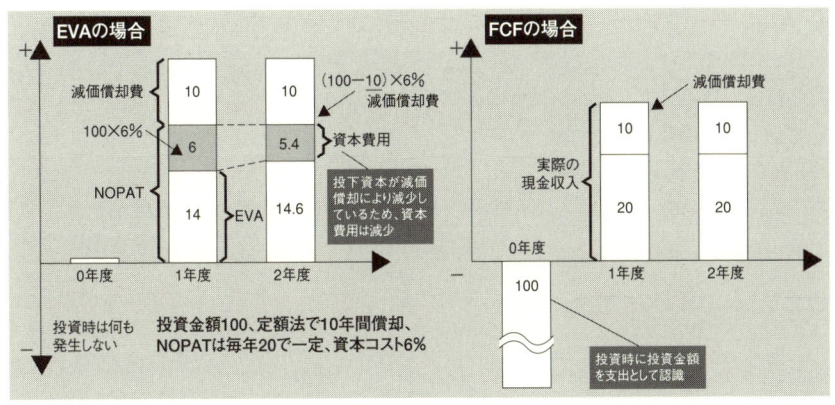

6 今後の企業財務

20 オプション理論の基礎

> **POINT**
> オプションとは、ある資産（株式や債券など）を将来の定められた時点に一定の価格で売買できる権利（義務ではない）で、保険のようなものだ。オプションの売り手が受け取るプレミアムの計算方法として、ブラック＝ショールズのオプション価格式が有名である。

◆オプションとは

　オプションとは、ある資産（株式や債券など）を将来の定められた時点（「行使期限」と言う）に一定の価格（「行使価格」と言う）で売ったり買ったりできる権利のことだ。ここで重要なのは、オプション保有者にはそれを行使する権利はあるが、義務はない点だ。たとえば、1年後にある株式を1000円で購入できるオプションを持っている人は、1年後の時点でオプションを行使する（株式を1000円で買う）ことも、放棄する（株式を買わない）ことも可能だ。

　オプションは資産価格に対する保険のようなもので、オプションの保有者（「買い手」）はオプションが行使できればリスクなしで必ず利益を上げられる。当然ながら、オプションの相手側（「売り手」）は何らかの対価（保険料のようなもの）なしには取引に応じるはずがない。そのため、契約成立時に、オプションの買い手は「プレミアム」と呼ばれる対価を売り手に支払う。

　オプションには大きく分けて、コール・オプションとプット・オプションの2種類がある（下表を参照）。さらに、オプションにはその権利を行使できるタイミングをあらかじめ定めた期限1回のみの「ヨーロピアン型」と、期限以前であればいつでも行使できる「アメリカン型」の2タイプがある。

オプションの種類と取引内容

オプションの種類／売買	買い手	売り手
コール・オプション	資産を買う権利を持つ	資産を売る義務を負う
プット・オプション	資産を売る権利を持つ	資産を買う義務を負う

◆オプションのペイオフ

　オプションからの利得（ペイオフ）は、オプション行使時のオプション対象資産の価格によって決まる。一般にコール・オプションの場合、資産価格が行使価格よ

りも上昇していれば、時価よりも安く買えるので、オプションを行使して利得を確保するが、行使価格以下であればオプションを行使しない。プット・オプションの場合は、資産価格が行使価格よりも下落していれば、時価よりも高く売れるのでオプションを行使して利得を確保するが、行使価格以上であれば放棄する。図はこの関係をグラフ（オプションのペイオフ・ダイアグラム）に表したものだ。横軸にオプション対象資産の価格（S）、縦軸にオプションからの利得（ペイオフ：C, P）をとり、行使価格はEで示される。

◆オプションの価格

オプションのプレミアムはどのように決まるのだろうか。簡単に説明すると、将来オプションが行使される確率を計算し、買い手が儲かる（売り手が損する）金額を掛けて足し合わせたもの（数学で言う「期待値」）を、契約当初に買い手が売り手に支払えば、両者とも損得なしで契約を結べる。たとえば、プレミアムが安すぎて売り手が不利な場合でも、売り手が減り、買い手ばかりになれば、需要と供給の関係でプレミアムが上昇して調整される。

一定の前提の下でオプションのプレミアムを数式化したのが、ブラック＝ショールズのオプション価格式だ。この式に、❶現在の対象資産価格、❷行使価格、❸満期までの時間、❹金利、❺対象資産の変動率（ボラティリティ）というデータを入力すれば、表計算ソフトを使ってだれでもオプション価格を求めることができる。

オプションのペイオフ・ダイアグラム

コール・オプションのペイオフ・ダイアグラム

$C=S-E$
$C=0$

プット・オプションのペイオフ・ダイアグラム

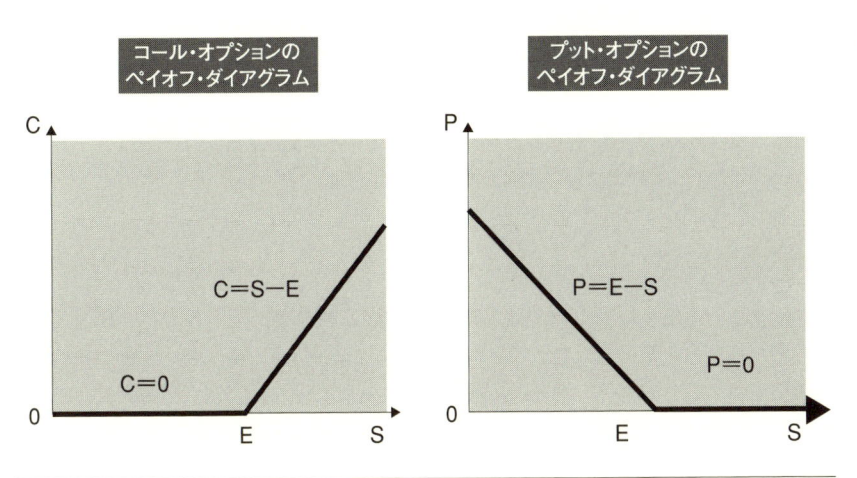

$P=E-S$
$P=0$

6 今後の企業財務（増補）

21 企業買収防衛策

> **POINT**
> 近年、わが国においても敵対的な買収が増えており、経営陣がそれに対抗すべく防衛策を打ち出すケースが増加している。企業価値を損なうおそれがある買収に対して適切な対抗策をとるのは妥当だが、経営陣の単なる保身から違法と見なされかねない防衛策をとることは、株主にとっても従業員にとっても望ましいことではない。

◘企業買収防衛策の種類

かつて日本では株式の持ち合いが多く、アメリカほどには防衛策が研究・普及していなかった。しかし近年、株式の持ち合い解消が進み、いわゆる安定株主の比率は大きく下がった。また、経済合理的な行動をとる機関投資家の持株比率が増えたこともあって、わが国でも企業買収防衛策に通じておくことが重要になっている。

代表的な対抗策としては、ポイズン・ピル、クラウン・ジュウェル、ゴールデン・パラシュート、ホワイト・ナイト、マネジメント・バイ・アウトなどがある。

なお、闇雲な買収防衛策の利用は、株主の利益を損なうとの批判も根強い。経済産業省および法務省はこうした声も受けて、❶企業価値ひいては株主共同の利益を確保し、または向上させる目的をもってなされること（企業価値・株主共同の利益の確保・向上の原則）、❷事前に株主、投資家などに導入の目的、内容などを具体的に開示すること（事前開示の原則）、❸株主総会決議に基づいて導入するか、株主の相対的意思によって廃止できる手段を与えるなど、株主の合理的な意思に依拠すること（株主意思の原則）、❹株主平等原則、財産権の保護、経営者の保身のための濫用防止などに配慮した必要かつ相当な方法によること（必要性・相当性確保の原則）といった原則を提示している。

◘ポイズン・ピル

直訳すると「毒薬」。既存の株主に対して新株予約権を発行し、敵対的買収者が一定の議決権割合を取得した時点で、市場価格より安い価格で株式を引き受けられるようにする。これにより、敵対的買収者が株式を買い増したとき、買収者の議決権割合を下げることができる。また、株式の価値を下げ、買収費用を上げることで、買収意欲をそぐ効果が期待できる。

◘クラウン・ジュエル

直訳すると「王冠の宝石」。敵対的買収者が最も欲しがっている資産や事業を売却することで、買収意欲をそぐ手法。戦争になぞらえて焦土戦略と呼ぶ場合もある。

敵対的買収者の買収意欲をそぐという目的においてはたいへん有効であるが、企業価値を損ねてまで保身を図っていると見えてしまうため、株主や従業員の理解を得るのはきわめて難しい。

◘ゴールデン・パラシュート

敵対的買収者により解任・退任されるなど一定の条件を満たした場合、巨額の退職金が取締役に支払われるという委任契約を被買収企業の取締役があらかじめ締結しておくもの。

敵対的買収を行うと巨額の損失が発生するようにしておくことで、敵対的買収者の買収意欲をそぐことを意図している。

なお、買収を速やかに行うために買収する側が、被買収企業の経営陣に多額の退職金の支払いを約束するケースも、ゴールデン・パラシュートと呼ぶことがある。

◘ホワイト・ナイト

直訳すると「白馬の騎士」。被買収企業の経営陣と合意のうえで、友好的に買収または合併を行う会社。被買収企業が友好的な買収者を自ら選択することで、敵対的買収者からの買収を避けることを狙っている。

◘マネジメント・バイ・アウト

経営陣が自社の株式を取得して、非公開企業としてしまうこと。非公開企業にすることで自由な株式の取得ができなくなるため、ある意味で究極の株主選別方法である。

代表的な企業買収防衛策

【1】魅力をそぐ	【2】自由度を制約する	【3】その他
ゴールデン・パラシュート	絶対的多数条項	事前警告
ティン・パラシュート	スタッカード・ボード	マネジメント・バイ・アウト
第三者割当増資	黄金株	ホワイト・ナイト
ポイズン・ピル		パックマン・ディフェンス
クラウン・ジュエル		ジューイッシュ・デンティスト

ファイナンス

●……… 6　今後の企業財務（増補）

22　投資ファンド

> **POINT**
>
> 近年、「モノ言う株主」として、企業活動や経済に大きな影響を与えているのが投資ファンドだ。方法論はさまざまだが、共通しているのは経営への積極的な介入による高いリターンの追求である。
> すでに全世界の投資ファンドの総規模は1兆ドルに達しているとも言われている。この投資ファンドの影響もあって、経営者は常に企業価値の最大化を迫られるようになっている。

◖投資ファンドとは

　投資ファンドは、広く資金を集めて企業（あるいはプロジェクトなど）へ投資し、企業再生や育成、分割などを行って企業価値を向上させたうえで、売却益による利益獲得を狙う。あるいは、投資の当てがないにもかかわらず必要以上の現金を保有している企業に増配を迫り、配当を引き出す。

　企業価値を向上させる方法論や投資先のタイプ、投資回収の方法などによって、再生ファンド、ハゲタカファンド、ベンチャー・キャピタル、不動産ファンドなどがある。投資ファンドは、バイアウトファンドあるいはプライベート・エクイティ・ファンドと呼ばれることもある。プライベート・エクイティ・ファンドと呼ばれる場合は、未公開企業を対象に投資を行う場合が多い。

　投資ファンドの業務としては、投資先の発掘と投資、投資先の価値を向上させる活動（経営や経営アドバイス、経営陣との交渉など）、資金回収（株式公開や事業売却など）がある。また、並行して資金調達活動（投資家への営業活動など）と投資家へのリターン還元などがある。

　最近では、政府系ファンドと呼ばれる、国家が深く関わっている投資ファンドも増えている。政府系ファンドは通常の投資ファンドよりは長期的、安定的なリターンを求めていると言われているが、「モノ言う株主」であることは同じである。

◖再生ファンド

　経営状況が悪化した企業の株式を買収（通常、きわめて安い価格で買収できる）し、資金や経営陣を投入することで会社の再建を図り、株式公開や事業売却の形で資金回収を図るファンド。再建に失敗すれば大きな損害を被るが、成功した場合には非

常に高いリターンを享受できる。とくに、ブランドや経営資源があるにもかかわらず、経営陣の放漫経営などで経営が悪化した場合には、経営のテコ入れさえすれば強みを生かせる可能性が高いため、再生の可能性は高い。

再生、再建の具体的な手法は、徹底したコストカット、製品ラインの絞り込み、従業員のリストラ、そして新商品の開発や販路の拡大などである。一般に、コスト削減は比較的容易であるが、それと並行して売上げ拡大を図ることは難しく、ファンドから送り込まれた経営陣の腕の見せ所となる。再生案件では、B/S（貸借対照表）の圧縮だけではなく、P/L（損益計算書）の改善が大きな命題となる。

投資ファンドから派遣される経営陣には、コンサルティング会社出身者など「経営のプロ」が多い。再生成功へのモチベーションを高めるため、ストック・オプションなどの成功報酬型の報奨プランが用意されていることが多い。

アメリカでは、日本長期信用銀行を買収したリップルウッド・ホールディングスや、カーライル・グループなどが投資ファンドとして有名である。日本では再生ファンドはアメリカに比べると少ないが、ユニゾン・キャピタルやアドバンテッジ・パートナーズなどが独立系のファンドとして有名である。

◘ハゲタカファンド

ハゲタカファンドは、主に資産や事業の切り売りをすることで資金回収を図る。いわば清算型の投資回収である。P/L改善の優先順位は低く、資産価値の評価と、資産の付加価値向上（近隣の土地をまとめて購入することで活用しやすくする、あるいは複雑な権利関係を調整するなど）が主眼となる。

なお、ハゲタカファンドと再生ファンドは明確に色分けできるものではなく、1つの投資ファンドの中で両方の手法を使い分けることも多い。

再生ファンドの投資プロセス例

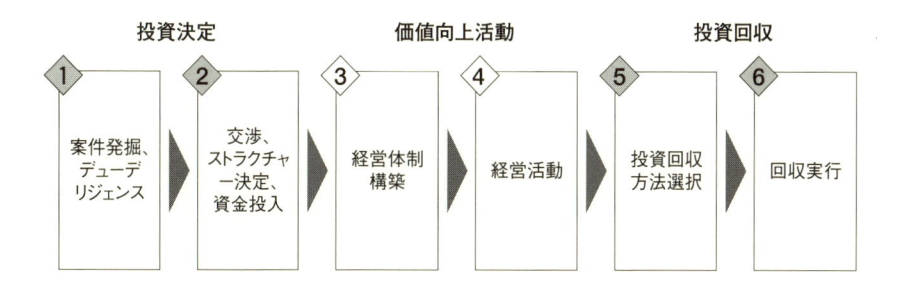

投資決定		価値向上活動		投資回収	
1	2	3	4	5	6
案件発掘、デューデリジェンス	交渉、ストラクチャー決定、資金投入	経営体制構築	経営活動	投資回収方法選択	回収実行

ファイナンス

第5部
人・組織

1 企業経営と人・組織のマネジメント

POINT
人・組織のマネジメントは、戦略目標の達成という企業の目的と、生活維持や自己実現などの個人の目的とをうまく適合させ、競争優位の源泉を築くことを目指している。人・組織のマネジメントを理解し身につけるには、人の特徴や行動のメカニズムについて把握する必要がある。

◖企業経営における人・組織のマネジメントの役割

　企業の代表的な経営資源は「ヒト」「モノ」「カネ」である。かつては企業経営を考えるときに、「モノ」と「カネ」に重きが置かれることが多かった。しかし最近では、「これからは組織や人がより重要だ」「人のマネジメントが今後の企業経営の鍵だ」という声がよく聞かれる。その背景には、次の2つの理由が考えられる。

　第1に、企業が環境変化に対応するには、個々の「ヒト」の能力が必要であるからだ。これまでは経営陣など一部の個人が過去の経験を生かして意思決定をしてきたが、現在、企業が直面している環境変化は不確実でかつスピードが速い。そうした状況に柔軟に対応するには、より多くの個人が戦略目標を理解し、迅速かつ的確に意思決定できるような「ヒト」のマネジメントが不可欠である。

　第2に、企業の競争優位の源泉が、設備や資金などから、知識や知恵へとシフトしつつあるからだ。つまり、知識や知恵を生み出す「ヒト」をいかにうまくマネジメントするかが、競争優位を築き、維持するうえで重要になっている。

　人・組織のマネジメントは「合理的にとらえられないもの」と思われがちだが、実際には論理立てて考えられる部分も多い。人・組織のマネジメントを苦手とする企業やマネジャーが多いだけに、適切なマネジメントの方法や考え方を身につけられれば、企業の競争力を高めることにもつながる。本章では、人や組織に関する理解を深め、どのようにマネジメントを行えばよいのかを考えていく。

◖経営資源としての人の特徴

　人・組織のマネジメントを習得するには、まずその対象となる「人」の特徴や行動について理解する必要がある。具体的には以下のポイントを認識しておこう。
- 人には意思や感情、欲求がある
- 人の能力は向上し、時には低下する。また能力の種類も変化する

- 意思、感情、欲求、能力などは、「変えよう」と決めてすぐに変えられるものではない。無理に変えようとすると、抵抗が生じることも多い
- 意思、感情、欲求、能力などのあり方や変化の程度には個人差がある。同一人物でも注目するタイミングによって、感じ方や欲求の程度が異なる場合がある
- 意思、感情、欲求、能力などの組み合わせに基づく何らかのメカニズムによって、人の行動はある程度決まる

◘人の行動メカニズム

　企業は通常、人・組織のマネジメントの具体的な施策（報奨や評価制度など）を用いて、従業員やその集合である組織に影響を与え、企業の戦略目標の実現につながる行動を促そうとする。このとき、従業員に期待どおりに動いてもらうためには、人の行動のメカニズム（法則性）を理解しておくことが重要だ。たとえば、人の行動メカニズムの1つに「ほめられることによって物事に積極的に取り組む」というものがある。営業担当者の評価指標として売上目標を掲げた場合、売上げを増やせば高く評価されるので、営業担当者は売上拡大に一生懸命取り組むようになるだろう。しかし、人の行動メカニズムを理解しないまま施策を打つと、弊害が生じることもある。この例では、評価指標として売上目標のみを示したとすると、営業担当者は売上至上主義に陥り、利益を度外視した行動をとるおそれがある。

　人の行動メカニズムを理解することにより、企業は起こりうる事態を予測し、目標を達成するために必要な施策を準備することが可能になる。しかし、一定の行動メカニズムがあるとはいえ、個人の考え方や価値観は多様性に富む。したがって、多面的な視点からさまざまな可能性を予測するよう心がけることも大切だ。

企業経営と人・組織のマネジメント

●……1 企業経営と人・組織のマネジメント

2 人・組織のマネジメントに影響を及ぼす要因

> **POINT**
>
> 人・組織のマネジメントは、経営理念やビジョン、経営戦略との整合性を図ることが重要だ。また、労働市場、法的規制、労働組合、経済状況、技術的進歩、競合他社などの外部環境からの影響に留意しながら、柔軟に対応することが求められる。

◘経営理念、ビジョン、経営戦略と人・組織のマネジメント

「自分は何のために働くのか」と問いかけたことがあるだろうか。生活に困窮していた時代には生活の糧を得るために働く人が大半だった。だが、現在のように生活がある程度豊かになってくると、多くの人が仕事に「働きがい」を求め始める。

自分の価値観や目的が所属している組織の価値観やビジョン、目的に合致したり、共感できる部分が大きい場合などに、人は働きがいを感じる。したがって、「ヒト」を惹きつけ、その能力を発揮させるためには、企業は経営理念やビジョンを明示する必要がある。

さらに、組織として経営理念やビジョンを尊重し、従業員にもそれらに沿った行動を求めていることを、具体的な施策を通して伝えなくてはならない。それには、経営理念やビジョンを実現するための経営戦略と、それを支援する人・組織のマネジメントが必要となる。このとき、経営理念、ビジョン、経営戦略、人・組織のマネジメントのすべてにおいて整合性をとることが重要だ。これらの間で整合性がとれていなければ、経営理念に共感を覚えて入社した従業員のモチベーション（<7>参照）が下がったり、戦略目標の実現を妨げるような行動をとるなどの副作用が生じるおそれがある。

◘外部環境要因

人・組織のマネジメントを考える際には、まず外部環境を把握する必要がある。外部環境を理解することは経営戦略との整合性を図る意味でも重要だ。外部環境の中でも、労働市場、法的規制、労働組合、経済状況、技術的進歩、競合他社は人・組織のマネジメントにとくに大きな影響を与える可能性がある。

■労働市場

労働市場を通して、企業は必要な人材を確保する。労働市場の構成が変化すれば、

当然ながら、企業の人員構成や雇用形態も影響を受ける。近年では、労働市場に占める女性や高齢者、外国人の割合が増え、パートタイムや派遣社員などの就業形態を望む人も増えている。企業は必要に応じて、在宅勤務やワークシェアリングなどを柔軟に取り入れ、潜在的労働力を活用する方法を考える必要がある。

■法的規制

法的規制とは、法律や条令、裁判所が下した判例のことだ。これらに従って、人と組織のマネジメントを行わなければならない。

■労働組合

労働組合とは、従業員の代表として労働条件をはじめとする従業員の経済的地位を向上させることを目的に結成された組織である。企業が従業員の賃金レベルや就業条件など、人・組織のマネジメントの具体的施策を決定するには、従業員の同意を得る必要がある。そのために従業員の代表である労働組合と交渉を行う。

■経済状況

景気動向や金利・為替の変動などの経済状況も、人・組織のマネジメントに影響を及ぼす。たとえば、景気低迷の影響で企業の業績が落ちれば、これまでの給与水準を維持できなくなったり、従業員の雇用確保が難しくなったりする。

■技術的進歩

技術的進歩、とりわけIT（情報技術）の進歩は、職場環境や組織構造などに大いに影響を与える。情報通信機器を使って自宅や小規模事業所で仕事をするSOHO（Small Office, Home Office）の普及などはその端的な例だ。

■競合他社

競争力を維持するためには、競合他社の従業員と同等もしくはそれ以上の能力・資質を持った従業員を獲得し、育てるような施策を用意する必要がある。

人・組織のマネジメントに影響を及ぼす要因

【企業組織】
経営理念　ビジョン
　↓
経営戦略
　↓
人・組織のマネジメント

【外部環境】
労働市場
労働組合
法的規制
経済状況
技術的進歩
競合他社

注）企業内に置かれている労働組合は従業員がつくったもので「社内組織」とは見なさない

●……1 企業経営と人・組織のマネジメント

3 組織行動学と人的資源管理

POINT

人・組織のマネジメントには、部下の管理やリーダーシップなどを扱う組織行動学（OB）と、人員配置や評価制度などを扱う人的資源管理（HRM）という2つの領域がある。いずれも「人の行動メカニズム」に基づいている。両者の具体的な施策間で整合性を図ることが重要だ。

◖組織行動学と人的資源管理

人・組織のマネジメントは、「組織行動学」（OB：Organizational Behavior）と「人的資源管理」（HRM：Human Resource Management）に分けて考えることができる。本書では、OBを「人や組織に影響を与える"個人の取り組み"」、HRMを「人や組織を動かしていくための"企業の仕組み"」ととらえることにする。

OBとHRMは、社会学や心理学などから導き出された「人の行動メカニズム」（組織において人はどのように行動するかという基本原理）に基づいている。両者の違いは、人や組織に働きかける際に用いる方法にある。人の行動メカニズムを考慮しながら、OBではマネジャーなどの「個人の取り組み」によって、HRMでは評価制度などの「仕組み」をつくることによって、組織や人に働きかける。

企業はOBの考え方とHRMの考え方とを組み合わせて人・組織のマネジメントを行うが、そのときに重要なのは、OBの個別の行動とHRMの具体的な仕組みとの間で整合性がとれていることだ。これらの間で矛盾があると、従業員は戦略目標を見失ってしまい、戦略が実現されないこともある。

これまで、人・組織のマネジメント（とくにHRM）は人事部門の専管事項と見なされることが多かった。しかし、企業の競争優位の源泉となる「ヒト」と、ヒトの持つ「知識」や「知恵」の重要性が増している今日、人事以外の機能を担う部門のマネジャーもOBとHRMを理解する必要がある。

◖組織行動学の視点

OBでは次の2つの側面について考える必要がある。

❶**個人、集団、組織**：人の行動は、「個人」か、「集団」（目的を持った個人の集合）か、「組織」（目的を持った集団の集合）かによって異なってくる。たとえば、意思決定をする場合、要する時間やコンフリクトの多寡などに違いが生じる。そのため、

それぞれの特徴を理解しておくことが、マネジメントを行ううえでは重要になる。

❷**認識、行動**：人や組織に働きかけるときには、まずその場の状況を認識し、それから自分がとるべき行動と、それが他者や組織に与える影響について十分に考慮したうえで行動を起こす必要がある。「行動」の前には必ず「認識」というステップを踏むことが重要だ。

◘人的資源管理の視点

HRMは次の4つの要素から構成される。これらは、HRMの施策を立案・評価する際の考え方の枠組みとなる。

❶**HR（Human Resource）ポリシー**：企業の経営理念をもとに戦略を遂行し、ビジョンを実現していくために、組織と人がどうあるべきかを示すもの。したがって、HRポリシーは企業の経営理念、ビジョン、戦略と密接に関係したものになる。

❷**組織構造**：HRポリシーに基づいて、個々の構成員をどのように組み合わせて戦略を遂行させるかを決めたもの。

❸**HRシステム**：HRポリシーに基づいて、個々の構成員をどのように活用・管理していくかを決めたもの。HRシステムはさらに「人員配置」「報奨」「評価」「能力開発」に分けられる。

❹**組織文化**：組織構成員が共有する信念、価値観、行動規範の集合体のこと。組織文化は厳密には「仕組み」とは言えないが、人や組織の行動に影響を与える重要な要素の1つとして考慮する必要がある。企業は経営理念やビジョン、HRMの施策などを通して、組織文化に間接的な影響を与えることができる。

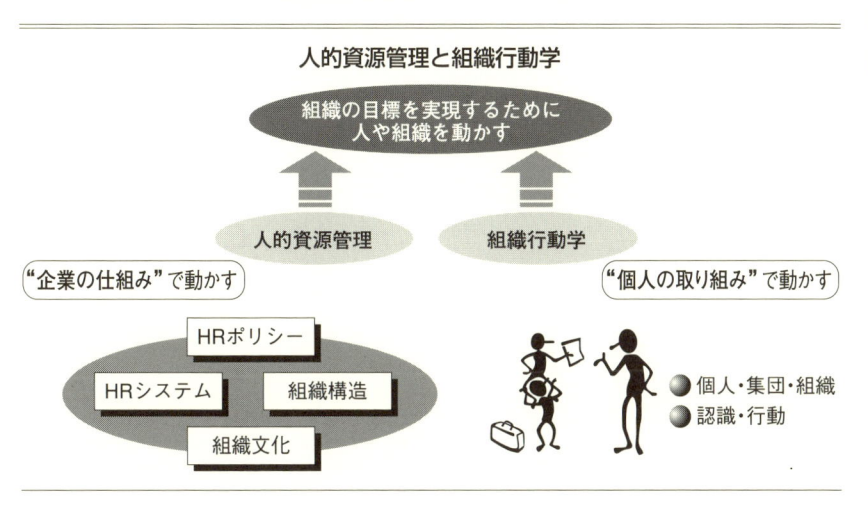

人的資源管理と組織行動学

組織の目標を実現するために人や組織を動かす

人的資源管理　　　組織行動学

"企業の仕組み"で動かす　　　"個人の取り組み"で動かす

- HRポリシー
- HRシステム
- 組織構造
- 組織文化

● 個人・集団・組織
● 認識・行動

人・組織

○……… 2 リーダーシップ

4 リーダーシップとマネジメント

> **POINT**
> リーダーシップとマネジメントは異なる機能を果たすもので、相互に補完しあう関係にある。激しい変化や複雑な環境に迅速に対応することが求められる状況においては、経営陣だけではなく、従業員一人ひとりが両方の能力を併せ持っていることが求められる。

◖リーダーシップとマネジメント

「今日、必要なのは強力なリーダーシップだ」「マネジメント能力が足りない」などの議論は、ビジネスのみならず政治やスポーツの世界でもよく耳にする。その一方で、リーダーシップやマネジメントの定義についての共通の理解（定説）はない。学問の世界でも、有能なリーダーがどのような特性を備えているかを見出そうとする「特性理論」、優れたリーダーがどのような行動をとっているかを明らかにしようとする「行動理論」、リーダーの個人的特性や行動だけではなく、同時に集団の特性や集団が直面している状況にも注目した「条件適合（コンティンジェンシー）理論」など、さまざまな理論がある。

　本書では、マネジメントとリーダーシップを異なる機能としてとらえるハーバード・ビジネススクールのJ.コッター教授の理論を紹介する。コッターは、経営陣やマネジャーに求められる機能を「変革を推し進める機能」と「効率的に組織を運営する機能」の2つに分け、前者をリーダーシップ、後者をマネジメントと定義した。それぞれの機能を果たすには3段階のステップを経る。
❶目的・目標を決める。
❷目的を達成するための人的ネットワーク（組織）を築く。
❸❷で築いた組織が目的を達成できるように手を打つ。
　リーダーシップとマネジメントでは、各ステップにおける具体的な方法が異なる。
■**リーダーシップ（変革を推し進める機能）**：①（長期的な）ビジョンを提示する、②ビジョンを伝達することにより、メンバーを統合する、③メンバーの動機づけを行う。
■**マネジメント（効率的に組織を運営する機能）**：①（短期的な）計画や予算を立案する、②組織構造の設計、人員の配置、詳細計画のコミュニケーションなどを行う、③予算や実績管理などを行い、問題解決を図る。

◆リーダーシップとマネジメントの必要性

　グローバル化の進展やITの飛躍的な進歩などに伴い、企業を取り巻く環境は予測しにくく、複雑になっている。その中で、変化に対応するにはリーダーシップが、複雑な環境に対応するにはマネジメントの能力が不可欠である。
　経営者やマネジャーは当然、両方の能力を兼ね備えていることが求められる。しかし現在は、一部の経営陣だけではなく、個々の従業員も両方の能力を身につける必要がある。なぜなら、自分たちの目の前で起こっている変化や複雑な状況にその場で対処することが、競争上不可欠であるからだ。

◆リーダーシップとマネジメントの習得

　リーダーシップとマネジメントはまったく異なる側面を持つため、同時に身につけることは難しく感じられる。しかし、これらの能力はいずれも習得可能だ。
　リーダーシップやマネジメントの能力の土台となるのが、基礎的なビジネス能力だ。具体的には、経営戦略やファイナンスをはじめとするビジネス・フレームワークの理解、仮説構築能力、論理的思考力、コミュニケーション能力などである。さらに、1人のビジネスパーソンとしての高い基準、自律の精神、1人称で語れるオーナーシップ・マインド（当事者意識）、前向きな姿勢、相手を理解しようとする懐の深さなども求められる。
　こうした基礎的な能力を身につけたら、次は実践である。試行錯誤を繰り返しながら前述した3ステップを実践していくことにより、リーダーシップとマネジメントの能力を自分のものにすることができる。場数を踏むだけでなく、より大きな場で経験を積むことも重要だ。したがって企業には、従業員にさまざまな実践の場を提供していくことが期待される。

人・組織

経営管理者に要求される能力

企業変革の必要性	企業運営の複雑性（低 → 高）	
高	高度のリーダーシップが必要であるが、マネジメント機能へのニーズは少ない 「企業の創業期」	リーダーシップ、マネジメントの両機能が大いに要求されている 「現在の大部分の大企業」
低	リーダーシップ、マネジメント機能ともそれほど必要としない 「19世紀における大部分の企業組織」	高度のマネジメント機能が必要であるが、リーダーシップ機能へのニーズは少ない 「高度成長期の大企業」

出典：J.コッター『変革するリーダーシップ』（ダイヤモンド社、1991年）に加筆修正

2 リーダーシップ

5 エンパワーメント

> **POINT**
> エンパワーメントは組織構成員の自律的な行動を促すために用いられるリーダーシップの技法の1つである。エンパワーメントを有効に活用するには、構成員の自律性を促すと同時に、その行動を制御することも必要だ。

◘エンパワーメントとは

エンパワーメント（Empowerment）の文字どおりの意味は「力を与えること」である。通常は「権限委譲」と訳されるが、ビジネスで用いるときは「与えられた（業務）目標を達成するために、組織の構成員に自律的に行動する"力"を与えること」と定義できる。ビジネスにおけるエンパワーメントの特徴は、「自律性」を促し、「支援」することにある。「自律性」を促すとは、業務の遂行にあたって、経営者やマネジャーが業務目標を明確に示す一方、その遂行方法については従業員の自主的な判断に任せることを言う。業務の遂行を「支援」するやり方も、具体的な指示や解決策を従業員に与えるのではなく、従業員自身が問題点を発見したり、不足する能力を開発できるように環境を整えるといった形をとる。

変化が不確実でそのスピードも速い近年、「組織構成員の自律的な行動」の重要性が高まっている。これまでにも「好きなようにやってみろ」と部下に任せ、自律的な行動を促すことができる上司は数多く存在した。しかし、通常そうした上司の取り組みは個人的な行動パターンとしてとらえられ、「経営の技術」として意識的に習得するものという認識はなかった。今後は、経営者やマネジャーはリーダーシップを発揮するために必要な「技術」として、エンパワーメントを習得する必要がある。

◘エンパワーメントの成功要件

構成員の自律的な行動は必要だが、それが行き過ぎてしまうと、構成員の動きに統一性や一貫性がなくなり、組織が目指している目標を実現できなくなる。そのため、構成員の自律性を促すだけではなく、その行動をある程度制御しなくてはならない。また、部下の能力を見極め、適切な業務を設定することも大切だ。たとえば、部下の能力をはるかに超える業務を任せた場合、上司や周囲がいくら支援しても、部下は十分な力を発揮できず、期待どおりの結果は得られないだろう。

このように考えると、エンパワーメントの「技術」はそれほど簡単ではないこと

がわかる。これらの微妙なバランスをとっていくには、以下の3点に注意したい。

1 経営理念、ビジョンの共有：「組織は何のために存在するのか」という組織の存在意義や使命と、ある時点までに「こうなっていたい」と思う組織の到達目標を通して、「必ずすべきこと」や「すべきではないこと」などの行動規範を共有する。構成員間に行動規範を浸透させるためには、経営者やマネジャーが経営理念とビジョン、行動規範をわかりやすい言葉で、熱意を込めて、継続的に伝える必要がある。

2 正当な評価と報奨：構成員の意欲を高め、自律的かつ適度に制御された行動を促すために、OBの取り組みとHRMの仕組みを用意する。

OBの取り組みとしては、行動規範にかなった行動はほめ、反する行動に対して改善を求めることなどが挙げられる。これら評価と報奨が対象とする行動と、経営理念やビジョンが求める行動規範が乖離している場合、構成員は困惑し、エンパワーメントを行っても組織目標の実現に結びつかない。HRMの仕組みとしては、組織目標を達成するうえで求められること（たとえば、不良品率の低さや顧客満足度の高さなど）に対する評価を重視し、報奨とリンクさせることなどが挙げられる。

3 能力の把握と資源の提供：エンパワーメントを行う際には、業務を任せる相手の能力を見極めることが重要である。

能力を認識する際には、ビジネスリーダーの能力要件（<18>参照）などを参考に、個々の能力要件について具体的に見ていく必要がある。構成員の能力を把握したうえで、自律的に動くために必要な情報や経営資源を提供し、成功体験を積ませることにより、構成員のモチベーションをさらに高めることができる。

エンパワーメントを活用していくための要件

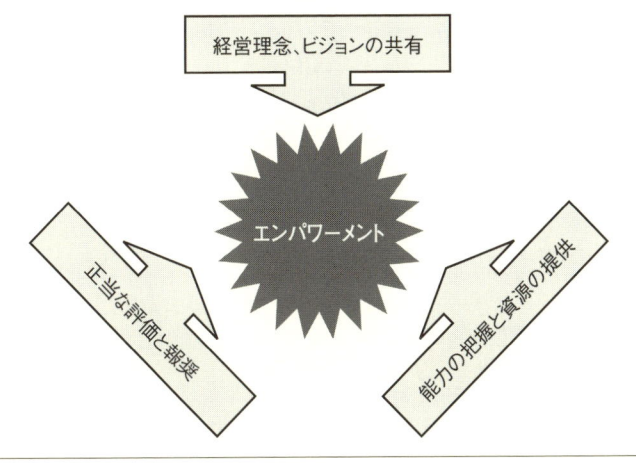

経営理念、ビジョンの共有
↓
エンパワーメント
↙ ↘
正当な評価と報奨　　能力の把握と資源の提供

2 リーダーシップ

6 パワー

> **POINT**
> 技術や社会、経済などが急速に変化する中で企業が目標を達成するには、相互依存関係にあるステークホルダーとの協力が不可欠だ。利害が対立することもあるステークホルダーと良好な関係を維持するために、「パワー」(人や組織の行動に影響を与える力)を適切に用いる必要がある。

◖パワーを行使する必要性

　企業を取り巻くステークホルダーは株主、顧客、従業員、供給者、銀行等の債権者、監督官庁、地域社会など多様であり、相互依存の度合いも高まっている。そのため、良好な関係の維持や協力要請など、ステークホルダーへの対応が企業にとって大きな課題となっている。企業内でも、直接の上司や同僚、部下ばかりではなく、他部門の人々の協力が得られなければ、業務を円滑に遂行することはできない。

　こうしたステークホルダーの多様性や相互依存関係は、新しいアイデアを生み出す創造的思考を促す際に有効だが、同時に利益配分などをめぐる対立も生みやすい。そこで、対立を最小限にして好ましい成果を引き出せるように、多様なステークホルダーに影響を与える「パワー」、すなわち「人や組織の行動に影響を与える力」をいかに活用するかが課題となる。

◖パワーの源泉

　パワーを有効に活用するためには、人や組織の行動に影響を及ぼすパワーの源泉を理解する必要がある。アメリカの社会心理学者のジョン・フレンチとバートラム・ラーベンによると、パワーは次の5つで構成される。

❶**強制力**：受け手にとって苦痛となるものを与えることで、影響を及ぼすことのできる力。たとえば、ペナルティ(罰則)などが該当する。

❷**報酬力**：受け手にとって励みとなるものを与えることで、影響を及ぼすことのできる力。たとえば、インセンティブなどが該当する。

❸**正当権力**：受け手に対し影響を及ぼすことができる社会的地位の高さ。たとえば、公式の地位などが該当する。

❹**専門力**：受け手が信頼することのできる優れた専門性の高さ。たとえば、専門知識、技術などが該当する。

❺**同一視力**：受け手にとって魅力のある人物、理想像であること。たとえば、業務経験、実績などが同一視力を形成する要素となりうる。

　影響力を行使する側が多様なパワーの源泉を持っていると、より効果的に人の行動に影響を与えることができる。戦略目標の実現には、必ずしも1人ですべてのパワーの源泉を兼ね備えている必要はなく、さまざまなパワーの源泉を持つ人が複数集まり、相互補完すればよい。

◪パワーを用いた影響力の行使

　企業において効果的な形でパワーを行使するには、「パワーの受け手が、与え手との関係をどうとらえているか」「パワーを行使した結果が、組織目標の実現につながるか」ということを常に考える必要がある。

　パワーの受け手と与え手の関係によって、影響力の度合いは変化する。たとえば、A氏にとってB氏の持つ金融の専門知識が必要で、かつ、ほかでは入手できないものとする。その場合、A氏はB氏に依存し、B氏の専門性はA氏にとってのパワーの源泉となりうる。しかし、こうした関係は不変ではない。A氏も金融の専門知識を身につけたり、B氏と同様の専門知識を持つC氏が見つかれば、B氏の専門性がA氏に与える影響力は変化する。

　パワーは、企業目的を果たすために適切な方法で用いなくてはならない。個人的な利益のためにパワーを用いると、社内で政治的なかけひきや権力闘争などが起こるおそれがある。

　また、社会的・倫理的に問題のある方法を用いると、企業の信用を損なったり、訴訟に発展するおそれがある。こうした事態を避けるためには、企業が求める行動規範や価値観を明確にし、社内に浸透させる必要がある。

● 人・組織 ●

フレンチとラーベンによるパワーの源泉

パワー

| 強制力 | 報酬力 | 正当権力 | 専門力 | 同一視力 |

● ………… 3　個人と集団の行動

7　モチベーションとインセンティブ

> **POINT**
> 人という経営資源は、モチベーション次第で組織への貢献度合いが大きく変化する。組織全体の成果を高めるには、企業は従業員に対して、モチベーションを高めるためのインセンティブを用意する必要がある。

◘人が働く理由

　人が働くのは、仕事に対して何らかのモチベーション（動機づけ）を持つからだ。他の経営資源とは異なり、人の貢献度合いはモチベーションに左右される。モチベーションは個人の置かれた環境や内発的な欲求によって形成される。さまざまなモチベーションのうち何を重視するかについては個人差があるが、企業は個人のモチベーションに対して間接的に影響を与えることができる。したがって、従業員がどのようなモチベーションで働くのかを理解しておくとよい。

　モチベーションの代表的なものとして、金銭的動機、社会的動機、自己実現動機がある。金銭的動機は「生活に必要な金銭を得たい」という最も一般的・根本的なものだ。社会的動機は「一定の価値観を共有できる集団（組織）の中で社会生活を営み、その中で注目や評価を受けたり、権力を得たい」という欲求から、自己実現動機は「自己を成長させたい、社会的使命感を満たしたい」という欲求から生じる。

◘組織が与えるインセンティブ

　モチベーションを高めるものをインセンティブと言う。どのようなインセンティブをどの程度与えるかによって、働こうという意欲も変わってくる。代表的なインセンティブとして、金銭的報奨、社会的評価、自己実現の場の提供などがある。

　金銭的報奨は具体的・定量的でわかりやすいので、組織においてよく用いられる。これが不足すれば不満の原因となるが、あるレベルを超えるとモチベーションを高める効果が薄れる傾向もある。たとえば、就職先を探す際に、一定額の収入を確保できれば、給料の高さよりも仕事のやりがいをより重視することがある。

　社会的評価は地位や権限、名誉などを指す。たとえば、ある業務で高く評価されると、前向きな姿勢がさらに強まったりする。上司のちょっとしたほめ言葉なども有効だ。さらに、魅力あるリーダーや気心の知れた仲間の存在などの社会的関係も、個人の安心感や余裕を生み、組織への帰属意識やコミットメントを引き出す。

自己実現の場とは、自分の理想像に近づくための機会や環境を指す。人は「自分はこうありたい」という理想像を持っており、それに近づくための場が与えられることにより、モチベーションが向上する。企業は経営理念やビジョン、経営者の哲学などに対する共感を引き出したり、責任と権限の与え方や業務内容などで満足感や納得感を持たせたり、能力開発の機会を与えたりすることで、従業員に「自己実現につながる場がある」という意識を持たせることができる。

◆モチベーション理論

　モチベーションを理解するには、人の欲求やモチベーションに関する理論が役に立つ。代表的な理論は次の３つである。

❶マズローの欲求５段階説：A.H.マズローは人間の欲求を「生理的」「安全」「社会的」「尊厳」「自己実現」という、低次から高次への５段階に分けて考えた。人の欲求は低次の欲求が満たされると、より高次の欲求へと移行する。それと同時に、低次の欲求によるモチベーション形成へのインパクトは弱まる。

❷マグレガーのＸ理論・Ｙ理論：D.マグレガーは、人間をＸ理論とＹ理論で説明している。Ｘ理論では「人間は本来怠け者で、責任を回避しようとするものだ」と考えるのに対し、Ｙ理論では「人間は本来勤勉で、進んで仕事を行い、責任を取ろうとするものだ」と考える。近年では、Ｙ理論に基づいて動機づけを考えることが必要だと言われている。

❸ハーズバーグの動機づけ・衛生理論：F.ハーズバーグは仕事に対する満足をもたらす要因と不満をもたらす要因が異なることを示し、前者を動機づけ要因、後者を衛生要因と呼んだ。動機づけ要因を与えることにより、満足を高め、モチベーションを向上させることができる。一方、衛生要因に対して手を打つことにより、不満は解消されるが、そのことが満足感やモチベーションを高めるとは限らない。

モチベーションとインセンティブの関係

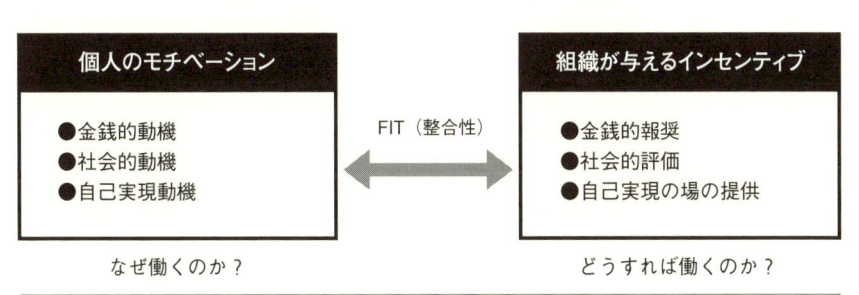

個人のモチベーション		組織が与えるインセンティブ
●金銭的動機 ●社会的動機 ●自己実現動機	← FIT（整合性）→	●金銭的報奨 ●社会的評価 ●自己実現の場の提供
なぜ働くのか？		どうすれば働くのか？

●……… 3 個人と集団の行動

8 集団のメカニズム

POINT
複数の人が集まって形成される集団（グループ）の「行動」と「その基本原理」は、個人のそれとは異なる。組織の目標を実現するために、規範、役割、地位、規模、多様性、凝集性などの集団の特徴を理解する必要がある。

◖集団の定義

本書では、ある特定の目的を達成するために形成された複数の個人の集まりを「集団」と呼ぶ。単に何人かが同じ場所に集まっただけの状態は集団とは呼ばないが、組織目標を持っている企業は大きな集団と言える。

集団における個人の行動には、その人が集団に属していないときの行動とは異なる特徴が見られる。そうした特徴は、目標達成に対してよい結果をもたらすことも、望ましくない結果をもたらすこともある。

◖集団をとらえる視点

集団の構造を把握し、成果を高めるために考慮すべき概念には以下のものがある。
■**規範**：集団の構成員間で共有する行動基準を指す。たとえば、構成員間で「役職が上位の人に対して批判的意見を言うべきではない」という意識が浸透している場合、それがその集団の規範と言える。
■**役割**：集団において期待される行動様式を指す。人はさまざまな集団に属するが、集団によって期待される役割が対立したり矛盾することがある。その結果、強いストレスが生じたり、期待される役割を果たせなかったりする。
■**地位**：集団内における相対的な位置づけを指す。地位は、公式に規定される場合と、集団の規範や価値観に基づき、個人の能力や経験などによって非公式に与えられる場合がある。地位の獲得は重要なモチベーションの1つである。
■**規模**：集団の構成員数を指す。一般に、人数が多ければより多様な意見や情報を入手でき、少なければ意思決定や行動がより迅速になる。
■**多様性**：集団の構成員の組み合わせの多様さを指す。構成員のバックグラウンドや文化、価値観などが多様な集団は、同質的な人々から成る集団よりも、個人間の相違が大きいため、短期的にはコンフリクト（<11>参照）を生むことが多い。しかし、そうした困難をいったん克服できれば、構成員がさまざまな情報や能力を持

っていることの利点が発揮され、より高い成果を生み出す可能性が高い。
■**凝集性**：集団が構成員を引きつけ、その集団の一員であり続けるように動機づける度合いを指す。凝集性の高さは、各構成員の魅力や構成員間の相互作用、集団の目標や規模などの要素によって決まる。集団の凝集性が高いとき、共有する目標に対する集団としての成果が大きくなる傾向がある。

◆集団における意思決定

一般に、集団における意思決定は個人で行う意思決定より優れている。それは、多様な意見や情報を収集できたり、決定内容がより多くの人に受け入れられる可能性が高いからだ。

一方、集団ゆえに陥りやすい問題もある。その1つである「グループシンク」は、合意に至ろうとするプレッシャーから、集団において物事を多様な視点から批判的に評価する能力が欠落する傾向である。とくに集団の凝集性が高い場合や、外部と隔絶している場合、支配的なリーダーが存在する場合などに起きやすい。グループシンクを避けるためには、異なった意見を十分に受け入れ、建設的な批判を重視し、選択肢の分析に時間をかけるなどの配慮が必要だ。

◆公式集団（フォーマル・グループ）と非公式集団（インフォーマル・グループ）

企業には通常、公式集団と非公式集団が存在する。企業が公式に形成する公式集団では、達成すべき目標と職務や役割が組織によって明確に定められる。一方、非公式集団は自然発生的に形成されるもので、多くの場合、個人的な人間関係に基づいている。そこには、組織によって公式に定められた目標や役割はなく、集団構成員間の非公式な交流の中で共有された共通の利害や関心が存在する。非公式集団における人間関係や交流は、公式集団における行動や業績に影響を及ぼす。

集団をとらえる視点

- 規範：集団の構成員間で共有する行動基準
- 役割：集団において期待される行動様式
- 地位：集団内における相対的な位置づけ
- 規模：集団の構成員数
- 多様性：構成員の組み合わせの多様さ
- 凝集性：集団が構成員を引きつけ、その一員であり続けるように動機づける度合い

3 個人と集団の行動

9 チーム・マネジメント

> **POINT**
> 得られる成果が構成員個々の業績達成能力の総和よりも大きくなる集団のことを「チーム」と呼ぶ。チームの成果を高めるためには、集団の発展段階やチーム・マネジメントを理解しておく必要がある。

◨集団とチーム

　チームは集団の一形態であるが、構成員の責任範囲と成果において、通常の集団とは異なる特徴を持っている。集団の構成員は通常、自分の責任範囲内で業務を遂行する。したがって、集団の成果は各構成員の業績達成能力の総和以上にはならない。これに対して、チームの構成員は個人責任と相互責任を担っており、その活動は個人の責任範囲にとどまらない。つまり、自分の業務を遂行するためだけではなく、チーム全体の活動を最大化させるために、積極的に情報の共有や意思決定を行う。その結果、チームの成果は各構成員の業績達成能力の総和よりも大きくなる。こうしたプラスアルファの成果の有無が、集団とチームとの最大の違いである。

◨集団の発展段階

　集団の特徴をその形成プロセスに沿ってとらえておくと、新たにチームを結成し、発展させていく際に役に立つ。集団の発展は5つの段階に分けることができる。

❶**形成期（Forming）**：集団結成が明示され、構成員が顔合わせする段階。人は集まったものの、集団としての機能は形成されていない状態にある。集団の目的や規範も共有されていない。

❷**激動期（Storming）**：議論、緊張、衝突の生まれる段階。構成員間で互いに自分の考えを披瀝しあい、コミュニケーションを図ることにより、集団内における自分の役割や地位についてイメージを形づくっていく。

❸**規範形成期（Norming）**：構成員が規範をつくり出す段階。「激動期」の結果を踏まえて、集団の目標や各自の役割を明確にし、それらを全構成員が理解し共有する。

❹**実現期（Performing）**：特定の目的を持った集団として構成員が統合され、集団が機能する段階。ただし、あらゆる集団が自動的に実現期に至るわけではない。マネジメントの巧拙によっては、実現期に至らないまま解散することもある。

❺**終了期（Adjourning）**：集団の目的達成、目的の分化などの理由によって集団が解

散する段階。

　すべての集団がこのプロセスを経るわけではないが、集団をうまく発展させ維持していくためには、その集団が現在どの段階にあるかを把握し、指導、問題解決、権限委譲、コーチングなど、集団の状態に適合したマネジメントを行う必要がある。

■チーム・マネジメント

　高い成果を上げるチームをつくるには、「構成員の組み合わせ」と「凝集性」が重要だ。多様な能力を持つ構成員で編成されているチームは、より大きな成果を生み出す可能性を持つ。なぜなら、❶技術的な専門知識というスキル、❷問題解決や意思決定のスキル、❸対人関係上のスキル、という3つの重要なスキルがチームとして十分に発揮されるからだ。

　実際には、構成員のだれもがこれらのスキルを兼ね備えているわけではない。そのため、チームを構成する際には、不足するスキルを相互補完できるような人材を集める必要がある。最初からそうした人材が揃わない場合は、潜在的な能力を備えた人材でチームを結成し、チーム活動を通して必要なスキルを開発したり、習得させたりする。

　チームの凝集性が高いことも、より高い成果につながる可能性がある。それは、構成員が共通の目標や価値観を持っており、目標達成のために一丸となって取り組むからだ。チームの凝集性を高めるためには、リーダーはチームの目的を明確にし、常に確認し続ける必要がある。そうすることで、チーム内の意識共有が進むだけでなく、目的に賛同する人を引きつける効果や、賛同しない人がチーム内に長くとどまらないといった効果が期待できる。また、リーダーは集団の発展段階を考慮に入れ、チームの状態に合わせて構成員に働きかけていくことも大切だ。

集団の発展段階

❶	Forming	：集団が結成される「形成期」
❷	Storming	：議論、緊張、衝突の生まれる「激動期」
❸	Norming	：構成員が規範をつくり出す「規範形成期」
❹	Performing	：集団として機能する「実現期」
❺	Adjourning	：集団が解散していく「終了期」

出典：J.R. Schermerhorn, Jr., J.G. Hunt, R.N. Osborn, "Basic Organizational Behavior" Second Edition, John Willey & Sons 1998年pp.115-117より要約

●……… 3　個人と集団の行動

10　コミュニケーション

> **POINT**
>
> 集団は構成員相互のコミュニケーションがなければ機能しない。コミュニケーションは、送り手から受け手への情報の伝達と、両者間での意味の共有の両方が満たされてはじめて成立する。効果的なコミュニケーションができない場合は、送り手か受け手、あるいは双方に問題がある。

◆企業におけるコミュニケーション

　コミュニケーションとは、送り手と受け手の間でメッセージを伝達し、その意味を共有することだ。企業の活動はコミュニケーションなしには成り立たない。コミュニケーションがうまくいかないために、トラブルが生じたり、業務が滞ったという経験も少なくないだろう。集団を機能させるためには、構成員間の意思の伝達が不可欠だ。円滑なコミュニケーションは、迅速な意思決定や問題解決につながる。
　コミュニケーションを効果的に行うには、コミュニケーション・プロセスやコミュニケーションの阻害要因について理解しておくとよい。

◆コミュニケーション・プロセス

　コミュニケーションは、記号化、伝達、解読、フィードバックという4つのプロセスを経る。

❶記号化：メッセージを記号に変換すること。大きく言語、非言語の2種類がある。言語にすることにより、話す、聞く、書く、読むといった方法が可能になる。非言語は表情や態度、行動、相手との距離のとり方など言語以外の記号である。

❷伝達：さまざまなチャネル（伝達経路）を通してメッセージを受け手に伝えること。チャネルは、電話や電子メールなどの具体的な方法を指すこともあれば、組織における公式／非公式な伝達経路を指すこともある。チャネルの選択はコミュニケーションの目的と大きく関係する。ビジネス上の公式なメッセージは、組織のルールに則して正規のチャネルに乗せることが重要になる。とくに、業務上の指示・命令、報告・連絡などは、チャネルの正当性がメッセージの信頼性に影響を与える。

❸解読：受け手が記号化されたメッセージの意味を読み取ること。送り手と受け手は通常、それぞれの個人的経験や組織内における地位や役割などが異なっているため、両者が同じ記号から読み取るメッセージが完全に同じになることは稀である。

❹**フィードバック**：受け手が解読したメッセージを送り手とともに確認すること。具体的には、ポイントを繰り返したり、言い換えたりすることによって、お互いの理解する意味合いがほぼ一致していることを確認する。

◨コミュニケーションの落とし穴

　コミュニケーションを阻害する要因を理解しておくと、効果的なコミュニケーションを行うときに役立つ。コミュニケーションがうまくいかない原因として、送り手の問題、受け手の問題、送り手と受け手の双方の問題が考えられる。
■**送り手の問題**：送り手に関わる阻害要因に「フィルタリング」がある。これは、受け手により好意的に受け入れてもらうために、送り手が情報を操作することだ。たとえば、部下との面談で、部下にとって耳の痛いことを伝えない場合がそうだ。一般に、縦方向の階層数の多い組織では、フィルタリングが起こりやすくなる。
■**受け手の問題**：受け手に関わる阻害要因に「選択的認知」がある。これは、情報を認識するプロセスにおいて、個人的な経験に基づいて複数の情報から特定情報のみを選択したり、自己の関心や期待などを反映させた解釈を行うことを指す。
■**双方の問題**：送り手と受け手双方に関わる阻害要因に「文化的差異」がある。文化的な背景が違うと、同じ単語やジェスチャーが意味するものが異なることがある。同様の現象は性別、年齢、階層、立場の違いなどによっても生じる。

　また、非言語コミュニケーション、とくに「感情表現」は送り手と受け手双方に誤解を与えることが多い。大喜びや落胆といった極端な感情表現に直面すると、理性的かつ客観的な思考過程を無視し、感情的な判断を下しがちになる。コミュニケーションにおいて"怒りの感情"のコントロールが重視されるのはこのためだ。

コミュニケーション・プロセス

送り手：伝えたいメッセージ → 記号化 → コミュニケーションチャネル（伝達）→ 受け手：解読 → 受け取られたメッセージ → フィードバック

●……… 3 個人と集団の行動

11 コンフリクト

> **POINT**
> いかなる組織においてもコンフリクト（対立、軋轢）は避けられないが、コンフリクトにはマイナス面だけでなく、プラス面もある。コンフリクトの構造を理解したうえで、適切な対処法を選択することが求められる。

◘コンフリクトの定義

　コンフリクト（対立、軋轢）とは、相反する意見、態度、要求などが存在し、互いに譲らないことで緊張状態が生じることを言う。企業のみならずあらゆる組織、人間関係においてコンフリクトは避けられない。コンフリクトは通常、そのマイナス面ばかりに目が向きがちだが、マネジメントのやり方次第で、アイデアの創造や本質的な問題の発見などにつながり、組織の成果を高めるドライバーとなりうる。

　コンフリクトのプラス面として、互いに競い合うことで意欲が高まる、相互の意見交換の過程で相手への理解が深まる、その過程において自己の考えを明確にして当初のアイデアを発展させたり、新たな視点や本質的な問題が発見できることなどが挙げられる。マイナス面としては、不快感を味わう、非効率的なコミュニケーションが増える、情報が正しく伝達されず意思決定に歪みが生じる、などがある。

　コンフリクトは常に顕在化しているとは限らない。われわれは通常、顕在化したコンフリクトのみを対処すべき事態だととらえがちだが、潜在的なコンフリクトが存在する可能性についても考慮する必要がある。

◘コンフリクトのマネジメント

　ハーバード大学ビジネススクールのジェームズ・ウェアとルイス・バーンズは、個人間のコンフリクトに対処するには、まず状況をよく理解し、状況そのものを変えるか、当事者の態度や対応を変える必要があるとしている。その具体的な方法として、交渉、制御、（建設的）対峙を挙げている。また、コンフリクトを理解するための視点として、現象面から本質的問題の把握までを以下の4点にまとめている。

❶コンフリクトが個人および組織に及ぼしている効果
　コンフリクトにはプラスの効果もマイナスの効果もある。対策を打つ前に、どちらの効果がより強く表れているかを分析する。

❷コンフリクトのパターン

コンフリクトの最初のきっかけとなる行動に対して、どのような対応を示し、そこからどのようにコンフリクトが深まったのかというパターンをつかむ。これにより、コンフリクトの根本原因と対処の糸口が見えてくることが多い。
　また、当事者がどのように相違点を表現しているかも重要だ。コンフリクトは必ずしも直接的に表現されるとは限らない。表面化していないコンフリクトを発見するほうが困難かつ重要である場合が多い。

❸実質的問題と感情的問題
　コンフリクトは多くの場合、実質的問題と感情的問題という2つの異なる問題から生じる。実質的問題とは、経営方針や実行手順、役割と責任といった事業運営上の意見の食い違いによるものだ。一方、感情的な問題とは、当事者が互いに相手に対して抱いている個人的な認識や感情によるものだ。組織では感情的問題を表に出しにくいため、しばしば実質的問題にすり替えられることがある。逆に、最初は実質的問題であったのに、対立点が個人的感情に由来するのではないかと当事者が疑い始め、感情的問題に転換して解決が難しくなる場合もある。

❹コンフリクトの根底にある要因
　コンフリクトが生じる原因として、外部要因と個人的要因が考えられる。外部要因は時間的制約、予算制約、資源配分、業績へのプレッシャーなど、個人的要因は対抗意識、相性、仕事上のスタイル、ストレスの許容度などだ。通常、コンフリクトの原因は複数存在し、それらが複雑に絡み合っていることが多い。対立が深まるにつれ、最初の原因とは関係ないものが原因になることもある。

ウェアとバーンズによるコンフリクト（対処方法）

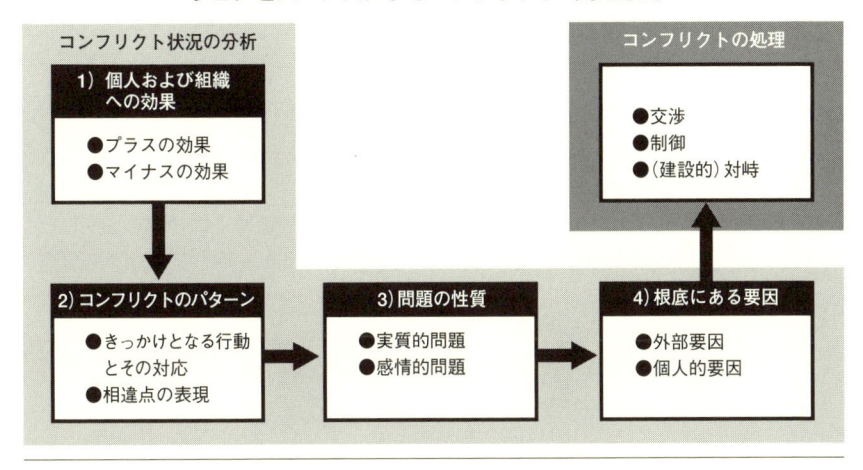

コンフリクト状況の分析

1) 個人および組織への効果
- プラスの効果
- マイナスの効果

2) コンフリクトのパターン
- きっかけとなる行動とその対応
- 相違点の表現

3) 問題の性質
- 実質的問題
- 感情的問題

4) 根底にある要因
- 外部要因
- 個人的要因

コンフリクトの処理
- 交渉
- 制御
- （建設的）対峙

4 組織と人事システム

12 組織文化と企業経営

> **POINT**
> 組織文化は、組織の持つ信念、価値観、行動規範の集合体であり、企業の盛衰を左右する大きな要素の1つだ。組織文化は、企業の構成員のものの見方や行動を規定する。

◖組織文化とは

　組織文化は、「組織構成員が共有する信念、価値観、行動規範の集合体」と定義できる。組織文化は価値観や行動規範として構成員の行動を規定する。そのため、企業としては、何らかの形で組織文化をコントロールすることが望ましい。また、企業は環境変化に合わせて組織文化を変えていく必要がある。

　企業は組織文化を直接コントロールすることはできないが、間接的に影響を与えることは可能だ。そのためには、まずできるだけ具体的に組織文化を把握しておく必要がある。組織文化を把握するには、組織固有の行動パターンを観察するとよい。企業の場合、入社式をはじめとする儀式、創業当時の逸話、組織内でのみ通用する独特な言葉などに、行動パターンの特徴が顕著に示される。

　また、企業全体の組織文化だけでなく、企業内に存在する複数の組織文化に注目し、個々の組織文化に分解して把握することも重要だ。たとえば、営業や製造など部門単位で形成されるサブ・カルチャーや、企業全体の組織文化に反発するカウンター・カルチャーなどに注目するとよい。

◖組織文化の形成

　組織文化がどのように形成されるかを考えてみよう。

　まず、組織文化の生成段階では、個々の構成員の価値観や信念などが衝突しあう。そうした相互作用を通じて、組織における判断基準や行動規範、価値観が形成される。この生成プロセスでは、リーダーシップを発揮する人の理念や哲学が大きな影響力を持つ。一般に、規模が小さかったり、従業員間の物理的・心理的な距離が近い組織では、相互作用が頻繁に起こるため、比較的容易に組織文化が生成される。

　こうして生成された組織文化が次の浸透段階では、儀式や逸話、経営陣のメッセージなど具体的な形になったものや、すでに組織文化を共有している構成員との交流などを通して、他の構成員に伝播していく。構成員の行動パターンに影響を与え

る評価基準などをHRMの施策として示すことも、組織文化の浸透に役立つ。

◆組織文化の機能

組織文化は次のような機能を持つ。

■判断や行動の指針

組織文化は、とるべき判断や行動の指針を与える。その結果、意思決定のスピードを速め、学習コストを低減する。

■情報伝達の簡素化

組織文化は、判断や行動の指針を示すことによって、公的な情報伝達において伝えなければならない情報の量を軽減する。これにより、公的情報の伝達コスト削減や時間の短縮につながるだけでなく、情報の解釈における不確実性も小さくなるので、構成員間の誤解やコンフリクトを回避することができる。

■個人の動機づけ

組織文化は、組織の行動規範や価値観を通して、昇進や昇給などの評価基準を明確にする。組織文化によって、構成員は何を行えば組織で評価されるかを学び、自ら目標を設定し、実践するためのモチベーションを高めることができる。

これらの組織文化の機能は企業にとってよい影響を与えているように見えるが、実際には組織文化が障害となる場合もある。たとえば、あまりに強烈な価値観が組織内で共有化されている場合、構成員のものの見方が固定化し、環境変化を見過ごす原因になることがある。

組織文化の機能

```
                    ┌─────────────────────────┐
                    │       組織文化           │
                    │ 企業の構成員によって共有されている │
                    │ 価値観、行動規範、信念の集合体  │
                    └─────────────────────────┘
                      ↙          ↓          ↘
            ┌──────────────┐ ┌──────────────┐ ┌──────────────┐
            │ 判断と行動の指針 │ │ 情報伝達の簡素化 │ │ 個人の動機づけ │
            └──────────────┘ └──────────────┘ └──────────────┘
```

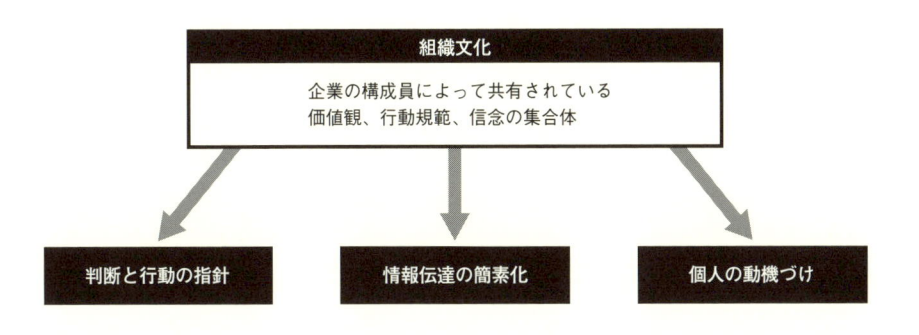

●·········· 4　組織と人事システム

13　組織設計

> **POINT**
> 組織設計の目的は、競争優位の源泉を生み出し、それを維持できる組織を構築することにある。組織構造の設計や変更にあたっては、環境変化や戦略との整合性を図るだけでなく、分業と協業、指揮命令系統、管理範囲、意思決定権限、分化と統合などの要素を考慮する必要がある。

◘組織設計とは

　組織設計とは、企業戦略を遂行するために個々の業務をどのように組み合わせ、どのように行うかを決定することだ。したがって、いわゆる「組織図」で表される部門名や配置人員数などの静的な側面だけでなく、業務プロセスや意思決定プロセスなどの動的な側面も考慮しなくてはならない。

　「組織は戦略に従う」という有名な言葉があるが、これはアメリカの経営史学者のA.D.チャンドラーが述べたものだ。彼は『経営戦略と組織』（1964年）の中で、多角化戦略をとる企業の組織形態は従来の機能別組織から事業部制組織へ移行することを示し、戦略に合わせて最適な組織を設計していくべきだと論じた。

　実際には、一度できあがった組織を変えることは難しく、しばしば現状維持へと走りがちになる。しかし、企業は外部環境や戦略との整合性を常に問い続け、競争優位の源泉を生み出し、それを維持できるような組織構造の構築を目指していかなくてはならない。

◘組織構造の決定要因

　組織設計にあたって考慮すべき要素には、分業と協業、指揮命令系統、管理範囲、意思決定権限、分化と統合が挙げられる。

■分業と協業

　分業とは、組織全体の業務を、専門性などの基準に基づき、組織構成員に割り振ることだ。協業とは、組織全体として協力して業務を行うことを言う。企業は通常、業務を製造、営業、経理などの機能別に分解し、構成員に割り当てる分業体制をとっている。そのため、協業の必要が生じると、複数の業務間で業務の受け渡し方法などについて調整しなくてはならない。

　ある程度までの分業は効率化に役立つが、過度の業務細分化は従業員のモチベー

ションや業務効率を低下させる原因になりうる。業務範囲が狭く単調になると、従業員は倦怠感やストレスを感じ、仕事への意欲を失ってしまうからだ。したがって、業務の効率を最大化する分業の度合いを見つけ出すことがポイントとなる。

■**指揮命令系統**

指揮命令系統とは、命令や指示、報告などを含む情報の流れを指す。「問題が生じたときに、だれに報告・相談すればよいか」といった指揮命令系統の一貫性と明確さは、業務を行ううえで不可欠である。

■**管理範囲（管理スパン）**

管理範囲とは、1人のマネジャーが統制できる構成員の数を示したものだ。適切な管理範囲は、業務の複雑さやマネジャーと部下の能力、情報収集の難易度など複数の要素によって変わる。管理範囲が広すぎると統制が効かず、不適切な行動が発生し、業務に支障をきたしてしまう。逆に管理範囲が狭すぎると、組織の階層が増えて意思決定に時間がかかるなどの弊害が生じる。

■**意思決定権限**

意思決定権限とは、組織のどこで意思決定を行うかを示したものだ。組織の上位レベルである経営陣が組織の意思決定権限を独占的に持っている場合、その組織は「集権化されている」と言う。逆に、下位レベルの者が主要な意思決定を行う機会が多いほど、その組織は「分権化されている」ことになる。組織としての意思決定の精度と効率を高めるために、集権化と分権化の適度なバランスをとる必要がある。

■**分化と統合**

分化とは、同じ部門や部署において機能が異なるユニットを分離し、別々に管理することを指す。これに対して、統合は（同じ組織内で）複数に分離されているユニットをまとめあげ、統一して管理することを言う。いずれも、企業全体の付加価値や効率を高めていこうという考え方に基づく。

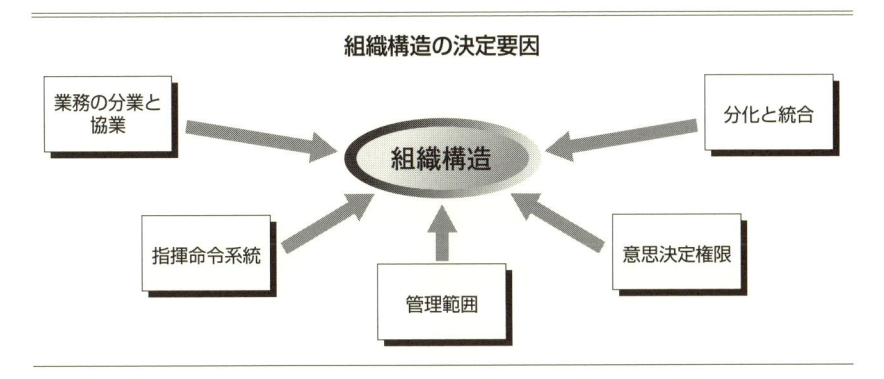

●人・組織●

組織構造の決定要因

業務の分業と協業 → 組織構造 ← 分化と統合
指揮命令系統 → 組織構造 ← 意思決定権限
　　　　　　　↑
　　　　　管理範囲

●········ 4　組織と人事システム

14　組織形態

> **POINT**
> 組織形態の基本的なものとして、ヒエラルキー型組織（機能別組織、事業部制組織）、マトリクス型組織がある。それぞれの組織形態のメリットとデメリット、それらがどのような状況下でどのような事業や事業戦略に適しているかを理解しておくとよい。

◪組織形態とは

　組織形態とは、組織構造の決定要因に基づき、組織構造の形である「組織図」を描いたものだ。組織形態は組織構造の決定要因に加え、外部環境、事業特性、戦略、HRポリシーなどを考慮して設計する。ここでは、代表的な組織形態であるヒエラルキー型組織とマトリクス型組織を紹介する。

◪ヒエラルキー型組織

　ヒエラルキー型組織は、機能別組織と事業部制組織に分けられる。

❶機能別組織

　機能別組織は、企業が戦略を遂行していく際の機能ごとに構成された組織形態だ。代表的な機能としては、製造、営業、研究開発、購買、財務、人事、経理などが挙げられる。

　機能別組織は、その機能を深く理解し、専門的な知識を持った人材を育成することができる。また、部門間で機能の重複がないので、経営効率の点で優れている。その一方で、組織の権限や責任はその機能の範囲内に限定され、全社の利益の最大化（全体最適）よりも各組織の利益の最大化（部分最適）を追求しがちになる。また、幅広い知識を持ったマネジャーが育ちにくく、組織間のコンフリクトが起きやすい。その結果、最終的な意思決定がトップ・マネジメントに委ねられることが多くなり、意思決定に時間を要する。さらに、個別の事業や製品について各機能部門の意思決定への関与が不明確なため、事業責任の所在が曖昧になりやすい。

　したがって、この組織形態は事業間や製品間における調整の必要性が少ない場合、つまり事業形態が単純で製品の種類が少ない場合に有効である。

❷事業部制組織

　事業部制組織は、その組織が生み出す成果や組織のターゲットに焦点を当てた組

織形態だ。事業部は製品、市場、顧客、地理的条件などを基準に決める。

　事業部制組織では、事業経営に関して権限委譲が行われ、各事業部は利益責任を負う。責任の所在が明確で、事業部長レベルでかなりの経営判断ができるため、問題解決のための迅速なアクションが可能だ。事業経営に関して早い時期から広範囲にわたる意思決定に参画できるので、管理職がマネジメント・スキルを磨く機会も増える。また、独立した複数の事業体が存在することで、組織間の切磋琢磨によって競争力が向上することが期待できるというメリットがある。その一方で、各事業部間の競争意識が高いため、全社的に協力すべきときに協力しなかったり、経営資源を各事業部に分配する際に資源の取り合いになるおそれがある。

　企業の規模が拡大し、さまざまなビジネスを手がけるようになると、単純な機能別組織では対応しきれなくなるため、事業部制組織をとる企業が多くなってくる。

◆マトリクス型組織

　機能別組織と事業部制組織を組み合わせたのが、マトリクス型組織だ。事業を中心とした組織形態に、専門性の高い情報を共有化させることで、事業部制組織と機能別組織のそれぞれの長所を組み合わせようというものだ。この組織の構成員は役割の違う2つの組織、たとえば、機能別組織である販売部門と事業部制組織である特定の製品部門に同時に属することになる。

　マトリクス型組織がうまく機能した場合は、情報伝達が円滑になり、1人の人間が2つの役割を同時に効果的に果たすことが期待できる。その一方で、構成員は通常2人のボスを持つことになるので、権限や責任が曖昧かつ流動的になり、指揮命令系統が混乱したり、業務に支障が生じるおそれがある。

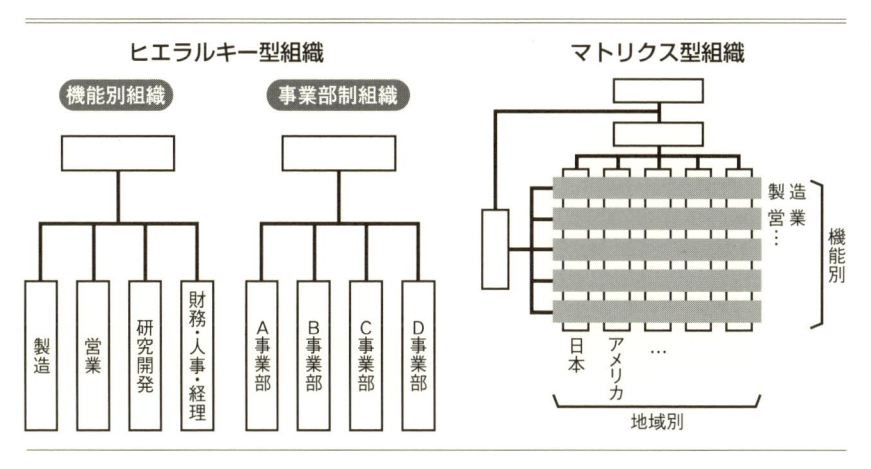

人・組織

ヒエラルキー型組織

機能別組織
├ 製造
├ 営業
├ 研究開発
└ 財務・人事・経理

事業部制組織
├ A事業部
├ B事業部
├ C事業部
└ D事業部

マトリクス型組織

機能別（製造・営業…）
地域別（日本・アメリカ…）

4 組織と人事システム

15 人員配置

POINT
人員配置とは、企業の戦略実行に必要なスキルを持った人材を確保し、しかるべき職務に就かせることである。適切な人員配置を行うためには、必要な人材像と調達方法を理解する必要がある。

◎人員配置とは

　人員配置とは、企業の戦略を遂行するために必要な人員構成を実現することだ。具体的には、求められる人員構成と現状との間の❶不足分を埋めること（調達）と、❷余剰分を解消すること（代謝）に分けられる。❶の方法として、人材を組織の外部から調達する採用（外部調達）と、内部から調達する異動・昇進（内部調達）が挙げられる。❷の方法には、解雇や希望退職などがある。外部調達や内部調達、代謝のそれぞれのメリットとデメリットを理解したうえで、戦略を遂行するために最適な人員構成を実現する必要がある。その際には、短期的視点だけではなく、中長期的な視点も持つことを忘れてはならない。

　また、人材配置にはマネジメントから組織全体へのメッセージという側面もある。たとえば、組織内で評価の高い人材を特定部門に重点的に配置した場合、「その部門が戦略上、重視されている」というメッセージになる。その結果、その部門のメンバーのモチベーションは高まることになる。

◎外部調達と内部調達の違い

　外部調達と内部調達は、人材調達のコスト、人材評価の精度、組織構成員に与える影響などの点で違いがある。

■人材調達コスト

　人材調達コストには、大きく分けて金銭的コストと時間的コストがある。

　内部調達の場合は金銭的コストが不要に見えるが、実際にはその人材が現在のスキルや経験などを身につけるまでに、能力開発などの金銭的コストが発生している。これに対して外部調達は、社内の採用担当者の人件費に加え、人材紹介会社など外部サービスを利用すると実質的な支払いが生じる。

　内部に適当な人材がいない場合、組織内で育成するよりも外部から人材を採用するほうが、通常は短期間で調達できる（時間的なコストが小さい）。しかし、特殊な

要件を満たす人材を求めている場合は、外部調達でもある程度の期間が必要だ。
　内部調達と外部調達のどちらに金銭的・時間的なコスト上のメリットがあるかは、求める人材の要件によって異なる。

■人材評価の精度

　内部調達のほうがあらかじめ得られる情報が豊富なので、その人材が求める要件を満たしているかどうかを評価しやすい。正しく評価できずに不適切な人材を外部から調達してしまった場合、調達後に内部で育成したり、再調達するなど追加的なコストが発生する。人材評価の精度を上げるために、内部調達では人材情報の蓄積、外部調達ではインターンシップ（試験的な雇用）などの取り組みが行われている。

■組織構成員に与える影響

　人材調達は当事者だけでなく、他の組織構成員にも影響を与える。たとえば、新しい人材が組織に参加した結果、他の従業員のモチベーションが向上したり、組織間のセクショナリズムやマンネリズムの打破、組織の活性化につながる場合がある。その一方で、生え抜きの部門長をいきなり外部の人材に変えた場合、その部門のメンバーは「これまでの取り組みが評価されていない」と感じ、労働意欲を失ってしまうかもしれない。また、新たに組織に加わった人材が必ずしも組織や業務に適合するとは限らず、期待どおりの成果を出せないまま、組織を離れてしまうことも起こりうる。その場合、その人材の教育などに費やした時間的・金銭的コストが無駄になるだけでなく、他の従業員の士気などにマイナスの影響を与えるおそれがある。

内部調達と外部調達の違い

		内部調達	外部調達
コスト	●採用コスト ●能力開発・育成コスト ●時間コスト	●なし ●大 ●小（ただし、適任者がいない場合は育成にかかる時間大）	●大 ●小 ●小（ただし、適任者が見つからない場合は大）
人材評価	●能力評価、自社へのフィット感	●より適切に評価可能 （入手可能な情報が多いため）	●評価の精度にやや難あり （入手可能な情報が少ないため）
組織構成員への影響	●モチベーション ●組織文化への影響	●将来のキャリアに対する期待が高まる ●維持しやすい ●同質化の懸念あり	●昇進の機会を失った内部調達候補者のモチベーションが下がる ●変化への刺激となる ●コンフリクトの原因になりうる
		予見可能な安定した環境により適している	変化の激しい環境により適している

●……… 4 組織と人事システム

16 報奨

> **POINT**
> 報奨とは、給与やボーナス、福利厚生など、従業員の企業への貢献の対価として企業から従業員に提供されるものだ。企業は従業員の労働意欲を高めるインセンティブとなるように、金銭的報奨と非金銭的報奨を組み合わせて最適な報奨システムを設計する必要がある。

◘報奨の基本要素

　報奨はインセンティブの1つで、従業員の企業への貢献の対価である。報奨システムを設計する際には、経済合理性や評価との整合性を考慮に入れなくてはならない。また、従業員のモチベーションを高めるためには、公平で、だれもが納得できるような評価方法を用いることが不可欠だ。
　報奨は、次の3つの基本的な要素に分けて考えるとわかりやすい。
❶**報奨基準**：「何に対して」報奨を支払うかを示したもの。報奨基準を決定することは、従業員の振る舞いや、業務への取り組み方などを規定することにつながる。具体的な報奨基準として、能力や職務、年齢、業務の成果などが挙げられる。それぞれにメリットとデメリットがあるため、ほとんどの企業は複数の報奨基準を組み合わせて、報奨システムを設計している。
❷**報奨項目**：「どのように」報奨を支払うかを示したものだ。毎月の給与やボーナスだけでなく、福利厚生やストック・オプションなど幅広い範囲にわたる。
❸**報奨水準**：「だれにいくら」報奨を支払うかを示したもの。報奨水準は、他企業と比較した場合の「外部競争力」と、従業員間のバランスをとるなどの「内部公平性」を考慮して決定する。労働市場における流動性が高いほど、「外部競争力」が大きな意味を持つ。たとえば、同様の仕事内容で他の条件が同じなら、多くの人は給与の高い企業で働くことを選択するだろう。

◘報奨項目の種類

　代表的な報奨項目には次のようなものがある。
■基本給と手当
　基本給は金銭的報奨の根幹であるため、基本給の報奨基準や報奨水準を決定する際には、最も慎重を要する。手当は基本給を補完する役割を持ち、基本給の設計

(報奨基準)によって多様な形態をとる。具体的には、役職手当や特殊勤務手当、生活費に注目した家族手当や住宅手当などがある。現金給与は基本給と手当をどのような比率で組み合わせるかがポイントとなる。

■インセンティブ・システム

インセンティブ・システムは、個人の成果や部門・企業の業績が目標に対する達成度などの基準を満たした場合、それに応じて個人に支払われるものだ。たとえば、一定の基準に従って利益を配分するプロフィット・シェアリングや、自社株式を購入する権利を与えるストック・オプションなどがある。

なお、日本企業で一般的な賞与は、固定的な給与としての色合いが強い。賞与は企業業績による変動があるが、毎年ほぼ確実に一定レベル以上の額が支払われ、従業員にとって生活設計の一部になっているからだ。

■福利厚生（フリンジ・ベネフィット）

福利厚生には、「その企業に所属していることによって得られる特典」のすべてが該当する。具体的には、退職金や年金積立、財形貯蓄、優遇ローン、健康保険、社宅／独身寮、各種施設の法人割引などだ。

従来は、さまざまな福利厚生を全従業員に一律に付与する企業が多く見られた。しかし、従業員の価値観やライフスタイルが多様化するにつれて、一律付与は経済合理的ではなくなり、従業員の個人的なニーズも満たしきれなくなった。そのため現在では、福利厚生を効率的に提供しようとする動きがある。その一例が、カフェテリア・プランだ。これは、従業員が一定のポイントを持ち、その範囲内で希望する福利厚生（各々にポイントあり）を選択できる仕組みになっている。

報奨を考える際の基本要素

- 報奨基準：報奨を何に対して支払うか？
- 報奨項目：報奨をどのように支払うか？
- 報奨水準：報奨をだれにいくら支払うか？

4 組織と人事システム

17 評価

> **POINT**
> 評価の目的は、HRシステムの最適化を図るための情報収集と、従業員とのコミュニケーションにある。評価結果は従業員の選抜や給与水準の決定に利用したり、従業員の労働意欲を高めるための情報やコミュニケーション手段として有効に利用すべきものである。

◘評価の目的

　企業は従業員の能力や成果を測定し評価するが、その目的は、情報収集とコミュニケーションにある。
■情報収集：評価結果を分析することにより、人員配置、能力開発、報奨などのHRシステムの最適化を図ることが可能になる。
人員配置：評価結果は、昇進、適性に応じた配置転換、成果のふるわない従業員の解雇などの資料として活用できる。
能力開発：評価結果から、従業員全体および各人の強み・弱みを把握し、能力開発に関するニーズを特定することができる。また、能力開発の前後あるいは継続的に評価を行うことによって、能力開発の効果測定にも活用できる。
報奨：評価結果は、個々の従業員の昇給を決める際の判断基準となる。また、成果に対するインセンティブの基準にも活用できる。
■コミュニケーション：評価は従業員とのコミュニケーションにも役立つ。評価結果やその理由を、自社の経営理念やビジョン、戦略などと関連づけて従業員にフィードバックすることにより、従業員の成果を組織としてどうとらえているかを示したり、期待や改善点などを伝えることができる。

◘評価方法

　評価方法を設計する際には、「何を」（評価項目）、「だれが」（評価者）、「どのくらいの期間で」（評価期間）評価するかを考える必要がある。
■評価項目：企業は一般に、「成果」「能力」「勤務態度」（「情意」と呼ぶ企業も多い）などの評価項目を組み合わせて用いている。評価項目を考える際に最も重要なのは、企業戦略との整合性がとれていることである。
■評価者：「上司」による評価が一般的だが、近年では部下や同僚による評価、顧

客による評価などを実施している企業もある。

■**評価期間**：単純に会計年度の単位である「1年」とはせず、環境変化が激しい業界や企業の場合は、もっと短い期間で設定するとよい。その場合、評価者と被評価者の双方に多大な労力を強いることになるので、業務の繁閑具合などを勘案し、運用上の実現可能性を考慮する必要がある。

企業がよく活用している代表的な評価手法に、MBO（目標管理）がある。MBOは次の手順で行う。

従業員はマネジャーとともに組織目標とのすり合わせを行いながら、納得と合意の下で主体的に自分の当期目標を決定する。そして従業員は自己管理しながら目標達成を目指し、マネジャーはそのための支援と協力を行う。評価期間の終わりに、従業員は当初の目標と実際の成果について自己評価を行い、マネジャーはその妥当性をチェックし、フィードバックする。そして、互いに納得できる結論をもって最終評価とする。

◆評価に関する留意事項

どれほど精緻な評価システムであっても、それを運用するのは人間なので、評価の誤差や偏りが生じるものだ。評価を誤らせる原因を完全に取り除くことは難しいが、評価者が陥りがちな傾向を認識することにより、誤差や偏りを減らすことができる。とくに次の点には気をつけたい。

■**ハロー（後光）効果**：特定の項目についての評価が総合的な評価に影響を与える傾向を言う。たとえば、際立って高い評価を受けた項目があった場合、その評価に引っ張られて、他の項目についても優れていると判断してしまうことがある。

■**中心化傾向**：潜在的に最高の評価や最低の評価をつけることを避ける傾向を言う。たとえば、従業員の評価を5段階で行うと、自然と3や4に評価が集中するものだ。この傾向は、評価基準が明確になっていない場合にとくに生じやすい。

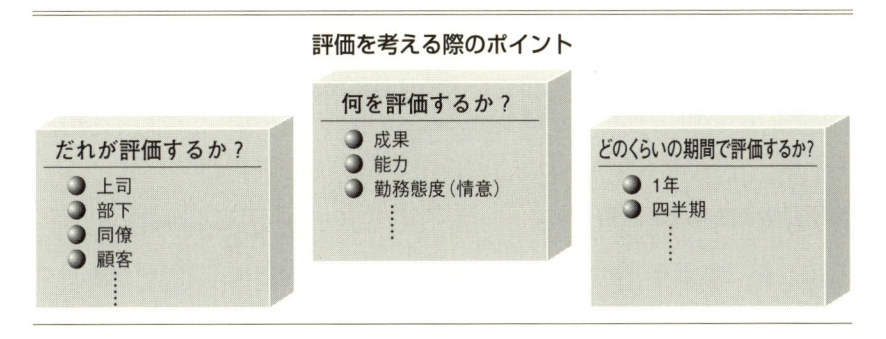

評価を考える際のポイント

だれが評価するか？
- 上司
- 部下
- 同僚
- 顧客
︙

何を評価するか？
- 成果
- 能力
- 勤務態度（情意）
︙

どのくらいの期間で評価するか？
- 1年
- 四半期

●………… 4 組織と人事システム

18 能力開発

POINT

従業員の能力開発は企業にとっての投資と考えられる。企業経営を担うビジネスリーダーの能力は、①ビジネス・フレームワーク、②コンセプチュアル・スキル、③ヒューマン・スキル、④態度、⑤行動という5つの基本要素に、意識／心的要因を加えたものによって総合的に表すことができる。

◖◗企業にとっての能力開発

　能力開発の目的は、企業の戦略を遂行するために必要な人員構成を実現することにある。短期的には現在のポジションで、中長期的には将来就く可能性があるポジションで、それぞれ求められる能力要件を満たすために能力開発が行われる。

　能力開発は「コスト」ではなく、企業の競争優位の源泉となる知識を生み出す人に対する「戦略的な投資」としてとらえることが重要だ。こうした視点を持ち、持続的に好調な業績を上げている企業には、次のような特徴が見られる。

❶経営者自身が自分のミッションとして能力開発に積極的に関与している。
❷継続的な能力開発の仕組みをつくり上げることを意識し、短期から中長期にかけての動態的な計画に基づいて育成を進めている。
❸変化に追従するための最新知識（フロー）を得ることではなく、変化そのものの意味合いをとらえ、進むべき方向を自ら考える自律的な思考力（ストック）を開発することに投資をしている。

　「人・組織が学習する能力」によって企業の競争力が左右される今日、これらの特徴はすべての企業が留意すべき視点と言える。

　企業が行う能力開発には、業務を行いながら業務知識や仕事のやり方を身につけていくOJT（On-the-Job Training）と、業務時間外に業務知識などを学ぶOff-JT（Off-the-Job Training）がある。これまで多くの日本企業ではOJTが能力開発の中心だったが、経験則が必ずしも通用しなくなってきている状況では、Off-JTを有効に活用していく必要がある。

◖◗ビジネスにおける能力

　グロービスでは、現代のビジネスリーダーが備えるべき能力要件として、❶ビジネス・フレームワーク（経営に関する問題の解決に必要な思考・分析の枠組み）、❷コン

セプチュアル・スキル（状況を構造化し、問題の本質を把握し、最善の解決策を導き出す能力）、❸ヒューマン・スキル（組織においてプランを実現するために必要な非定型的な対人関係能力）、❹態度（現在の行動に先立つ思考および経験が表出されたもの）❺行動（意識や心的要因、態度をベースにして、特定の状況に応じてとられる行動の特性）を挙げている。これらの要件に影響を与えるのが、意志や意欲、価値観、信念などすべての行動および思考の根幹を成す意識／心的要因である。個人の能力は5つの基本能力に、意識／心的要因を加えたものによって総合的に表される。こうした基本的な能力は所与のものではなく、開発することが可能だ。

◘キャリア開発

　キャリアとは、人員配置によって形成される業務経験のつながりである。企業が従業員のキャリア開発を行う目的は、従業員の能力を高めることで、組織の成果を最大化することにある。具体的には、企業の求める人材像に合わせて、生産や営業など異なる領域をいくつか経験させたり、人事など特定領域でより難易度の高い業務を与えたりして、従業員にさまざまな業務経験を積ませる。キャリアを重ねていく過程で、従業員は組織の成果につながる幅と深さのある知識を習得する。加えて、部門横断的な知識の交換や従業員間の相互作用が起こったりする。その結果、新しい付加価値が生まれたり、組織文化への理解が深まったりする。

　従業員は自分のキャリアについて、自ら考えていくことも必要だ。自分に「エンプロイアビリティー」（雇用されうるだけの能力）があるかを常に問い続け、戦略的にキャリア・デザインを考えなくてはならない。企業としては、個人のキャリア・デザインに関して最低限必要な情報や機会を従業員に提供することが求められる。

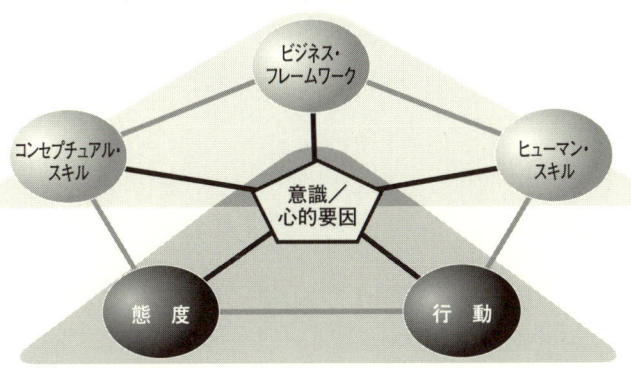

グロービス・ビジネスリーダー・モデル

5 これからの人・組織のマネジメント

19 変革のマネジメント

> **POINT**
> 企業は環境変化を素早く察知するとともに、その変化に即して適切な改革を行う必要がある。変革には常に抵抗が伴い、実行に移すのは難しい。しかし、抵抗の原因を突き止め、適切な対応をとることによって変革を進めていかなければ、変化の時代に生き残ることはできない。

◘組織変革の必要性

　企業の存在意義は、社会に対して新しい価値を継続的に生み出すことにある。しかし、変化が速く予測しにくい環境下では、新しい価値を継続的に生み出すことは難しい。たとえば、生み出したばかりの新しい価値が瞬く間に陳腐化してしまったりする。こうしたなかで企業が存続していくためには、変化に対応し、自らを変革していくことが求められる。

　組織変革とは、新しい環境に適応するために組織を変化させることである。一般には、過去の成功にとらわれて変化を嫌い、変化から取り残された組織を刷新することを指す場合が多い。しかし、環境が大きく変わることの多い今日では、変化を好み、自ら変化を生み出し、変化に自律的に対応する「自己変革型組織」になることが、組織変革の最終ゴールになっている。

　それでは、組織変革によって具体的に組織の何が変わるのだろうか。組織の構成要素は、経営理念やビジョン、経営戦略、マーケティングなどの施策群、組織構成員の行動などに分けられる。組織変革ではこれらをすべて変える必要がある。とくに鍵となるのが構成員である。構成員の行動を変えることなくして、変革の実行はありえない。

◘組織変革の方法とプロセス

　組織変革の際には、「このように行動してほしい」と経営陣がメッセージを発するだけでは不十分である。HRMの具体的な仕組みとOBの個々の取り組みを駆使して、人や組織の行動に影響を与え、変革を実現していかなくてはならない（<3>参照）。たとえば、HRMの領域では、組織構造を変えたり、昇進昇格の方針や報奨制度を変更することで構成員の行動を変える。OBの領域では、マネジャーがマネジメントとリーダーシップの技術（<4>参照）を身につけ、それらを駆使して部下に影響を

与える。自己変革型組織ではとくに、従業員をサポートするエンパワーメント（＜5＞参照）が強く求められる。

変革は一足飛びに実現できるものではない。社会心理学者のクルト・レビンは、変革のプロセスを「解凍・移動・再凍結」という3段階にまとめている。

❶解凍：メンバーに変化の必要性を理解させ、現状を打破して、変化へ向けて準備させる段階。

❷移動：変化のための具体的な方策を実施し、新たな行動や考え方を学習させていく段階。

❸再凍結：新しく導入された変化を定着させる段階。

企業は推進役となるリーダーの強い意志の下、このプロセスに沿って変革を進めていくことが重要だ。

◘変革に対する抵抗と対処

変革の実行は通常、大きな困難を伴う。なぜなら、人の行動にも、外から力を受けない限り同じ状態にとどまろうという「慣性の法則」が働くからだ。その結果、組織も個人も従来から存在する行動パターンに従って動こうとし、変化に対してさまざまな抵抗を示す。

変革に対する抵抗を克服するには、その原因を突き止める必要がある。そして、直接的な強制力を働かせることを含めて、状況に応じた対策を講じる。たとえば、変革の必要性に対する認識が不足している場合は、理解を促すためのコミュニケーションを強化したり、変革の計画や実行段階に構成員を参加させることで対応する。また、変化に対する不安が原因であれば、新たに必要とされるスキルを身につける機会を提供するなど、不安感を取り除く措置を講じるのである。

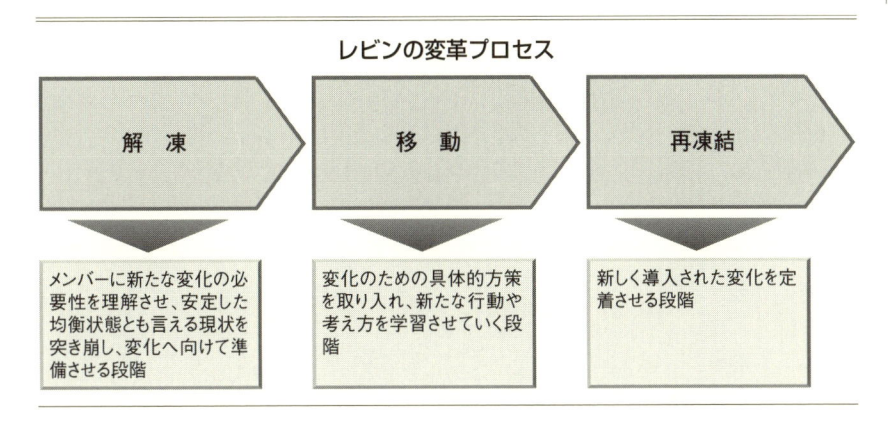

レビンの変革プロセス

解　凍	移　動	再凍結
メンバーに新たな変化の必要性を理解させ、安定した均衡状態とも言える現状を突き崩し、変化へ向けて準備させる段階	変化のための具体的方策を取り入れ、新たな行動や考え方を学習させていく段階	新しく導入された変化を定着させる段階

5. これからの人・組織のマネジメント

20 組織学習

POINT

急速な環境変化が常態化している今日、変革する力を持った組織が注目されている。
「学習する組織」の概念は、自己変革していく能力を備えた新しい組織のあり方を探り、組織変革を実現していくために必要な鍵を提示している。

◆学習する組織

＜19＞では、激変する環境において企業が存続していくためには、自己変革型組織になる必要があると述べた。自己変革型組織のように、変革の力を内在化させた組織を概念化したものに、「学習する組織」がある。

「学習する組織」の特徴は次のとおりだ。まず、過去の組織文化や戦略の枠に思考や行動をしばられることなく、変化に対応し、自己改革していく機能を備えている。すべての構成員が自律性と協調性を持ち、現在の環境に適応する強さと将来の変化に対応する柔軟性を理解し実践する。つまり、組織全体が学習する能力を備えているのだ。ここで言う「学習」とは、単に知識を習得することにとどまらず、思考や行動のパターンを変えていくことを指す。

「学習する組織」を実現するための要素として、ハーバード大学ビジネススクールのクリス・アージリスの「ダブルループ・ラーニング」と、マサチューセッツ工科大学のピーター・センゲの「5つのディシプリン」を紹介する。

◆ダブルループ・ラーニング

アージリスは、組織における学習プロセスには、「シングルループ・ラーニング」と「ダブルループ・ラーニング」の2形態があるとしている。シングルループ・ラーニングとは、問題に対して、既存の目的達成へ向けて軌道修正を行うことを言う。一方、ダブルループ・ラーニングとは、問題に対して、既存の目的や前提そのものを疑い、それらも含めて軌道修正を行うことを言う。アージリスは、組織の構成員が自発的な意欲と責任感を持って、変革に資するような行動をとるためには、「ダブルループ・ラーニング」が必要だと考えた。

学習する組織を実現するためには、目的や前提そのものを疑い、それらの変革をもたらす「ダブルループ・ラーニング」の考え方が不可欠な要素と言える。

◆5つのディシプリン

　センゲは、適応し変化する能力を継続的に開発している組織を「学習する組織」と名づけ、その実現のために必要な要素として「5つのディシプリン」（構成技術）を挙げた。なかでも、「システム思考」という要素を他の4つの要素を束ねるディシプリンとして位置づけている。センゲは、組織がこれら5つのディシプリンを同時に獲得することにより、変化への自己対応能力を備えることができると考えた。

❶**システム思考**：独立した事象に目を奪われずに、各要素間の相互依存性、相互関連性に着目し、全体像とその動きをとらえる思考方法を言う。

❷**自己実現と自己研鑽**：自らのビジョンや欲求が何であるか探り続けると同時に、現状を的確に見極めることによって両者のギャップを認識し、ビジョンや欲求の実現に向けて行動することを言う。

❸**メンタル・モデルの克服**：物事の見方や行動に大きく影響を与える固定観念や暗黙の前提をメンタル・モデルと言う。自社や競合、市場に関して組織で共有しているメンタル・モデルを認識し、それを打破するための取り組みが必要である。

❹**共有ビジョンの構築**：各個人のビジョンから共有されたビジョンを導くことにより、お題目ではなく、組織の構成員が心底望む将来像を構築することを言う。

❺**チーム学習**：学習の基礎単位は個人ではなく、チームである。構成員間のダイアローグ（対話）を通して複雑な問題を探求することにより、個人で考えるときよりも優れた解決方法の発見につながる。

センゲによる"伝統的な組織"と"学習する組織"の違い

	伝統的な組織	学習する組織
方向性の決定	ビジョンは、トップ・マネジメントによって示される	組織のあちこちで共有されるビジョンを認識することができる。トップ・マネジメントは、ビジョンの存在と育成に対して責任を持つ
アイデアの形成と実行	何を行うべきかは、トップ・マネジメントが決定し、その他の組織構成員は、それに従って行動する	アイデアの形成と実行は組織のあらゆるレベルにおいて行われる
組織における考え方の特徴	各人はそれぞれ自分の仕事に責任を持ち、個人の能力の向上に力を注ぐ	組織構成員は自分の仕事を理解するとともに、自分の仕事が他人の仕事にどのように関係し、影響を与えるかについても考慮する
コンフリクトの解決	コンフリクトは、階層上の権力や影響力の行使を通じて解決される	コンフリクトは、組織のどこにおいても相互の学習と多様な視点の統合を通じて解決される
リーダーシップとモチベーション	リーダーの役割は、組織のビジョンを確立し、適宜賞罰を与え、従業員の活動全体の管理を維持することである	リーダーの役割は、エンパワーメントとカリスマ的なリーダーシップにより共有されるビジョンを構築し、個人に権限を委譲し、やる気を起こさせ、企業全体に効果的な意思決定を促すことである

出典：Fred Luthans, "Organizational Behavior" Eighth Edition, Irwin McGraw-Hill, 1998より翻訳

人・組織

5 これからの人・組織のマネジメント（増補）

21 ワーク・ライフ・バランス

> **POINT**
> 政府はワーク・ライフ・バランスを「仕事と生活の調和」と訳し、とくに企業の従業員が仕事と生活の適切なバランスをとることを提唱している。その背景にあるのは、少子化対策や男女共同参画推進といった国家的な事情であるが、こうした要請に限らず、従業員が人間として豊かな生活を送れるようにすることは、企業の戦略上も大きな課題となりつつある。

◇背景

　ワーク・ライフ・バランスという言葉が初めて公的に用いられたのは、1980年代中頃のアメリカにおいてである。もともとアメリカは欧州諸国に比べて文化的に仕事人間が多く、仕事への過度の時間配分が家族や友人との付き合いや地域への貢献を損なうケースが少なくなかった。1980年代はとくに、日本との競争激化や技術進化などにより労働時間が長くなる傾向があった。その結果、ストレスは増し、従業員の健康、ことにメンタルヘルスに大きな悪影響を与えていた。そうしたなか、「人間らしい豊かな生活」をどこまで犠牲にしうるのかという議論が高まったのである。

　一方、日本は、アメリカ以上に仕事人間が多い国である。もともと長時間労働を是とする下地はあったが、そうした慣習への見直しを迫ったのが、少子化対策や男女共同参画推進の視点である。

　少子化を例にとると、その原因はさまざまあるが、従業員（とくに男性）が会社に時間をとられてしまい、育児への参加がなかなかできないことが夫婦が出産に踏み切れない大きな要因とされた。事実、多くの企業は育児休暇の制度を取り入れているが、男性でこの制度を利用しているのは、わずか1％にも満たない（女性ですら72％。2005年度）。そして育児休暇をとれない理由で最も多いのは、「職場の理解が得られない」「生活に困る」などである。親が育児をするという基本的な生活すらままならない現状がそこにある。

　ちなみに、政府の男女共同参画会議の報告書（2007年）では、ワーク・ライフ・バランス実現に向け、❶「ワーク・ライフ・バランス社会の実現度指標」を開発する、❷国や地方公共団体は成果を上げている企業・組織を顕彰し、広くアピールする、❸個人の多様な選択を可能にする支援やサービスを展開する、❹情報通信技術（ICT）の活用など関連する技術革新を推進する――の4つの戦略を掲げている。

◆豊かな生活基盤を提供する

　第1部＜21＞で企業の社会的責任について述べた。近年、ボランティア活動などを積極的に支援する企業も増えているが、そうした活動を加速するためにも、ワーク・ライフ・バランスは重要だ。

　日常の生活が充実していなければ、従業員もボランティア活動に取り組もうなどとは考えないだろう。家族が病気にかかっていたり、介護を必要とする高齢者がいたりするにもかかわらず、十分な時間が確保できないとすれば、市民活動以前の問題として仕事自体にも影響を及ぼしかねない。

　そこで、多くの組織ではフレックスタイムでの勤務、在宅での勤務、弾力的な休職制度、いったん家庭の事情で退職した社員の再雇用、パートタイム労働の多様化など、多様かつ柔軟な働き方ができるような制度を設け始めている。

　このような制度を設けることは、直接的・短期的には経済合理的ではないこともあるかもしれない。しかし、人間は、組織の構成員である以前にひとつの人格である。組織で働くことは生活の一部にすぎない。家族の一員でもあれば、地域社会の一員でもあるし、学校の同窓会の一員でもある。これらの組織や社会において一定の役割を担うことを期待されているし、また貢献したいと望んでいる。

　こうした人間の社会的生活における多面性を理解しないままマネジメントすることは、個人の人間性を否定するものである。それゆえ、マネジメントとしては、従業員が組織における役割とそれ以外の社会における役割をメリハリをもって担えるようサポートをすることが求められる。それは長い目でみればＣＳＲを果たすことにもつながり、人材獲得の競争力や企業業績にもつながっていく。

個人の多様な社会的役割（例）

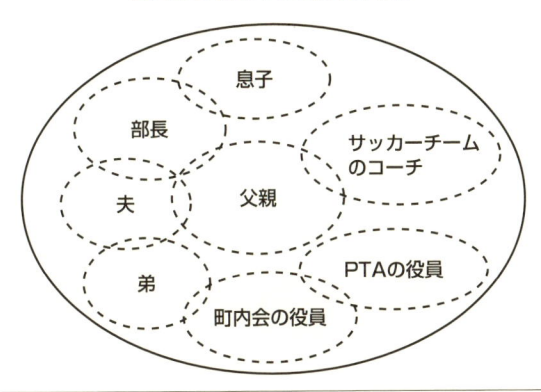

- 息子
- 部長
- 夫
- 父親
- 弟
- サッカーチームのコーチ
- PTAの役員
- 町内会の役員

5 これからの人・組織のマネジメント（増補）

22 メンタルヘルス

> **POINT**
> 現代は、予想もしない急激な変化が常態化しているハイパー・チェンジの時代である。こうした時代には、社員の疲労、うつ状態、感情障害などが増加し、多大な経済的損失を引き起こしかねない。従業員のメンタルな健康に十分な配慮をすることで、組織の生産性を高く維持することが求められている。

◪高まるストレスとメンタルヘルスの重要性

　我々は大きな変革の時代を生きている。カナダのストレス研究所所長のリチャード・アール博士は、こうした超高速変化の時代を、ハイパー・チェンジ・エイジと名づけた。変化のスピードだけではなく、変化の「目新しさ」と「予測不能性」に注目した概念である。どうなるのかが予測できず、備えられないことが不安材料となり、しばしば強いストレスを引き起こすのだ。

　その一方で、激化する競争のなか、組織は生産性向上を強く求められている。人手が不足しているにもかかわらず、責任はますます重くなるなど、とくに中堅層の30代ビジネスパーソンを取り巻く環境は厳しくなっている。また、企業を取り巻くリスク（PL〈製造者責任〉に絡む訴訟リスクや、ネットなどでの評判リスク、知的財産の漏洩リスクなど）の拡大・増加も、メンタルヘルスの重要性を増す原因となっている。

◪日本企業のメンタルヘルスへの取り組み

　1960年代までメンタルヘルスへの取り組みは、統合失調症など、いわゆる精神病への精神医学的、社会福祉的対応が中心であった。産業界においても、疾病に対する治療、管理、職場復帰援助が健康管理の主な内容であった。

　80年代になると、人員削減が進み、頭脳労働に従事する者が増加するにつれて、変化に対応できない職場不適応が顕在化してきた。精神的ストレッサー（ストレスを発生させる要因）が増加し、だれもがストレス性疾患のリスクにさらされるようになってきたのだ。こうしたなか、社内に産業医を常駐させる企業が増えた。

　そして21世紀の現在、メンタルヘルスを導入し、休職日数や件数を減少させることで経済的損失の低減を図ろうとする企業が大幅に増えている。しかしながら、メンタル不調が起こる原因を正しく理解したり、メンタル不調の症状を正しく整理できている企業はまだ少ない。また、多くの企業では、メンタルヘルスの問題を専門

の医師に丸投げしたり、現場の管理職の自助努力に委ねてしまうなど、組織として有効的かつ包括的な取り組みがなされていないのが現状である。

◘適応アプローチ

あらゆるメンタル不調を医学の領域に押し込め、医学的に対応しようとするアプローチに対する反省から生まれたのが、適応アプローチだ（もちろん医学的な対応を適切に行うことは重要だが、それだけではメンタルヘルスの問題には対応しきれない）。

適応アプローチの流れをチャートで表したのが図である。メンタル不調は、無断欠勤が続く、情緒不安定になるなど、さまざまな形で現れる。健康や生命への危険を及ぼすような状況が見られ、上司として「安全配慮義務」を履行すべきならば、医師による健康診断を最優先で勧めることが望まれる。

このアプローチで重要なのは、職場において対応可能なケースをしっかり見極め、組織行動学、人的資源管理の両面から適切な対策を打つということだ。

組織行動学的なものとしては、カウンセリング・マインドを持ち、部下の話にしっかり耳を傾けるなどがある。これはメンタルヘルス対策に限ったことではない。部下との日常的なコミュニケーション上も重要な要素であり、通常のリーダーシップの延長線上にあるものである。

人的資源管理に関連する打ち手としては、まず研修を思い浮かべる人が多いだろうが、これだけではない。たとえば、評価の際に部下に対して納得性の高いフィードバックを行ったり、能力開発のヒントを適切に提示したりすることも、ストレス削減につながる。

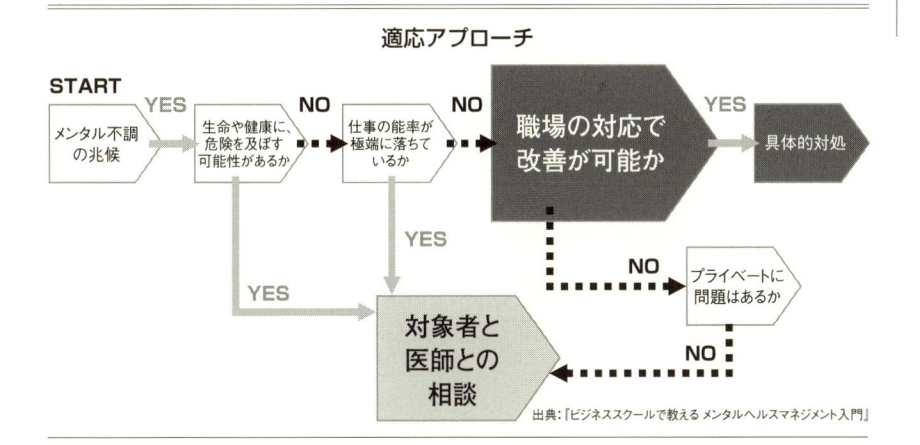

適応アプローチ

START → メンタル不調の兆候 → YES → 生命や健康に、危険を及ぼす可能性があるか → NO → 仕事の能率が極端に落ちているか → NO → 職場の対応で改善が可能か → YES → 具体的対処

生命や健康に、危険を及ぼす可能性があるか → YES → 対象者と医師との相談

仕事の能率が極端に落ちているか → YES → 対象者と医師との相談

職場の対応で改善が可能か → NO → プライベートに問題はあるか → NO → 対象者と医師との相談

出典：『ビジネススクールで教える メンタルヘルスマネジメント入門』

第6部
IT

1 企業経営とIT

POINT
企業の競争優位を確立するためには、ITを戦略的に企業に導入し、意思決定や戦略遂行活動の質やスピード、正確性、効率性を高めることが不可欠になっている。ITの戦略的活用においては、CIOの役割が重要になる。

◘企業経営におけるIT利用

企業が近年の市場の成熟化や競争のグローバル化に対応し、勝ち残っていくためには、イノベーションとスピード、品質、新たな価値創出を重視し、企業独自の競争優位を確立する必要がある。その鍵となるのがIT（情報技術：Information Technology）だ。経営的な判断の下、ITを戦略的に企業に導入し、競争優位の源泉となる差別化やコスト優位をいかに生み出すかが企業の命運を分ける。そのため企業は主に、❶ITを戦略立案や知識・ノウハウの共有に活用することと、❷企業が行っている価値創造活動を情報システムで置換したり、支援したり、組み替えることを検討しなくてはならない。

❶の利用は、いわば企業の「考える・判断する」活動の質やスピード、正確性を高めることを目的としている。代表的なものに、市場情報や日常の取引情報を経営戦略などに活用するための経営情報システム（MIS: Management Information System）、意思決定支援システム（DSS: Decision Support System）、企業の独自技術・知識を管理・活用するためのインフラとなるナレッジ・マネジメント・システム（KMS: Knowledge Management System）（＜14＞＜15＞参照）などがある。

❷の企業の価値創造活動に関わるITは、バリューチェーンの支援活動に関わるものと主活動に関わるものに大別される。支援活動を支える情報システムには、コミュニケーションや情報共有、ナレッジ・マネジメントのインフラとなるグループウエア、企業活動の主要な機能と情報を統合的に管理するERP（Enterprise Resource Planning）（＜6＞参照）などがある。これらはバリューチェーン全体を効率化するとともに、戦略立案・実行のインフラとして機能する。

バリューチェーンの主活動を支えるITは、差別化やコストダウンによって直接的に顧客に価値を提供する。購買物流や出荷物流などロジスティクス（＜8＞参照）では、EDI（Electronic Data Interchange：電子データ交換）やEC（Electronic Commerce）、サプライチェーン・マネジメント（SCM: Supply Chain Management)（<7>参照）、電子受発注システム、自動倉庫システムなどがある。

製造では、CIM（Computer Integrated Manufacturing）やCAD/CAM（Computer Aided Design/Manufacturing）や、FMS（Flexible Manufacturing System）など。販売やマーケティング活動では、顧客と継続的な関係を築くためのCRM（Customer Relationship Management）（<13>参照）、販売活動を支援するSFA（Sales Force Automation）、販売時点での売上管理のPOSシステムなど。サービスでは、コンピュータと電話を統合するCTI（Computer Telephony Integration）や遠隔診断、保守管理システムなどが役立つ。

◘CIOの役割と機能

CIO（最高情報責任者：Chief Information Officer）は、ITの戦略的活用の責任者だ。CIOに求められる役割・機能は大きく次の2点である。
❶CEO（最高経営責任者）やCOO（最高執行責任者）とともに経営戦略の一環としてIT戦略を立案し、それに基づいて情報インフラや情報システムを構築すること。
❷情報インフラや情報システムの構築・運営に必要なハードウエア、ソフトウエア、人的資源をマネジメントすること。

IT戦略の立案に際しては、事業特性や技術的な動向などを考慮し、さまざまな対象領域の中からどの領域のシステム化が自社にとって最も必要なのか、優先順位づけをすることが重要である。また、どれだけの費用をかけ、どれだけの機能を実現するのかという費用対効果のバランスについても判断が必要となる。さらに、導入後の運用方法やコストなども、導入時に検討をしておくべきである。

企業の各機能や活動で利用される情報システム

戦略策定や知識のマネジメント	経営情報システム（MIS）、意思決定支援システム（DSS）、ナレッジ・マネジメント・システム（KMS）	

支援活動		
全般管理（インフラ）	経営計画システム、グループウエア、ERP、SCM	
人事・労務管理	人事管理（HRM）システム	
技術管理	CAD、CAM、KMS	
調達活動	EDI、EC（B to B）	

主活動	購買物流（ロジスティクス）	製造	出荷物流（ロジスティクス）	販売・マーケティング	サービス
	EDI、EOS 自動倉庫 SCM EC	CIM、CAD／CAM FMS	EDI 受注管理 SCM EC	POSシステム SFA CRM	CTI 遠隔診断 保守管理

注）情報システムは複数の機能や活動にまたがって利用される場合もある。また、SCMやCRMなどは「ITを使った仕組み」を表す概念であるが、その仕組みを実現するためにパッケージ化されたソフトウエアの意味で用いられることもある。

◉……… 1 企業経営とIT

2 企業活動とIT利用領域

POINT

企業におけるITの活用は、業務の自動化といった局地的な活用から、内部統合、業務プロセスや事業ネットワークの再構築へと進展してきた。最近ではインターネットやブロードバンドなどの発展によって、企業のさまざまな場面で活用されている。

◖企業内外でのIT活用

❶部門内での情報共有や効率化

IT活用の目的として、業務部門単位での情報共有や効率化がある。たとえば、営業部門であれば、顧客データを共有するために一元的なシステム入力をしたり、人事部門であれば、手計算で行っていた給与計算を自動化するために給与管理システムを導入するといったことである。

❷部門間の連携（顧客情報、取引情報）

顧客情報や取引情報は、IT活用によって部門を超えて共有できる。たとえば顧客情報を営業部門とサービス部門で共有し、購買実績とサービス対応実績の履歴を一元管理できれば、顧客サービスの向上につながる。また、営業部門と生産部門の速やかな情報伝達により、取引情報に応じた生産なども可能になる。

❸部門間の連携（勘定系情報）

営業部門の受注・売上情報と経理部門の勘定系システムを連携させることにより、管理会計や財務会計の勘定系データが細密かつタイムリーに算出できるようになる。経営判断のためにも、これをスピーディに捕捉することは重要である。

❹全社的な統合

企業全体で統合的なIT活用をすると、前述の勘定系データに限らず、企業活動全般がモニタリングできるようになる。もちろんあらゆる活動を追求する必要はなく、どういった内容をモニタリングするのが適切か、判断が求められる。

❺対サプライヤー

外部の関係者との連携にも、積極的なIT活用が可能だ。たとえば調達面においては、調達処理の簡素化、調達コストの低減、調達範囲の拡大などの効果が考えられる。ネットワーク・インフラの整備によって外部との連携が競争力の源泉となると考えられる場合、この領域のIT利用が重要な検討課題になる。

❻対顧客

顧客に対する連携を積極的に構築していくという考え方である。「ネット○○」と呼ばれるインターネットをサービスの前提としている企業では、この領域を最初に検討する必要がある。また、顧客とリアルな接点を持つ企業も、インターネットというチャネルは無視できない状況にある。提供サービスに応じて機能の充実度の濃淡はあるが、何らかの機能が求められている。

❼ナレッジ経営

たとえばメーリングリストによって社内コミュニケーションを密にし、顧客への営業方法など属人化しがちなノウハウを形式知化するきっかけを増やすことができる。また、蓄積した知恵を共有する方法にも、イントラネットやSNSといったIT活用が考えられる。

◆統合と拡張

システムの連携や統合は、単に、入力負荷を下げること、データの二重管理を避けることなどの理由のみから進められるべきではない。将来、業務そのものが変わった場合、変更を余儀なくされる範囲が広くなる、あるいは下流のある業務を実施するだけのために上流でデータ入力が求められるといった事態が、時間の経過とともに発生する可能性があるからである。

将来の変化を考慮に入れて、どの業務範囲を連携・統合の対象とするかを検討していく必要がある。

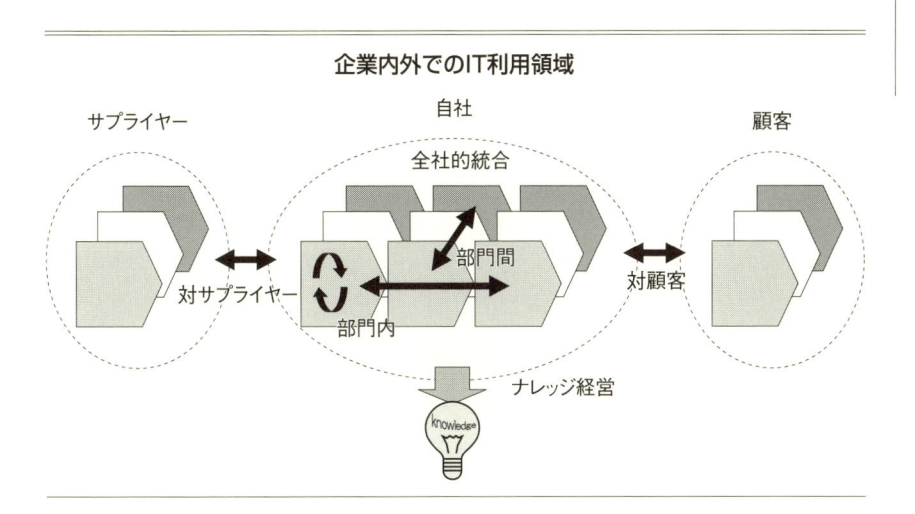

企業内外でのIT利用領域

（図：サプライヤー ←対サプライヤー→ 自社（全社的統合／部門間／部門内）←対顧客→ 顧客、ナレッジ経営）

1 企業経営とIT

3 技術進化のとらえ方

POINT

情報機器やコア技術などの急速な進化によって情報利用の可能性が広がり、ビジネスにも大きな影響を与えている。組織にITを導入する過程では、こうした技術面の進歩だけでなく、情報機器や技術を運用する「人」への影響についても配慮しなくてはならない。

◘情報機器の進化

　技術革新により、情報処理能力が向上するとともに、情報関連機器の価格が大幅に低下したことから、パソコンや通信機器の利用など、企業活動におけるITの導入は急速に拡大した。

　この分野の技術革新は、スピードがきわめて速い。ムーアの法則によると、ITの代表格である半導体は、小型化の進展と集積度の加速度的な増加により、コストが同じままで18カ月ごとにチップの性能が2倍になるという。実際には、規模の経済などによるコストの低下と製造技術の改良の相乗効果によって、さらに安く半導体製品を製造できるようになっている。

◘コア技術の進化：デジタル技術とネットワーク技術

　ITはデータベース技術とネットワーク技術を核に進展してきた。現在ではこれに情報の蓄積・移動・活用の効率を飛躍的に高めるデジタル技術が加わり、あらゆる情報のコンピュータ処理が可能になった。ここではとくにデジタル技術とネットワーク技術がビジネスに与える影響を3つの側面から考える。

❶ビジネスプロセスのデジタル化による消費者の取り込み

　デジタル技術の進展によって、企業は顧客をより密接に取り込むことができるようになった。たとえば、POSシステムは販売活動から発生する顧客データをデジタル情報に変換して効果的に利用することで、顧客に対して高い価値を提供することを可能にした。また、オンラインでの株式購入や金融サービスへのアクセスなどは、顧客のパソコンを自社のビジネスプロセスに組み込むことを意味している。

❷電子商取引の実現と取引コストの低下

　市場で取引を行うには、取引相手を探すコスト、成約に至るまでの交渉コスト、契約コスト、意思決定コストなどさまざまなコストが発生する。電子商取引（EC）

の実現により、こうした取引コストを劇的に低下させることが可能になっている。

3 知識のデジタル化と共有

最近では、企業における日常の活動やメモなどの文書情報をデジタル化したり、蓄積された文書情報を分析することによって、企業の知識やノウハウを形式化し、関係者全員で共有化するシステムが構築されている。こうした知識やノウハウなどのナレッジは、社員の動機づけに活用したり、外販して収益源とすることも可能だ。

◘ IT導入における技術軸と人間軸

新たなITを組織に導入する場合、技術面だけではなく、人に対する影響も考慮しなくてはならない。人や組織には、いまの状態にとどまろうとする慣性があり、それが新たなITの導入に対する妨げとなる場合があるからだ。

たとえば新たに業務システム（受注管理システムなど）を導入した場合、従来の仕事のやり方や内容が変わったり、仕事そのものが不要になってしまうことがある。それまでのノウハウが通用しなくなるという危機感、新たな学習を強いられる不安感は、新しい業務システムの導入自体への反発につながってしまう。

こうした組織内の軋轢をいかに最小化するかという課題をかかえる企業にとって、「解凍・移動・再凍結」というモデルが参考になる（図を参照）。これは、第5部＜19＞で紹介したレビンのモデルを発展させたものだ。いきなりITを導入して従業員を混乱させるのではなく、まず教育やコミュニケーションの改善、組織メンバーの意思決定プロセスへの参加などにより、変革の心構えをさせる。準備ができた段階でハード面の改革を実行し、変化を定着させるための教育やコミュニケーションを行う。なお、教育などだけでは解凍や再凍結が進展しない場合は、交渉や強制などのパワーの行使を併用することも検討すべきである。

組織変革のステップ

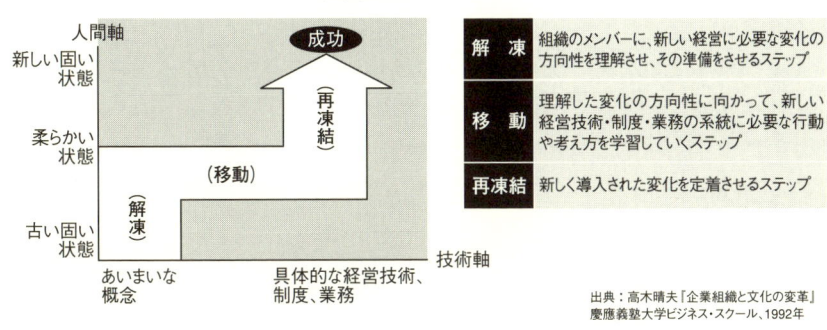

解凍	組織のメンバーに、新しい経営に必要な変化の方向性を理解させ、その準備をさせるステップ
移動	理解した変化の方向性に向かって、新しい経営技術・制度・業務の系統に必要な行動や考え方を学習していくステップ
再凍結	新しく導入された変化を定着させるステップ

出典：高木晴夫「企業組織と文化の変革」慶應義塾大学ビジネス・スクール、1992年

1 企業経営とIT

4 情報リテラシーと情報構造

> **POINT**
> 企業活動に関連する情報には、日常活動から発生する取引情報と、顧客や競合に関する市場情報がある。市場の動向や不確実性に対応するためには、これらの情報を分析し、それを戦略に反映させなくてはならない。それには、情報を収集、加工、分析する情報リテラシーが不可欠である。

◘企業活動における情報

　企業が用いる情報には、販売処理や会計処理など「定型プロセスで取り扱う情報」と、顧客情報や競合情報といった市場や環境の「不確実性を軽減するために活用する情報」がある。
　情報は多ければいいというものではなく、必要な情報を的確に蓄積し、流通させることが重要である。したがって、企業は情報がいつどこで発生し、だれにとってどの程度必要か、どのように使うとどういう効果が期待できるかを考慮しながら、2種類の情報を峻別し、効果的に利用していく必要がある。

◘情報リテラシー

　情報を有効活用するには、情報システムを整備するだけでなく、情報機器を使いこなすことも必要だ。リテラシーとは、もともと読み書きの能力、言葉を上手に使う能力、教育や教養を言う。情報リテラシーとは、情報通信やマルチメディアを理解し、高度情報化した現代を生き抜くための基礎的素養、さらに言えば、企業活動で発生・収集する情報を活用して経営判断ができる「情報活用能力」である。
　最近では、コミュニケーション手段として電子メール、ドキュメント作成ツールとしてワープロやプレゼンテーション・ソフト、そしてデータ加工、分析ツールとして表計算ソフトが利用できることは最低限の情報リテラシーとなっている。また、インターネットで情報を検索し、それを取捨選択するスキルも求められている。

◘情報構造と行動様式

　企業活動を支える情報インフラは、情報へアクセスできる度合いによって、❶階層型情報構造、❷共有型情報構造、❸創造型情報構造の3つに分類される。どの情報構造を前提に組織を構築するかによって、組織や構成員の行動様式は制約を受け

る。したがって、企業はさまざまな情報をどの構造の下に利用するかを決定することが重要となる。

❶階層型情報構造

組織の枠組みが明確に規定され、その枠内でのみ情報が取り扱われる。その中で利用される情報はさらに、企業・組織内の情報を処理する情報と、自社の組織・機能と他社の組織・機能を連結するための情報に分かれる。後者は、蓄積や検索に使うストック情報ではなく、その場で消費するフロー情報として利用される。

❷共有型情報構造

複数の企業・組織間で情報が共有されるが、その情報にアクセスできる企業や組織は明確に規定されている。企業や組織・機能はクローズド・ネットワークとして結びつけられ、共有情報をもとに連携しながら活動を行い、ビジネス・スピードの向上や在庫低減などを目指す。SCMなどでこうした情報構造が用いられている。共有化される情報はストック情報として利用される。

❸創造型情報構造

企業や組織・機能がネットワーク上に置いた独自情報を、他の企業などが自由に活用する。これにより、ビジネス機会の拡大やコスト低減、生産性の向上などが期待できる。

情報はオープンなネットワーク・インフラ上に存在し、情報共有を行う範囲の規定も緩やかである。こうした情報構造は、インターネット・ビジネスやグローバル調達などの形で実現している。共有化される情報は、ストック情報の場合も、フロー情報の場合もある。

情報処理ツール

種類	機能
ワープロ・ソフト	日本語文章の入力、記憶、編集
表計算ソフト	スプレッドシート型の表計算、グラフ作成、データ管理
データベース・ソフト	データベースの作成・更新・検索、画面や帳票の設計、業務アプリケーション作成
プレゼンテーション・ソフト	発表者用スライド、発表者用ノート、配布資料の作成を支援 ワープロや表計算ソフトで作成した文章や表、グラフを取り込むことも可能
電子メール	インターネットやLANを介してメモやデジタルデータのやりとりを行う
電子ペーパー	ワープロ・ソフトや表計算ソフト、データベース・ソフト、プレゼンテーション・ソフトで作成したデータを、紙に出力する代わりに、ファイルに出力し配布する
グループウエア	電子メールや掲示板、文書管理を基本的な機能として提供 ワークフローを作成する機能を備えているものもある

2 業務システムの革新

5 BPR

> **POINT**
> IT導入に合わせてビジネスプロセスを再構築することにより、業務スピードの向上、人件費などのコストの削減、さらに競争優位の創出が可能になる。ビジネスプロセスの変更は、仕事のやり方だけではなく、組織や管理方法、求められる人材、経営者の役割などにも影響を及ぼす。

■ITの活用とBPR

BPR（Business Process Re-engineering）とは、既存のビジネスプロセスを見直し、仕事のやり方を抜本的に変更することである。

企業における既存の管理方法や業務プロセスの多くはコンピュータが出現する以前のもので、異なった競争環境の時代の産物だ。そのやり方をそのまま自動化したとしても、歪みが生じて全体最適にはほど遠いものになってしまう。イノベーションとスピード、品質、新たな価値創出を実現するためには、活用できるITのレベルに合わせて業務プロセスそのものを再編成する必要がある。

なお、BPRはビジネスプロセスを変えるだけにとどまらない。劇的なパフォーマンス向上を果たすために、組織構造の変更、評価システムや管理体制の変革、社内で共有している価値観などの変革も併せて実行する。これらの関係は、図のリエンジニアリング・ダイヤモンドのモデルとして表すことができる。

経営コンサルタントのマイケル・ハマーによると、アメリカのある自動車会社はITを積極的に活用するだけでなく、日本の自動車会社が行っている業務のやり方を分析して、経理部門の業務プロセスを抜本的に再構築することにより、500人以上いた人員の約75%を削減し、業務の正確性と迅速性を飛躍的に向上させたという。これはITの導入だけでは実現しなかった効果である。

■BPRによる変革

ここでは、仕事のやり方、組織や管理体制、必要な人材、経営者の役割という観点から変革について考えてみよう。

■仕事のやり方

定型的な業務は細分化され、単純な繰り返し作業となっていることが多い。BPRでは、必要な結果を得るために必要な業務と不要な業務を識別し、ITが利用可能な

業務については自動化する。また、BPRでは通常、営業やサービスなどこれまでの職能別組織に代わって1つのプロセス（たとえば、特定顧客の顧客満足実現）を実行するチームを形成することも多い。チームはそのプロセス全体と結果に対する責任を持ち、仕事の成果はプロセス全体にどれだけ貢献したかで評価される。

■組織や管理体制

　チームではメンバー各人がプロセスの多くの範囲に関わるようになるため、マネジャーは、従来のように仕事を配分したり管理することから、チームの問題解決に手を貸す役割を担うことが求められるようになる。つまり、指示を出す管理監督者から、助言を与えるコーチへと変身する必要がある。また組織構造も、従来の階層型組織からフラットな組織に移行していく。

■求められる人材

　権限委譲されているチームでは、メンバーは自ら意思決定を行う必要がある。プロセス全体として結果を出す必要があるため、メンバーは目的と業務の意味を理解するとともに、突発的なトラブルが起きたときにその場で対処できる判断力や行動力を持たなければならない。

■経営者の役割

　プロセスに対する責任がチームに委譲され、組織構造がフラットになると、経営者は、顧客に価値を提供する仕事に携わるメンバーにとって、距離的・心理的に非常に近い存在になる。そのため、メンバーの価値観や信念により直接的に影響を与え、やる気を鼓舞するリーダーシップが求められる。

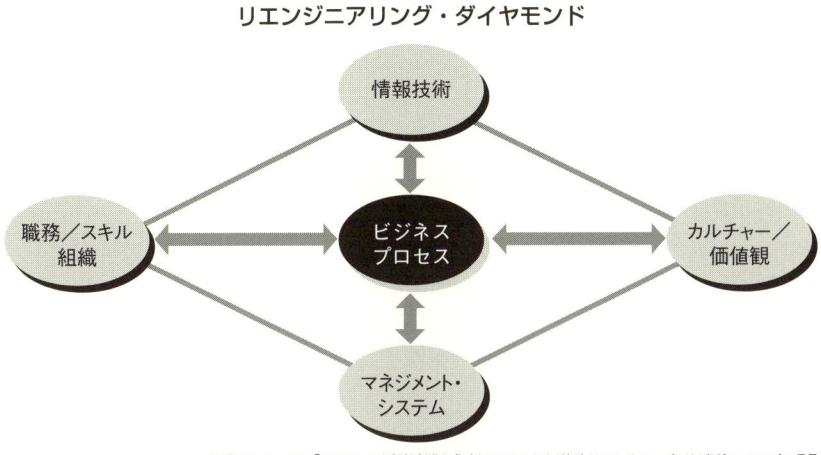

リエンジニアリング・ダイヤモンド

```
            情報技術
              ↕
職務/スキル ←→ ビジネス ←→ カルチャー/
  組織         プロセス       価値観
              ↕
         マネジメント・
           システム
```

出典：F. A. ペトロ「ドラスチックな価値創造を成功させる四つのカギ」ダイヤモンド・ハーバード・ビジネス、1994年1月号

2 業務システムの革新

6 ERP

> **POINT**
> ERPは、統合データベースによって企業で発生する情報を一元管理する情報システムである。このデータベース上で、ベスト・プラクティスとしての業務パッケージを利用することができ、業務革新やBPRの推進に役立つ。

◖ERPとは

BPRを効果的に実行するうえで強力なツールとなりうるのが、ERP（Enterprise Resource Planning）だ。通常は販売・生産・会計といった企業の基幹業務の情報を統合した新しい形態のパッケージ・ソフトウエアを指すことが多い。

ERPでは、「One Fact One Place」が実現される。つまり、企業全体の業務を統合して扱うので、同じ情報を何度も情報システムに入力する必要はなく、発生した場所で入力するだけでよい。

◖ERPの特徴

ERPの代表的な特徴として、以下のものが挙げられる。

■**統合データベース**：業務で発生するあらゆる取引データを、一元的に管理することができるよう設計された統合型のデータベースである。

■**ベスト・プラクティス**：優れた企業が実践するベスト・プラクティスで構成されており、基本機能はすべて網羅されている。システム開発者は自社の業務に必要な機能を選択し、システム導入する。独自に開発を行う場合と比べて、短期間かつ低コストでの導入が可能である。

■**段階的導入**：業務間の連携があらかじめ想定されているため、個別業務から段階的に導入することも可能である。

■**グローバル対応（多通貨、多言語）**：主要国の法律や商習慣、生産方式などがシステムに組み込まれている。利用者はパラメータを指定することで言語や通貨などに対応できる。

◖ERPがもたらすもの

ERPでは上記の機能を用いることで、リエンジニアリング、ロジスティクスの全社最適化、ビジネス・スピードの向上、グローバル化の推進に大きく貢献する。

■**リエンジニアリング**：ERPが提供する業務パッケージは、さまざまな企業の業務のやり方を集成したものだ。このベスト・プラクティスを利用し、業務のやり方をERPに合わせることで、根本的かつ抜本的に業務プロセスを見直し、効果を上げることができる。
■**ロジスティクスの全社最適化**：企業活動の効率化を図るためには、企業活動の全体を見る必要がある。ERPを用いることで原材料の調達から生産、流通、販売に至るすべての機能を統合し、経営資源の最適配分を図ることができる。
■**ビジネス・スピードの向上**：市場環境の激しい変化に対応するためには、調達期間や生産リードタイム、開発期間、製品配送リードタイムなどの短縮が重要だ。ERPによりこれらが実現され、ビジネス全体のスピードアップを図ることができる。
■**グローバル化の推進**：多国籍企業やグローバル取引を行う企業は、通貨、制度、商習慣の違いを超えて情報を統合する必要がある。これはERPにより実現できる。

◆ERP導入時の注意点

ERP導入時の注意点として、以下のものが挙げられる。
■**適合範囲の見極め**：自社に固有な業務をどこまで残すか、つまりどこまでERPが提供するベスト・プラクティスに自社業務を合わせるかの判断が必要となる。自社に固有な業務、機能については、アドオン機能として追加対応も可能だが、アドオン機能を多く残すと、ERPの特徴である短期間、低コストのメリットが損なわれる。
■**導入のプロセス**：ベスト・プラクティスとはいえ、現場にとっては従来の仕事のやり方を変えることが求められる。全機能を同時期に全部門に対して導入するのか、あるいは段階的に導入するのかなど、導入のプロセスにも注意を払う必要がある。

従来のシステムとERPのシステム

従来（機能別に存在し、必要に応じて連携）

生産	販売	会計
基準情報管理	受注管理	財務会計
生産計画	在庫管理	管理会計
原価管理	販売実績管理	売・買掛管理
工程管理	購買管理	資産管理

ERP — 統合データベース

販売モジュール		生産モジュール	
受注処理		基準情報管理	
在庫管理		生産計画	
販売実績管理		原価管理	
購買管理		工程管理	
会計モジュール			
財務会計		売・買掛管理	
管理会計		資産管理	

2 業務システムの革新

7 サプライチェーン・マネジメント

> **POINT**
> 原材料の供給者から消費者に至るサプライチェーンを、顧客満足の最大化という視点から管理し、効果性を上げる取り組みが盛んになっている。サプライチェーンを構成する企業が共に利益を得る仕組みや、サプライチェーンとしての競争優位の確立が必要となる。

◘サプライチェーン・マネジメントとは

サプライチェーン・マネジメント（SCM：Supply Chain Management）とは、開発・調達・製造・配送・販売という供給者から消費者までを結ぶ一連の業務のつながり（サプライチェーン）を統合的な視点から見直し、プロセス全体の最適化や効率化を図るための経営管理手法のことだ。

資材の調達から顧客に至る過程には、予想を超えた多くの無駄が存在する。SCMでは通常、サプライチェーン全体で発生する在庫量や商品の滞留時間などを削減することによって、顧客の要求に合った商品をタイムリーに供給すると同時に、コスト低減を図っていく。具体的には、販売・マーケティング、物流、製造、調達といった業務分野全体において、需要と供給のバランスを保ちながら計画や管理を行うことで、市場変化に迅速に対応できるようにする。そして、運営コストの最小化、リードタイムの短縮、在庫の縮小、設備の有効活用により収益性の向上を目指す。

◘SCMシステム

SCMに取り組む企業は通常、専用のソフトウエアを用いる。SCMシステムが自動的に作成した計画を用いて、シミュレーションなどを通じて意思決定支援ツールとして役立てることができる。

SCMシステムの適用範囲は「関連する業務」「対象とする時系列範囲」「取り扱うデータの詳細度合い」という切り口から定義することができる。「関連する業務」とは、SCMシステムが影響を及ぼす「調達」「製造」「移動」「保管」「販売」であり、「対象とする時系列範囲」は対象とする計画の時期を指す。「取り扱うデータの詳細度合い」は、直近であれば詳細になり、将来の計画であれば広範囲で概要レベルになる。

◆制約理論（TOC）

　SCMを支えるオペレーション理論の1つに、イスラエルの物理学者、E.M.ゴールドラットが述べている「制約理論」（Theory Of Constraints）という考え方がある。TOCでは、キャッシュフローを生むためには、❶スループット（売価から変動費を引いたもの。貢献利益）を増大させる、❷運転資本（第4部<16>を参照）を低減する、❸経費（資材費以外の総経費、人件費も含む）を低減する、という3つの条件を満たすことが必要だと考える。とくに、スループットの最大化を図るためには、サプライチェーンにおいてスムーズな流れを妨げるボトルネックに注目し、それを取り除くことが重要だとしている。

　ボトルネックを取り除くには、前後の工程もそれに合わせて調整しなくてはならない。それを実現させるために、「ドラム・バッファー・ロープ」（DBR：Drum Buffer Rope）という考え方を用いる。これは、ボトルネックとなる設備などの能力（制約条件）を最大限に活用するために、制約条件と歩調を合わせるためのドラム（ペースを知らせる合図）と、制約条件を他の要因によって停止させないためのバッファー（緩衝）を設けるというものだ。バッファーの許容量（工場の場合、仕掛品の在庫量）を把握し生産調整を行うことで、全体の生産性を高めることができる。

　TOCは次の5つのステップで推進される。それは、❶制約条件を見つける、❷制約条件を徹底的に活用する、❸制約条件以外を制約条件に従属させる、❹制約条件の能力を向上させる、❺惰性に注意しながら繰り返す、というものだ。サプライチェーンの最適化を図る際には、これら改善のステップも考慮しながら進めていく必要がある。

サプライチェーン・マネジメント

出典：SMC研究会『サプライチェーン・マネジメントがわかる本』（日本能率協会マネジメントセンター、1998年）に加筆

●……… 2 業務システムの革新

8 ロジスティクス

POINT

SCMの鍵となるロジスティクスは、単なる物流を意味するものではない。高レベルな顧客サービスを低コストで実現できるように、市場とすべての企業活動を統合することである。

■ロジスティクスの使命

効果的なサプライチェーンを構築するうえでの要衝となるのが、ロジスティクス活動だ。ロジスティクス活動の目的は、低コストで高いレベルの顧客サービスを提供できるように、市場、配送、生産、調達を効率的かつ効果的に連結させることである。したがって、ロジスティクスは、従来の在庫管理や配送、倉庫業務などを行う物流部門と、資材管理や生産管理を行う生産部門の活動だけではなく、経営、財務、情報システムにも関連するほか、原材料や部品の調達、製品の販売などを通じて、関連企業や消費者との関係にまで及ぶ活動としてとらえる必要がある。

■近年のロジスティクスの発展：QRとECR

ロジスティクスのとらえ方が広がった背景には、QR（Quick Response）やECR（Efficient Consumer Response）などの新しいコンセプトの発達があった。これらは、生産管理から発展したTOC（＜7＞参照）の考え方や、ERPソフト（＜6＞参照）と統合され、より包括的な概念であるSCMへと進化している。

■QR

「適切なものを、適切なところに、適切なときに、適切な価格で提供する」ために、サプライチェーン内の無駄な在庫量とその滞留時間を削減する。また、従来の製造業者主導のプッシュ型の発想ではなく、消費者ニーズを中心とした消費者主導のプル型の発想に基づくものだ。1980年代半ば、アメリカのアパレル・メーカーによって展開された。

■ECR

メーカー、卸売業者、小売業者が協力して、品揃え、補充活動、販促活動、新商品開発・導入を効率的に行うことで、顧客満足の最大化を図る。急成長するディスカウント・ストアに対抗するため、アメリカのグローサリー業界などの依頼により作成されたECRレポート（1993年）にその原型がある。

◘ロジスティクスを支える新技術

QRやECRが導入される段階で、これらを支えるためにさまざまな新技術が開発された。それらは❶在庫管理に関するものと、❷ロジスティクス全般にわたるものに大別される。代表的なものを列挙する。

❶在庫管理に関する新技術

●**CRP**（Continuous Replenishment Program）：直訳すると連続式補充プログラム。ベンダー主導型センター在庫管理とも呼ばれる。川上のベンダー（メーカーや卸売業者）が、川下企業の流通センターや倉庫の在庫管理を代行する。

●**VMI**（Vendor Managed Inventory）：ベンダー主導型店舗在庫管理。店頭の在庫管理を、小売業者に代わってメーカーや卸売業者が行う。小売業者の売上げや在庫情報を川上の取引先が管理し、商品を補充するための発注は取引先の自動補充発注システムによって行われる。

●**RTI**（Real Time Inventory）：小売業における発注や商品受け入れ、売上げ、返品など単品別の商品情報を管理し、単品別在庫情報を常時参照できるシステム。

❷ロジスティクス全般の新技術

●**ASN**（Advanced Shipping Notice）：事前出荷明細。商品を出荷するとき、到着に先立って到着予定時刻、出荷カートン別の出荷内容を連絡しておく。

●**クロス・ドッキング**：流通センターの入荷ドックで受け入れた商品を、センターで在庫保管せず、仕分けコンベアーを経由してそのまま出荷ドックまで運び、各店舗行きの配送トラックに移して直ちに出荷する。

●**DSD**（Direct Store Delivery）：メーカーや卸売業者が納品数量を決定し、小売業者の流通センターを経由せずに、小売業者の店舗に直接納品（店直納品）することを支援するシステム。納品数量の決定を納品側が行うところに特徴がある。

プル型のロジスティクス

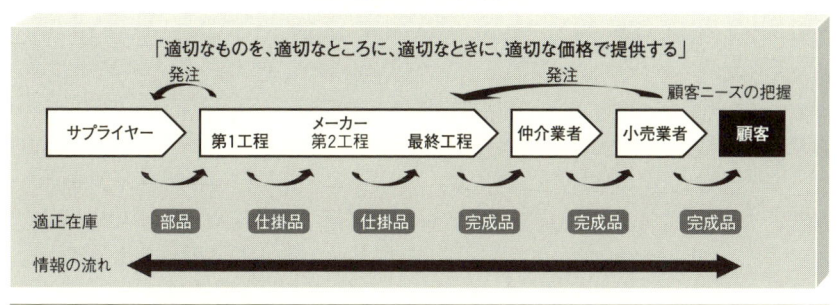

「適切なものを、適切なところに、適切なときに、適切な価格で提供する」

サプライヤー → 第1工程 → メーカー 第2工程 → 最終工程 → 仲介業者 → 小売業者 → 顧客

発注 ← 発注 ← 顧客ニーズの把握

適正在庫：部品　仕掛品　仕掛品　完成品　完成品　完成品

情報の流れ ←→

3 インターネット

9 インターネットのインパクト

> **POINT**
> インターネットが商用に開放されてからの普及速度は非常に速い。インターネットは、既存のビジネスのやり方を変えるとともに、バーチャル市場を提供することによって新しいビジネスモデルを生み出している。

◘インターネットの普及速度

　インターネットの普及速度は他の情報機器と比較して非常に速い。たとえば、全世界で情報機器の利用者数が5000万人に達するまでに要した期間は、ラジオが38年、テレビが13年、パソコンが16年。これに対して、インターネットは約4年であった。新技術は、その利用者数がクリティカル・マス（大きな変化が起きるのに必要な最低レベル）を超えてはじめて社会や政治、経済システム全般に影響を与える。アメリカでインターネット利用者数がクリティカル・マスを超えたのは1993年のことだ。

◘インターネットの活用形態

■情報提供としてのホームページ

　インターネットの普及に伴って、ウェブ技術を用いて自社のホームページを構築し、商品情報やサービス情報などを掲載するのが一般企業におけるインターネット利用の出発点であった。現在ではホームページは、情報発信のために欠かせないツールとなっている。多くの企業ホームページでは、潜在顧客に対していかに自社ホームページの魅力や訴求力を高めるかという工夫がなされている。

　インターネットの普及当初は、バナー広告という形で自社ホームページへのリンクスペースを買うという考え方が主流であった。しかし昨今では、情報ポータルからの検索を通じての導線が主流となってきており、情報ポータルとして大きな位置づけにあるグーグル社による検索キーワードの組み合わせの販売といったサービスも出てきている。

■電子商取引（EC：Electric Commerce）

　インターネットを通じた電子商取引は、B to Bと呼ばれる企業間の電子商取引から始まった。その後、企業の商品やサービスを消費者が購入する、B to Cが一般的となっていった。先駆けとしては、アマゾン・ドットコムの書籍販売などが挙げられる。最近では、インターネット・オークションなど消費者同士の取引、C to Cも

活発に行われるようになっている。サービスの提供側、購買側に、それぞれ不特定多数が存在することから、双方にとって信頼の確保が必要であるとともに、トラブルの予防、対応なども十分に検討する必要がある。

■個の発信力の強まり

ウェブ上の日記という概念で登場したブログにより、ホームページを作成するよりもはるかに容易に、だれでも情報発信のインフラを入手できるようになった。また、ブログのトラックバック機能により、相互のブログ間のリンクが容易になったことから、個人の発信が広く認知されやすくなった。

その結果、多くの読者を持つ情報発信者の発言が時には購買行動に影響を及ぼすまでになっており、企業もインターネットを通じたクチコミの影響力を無視できない状況となってきている。ブログでの評価などを意識的に収集して、自社製品、サービスの改良に生かそうという試みを始めている企業もある。

◘セキュリティへの配慮

インターネット接続環境下では、ウイルスの侵入や悪意のある攻撃にさらされる危険性があり、セキュリティへの配慮が不可欠である。ファイヤーウォールなどを用いたハードウエアでの防御、ソフトウエアによる有害サイトへのアクセス制限などに加え、インターネット環境と社内ネットワークの環境を分けるといった対応策を講じる必要がある。さらに、インターネットから不必要なデータをダウンロードするのを禁止するなど、運用上の施策も検討すべきである。

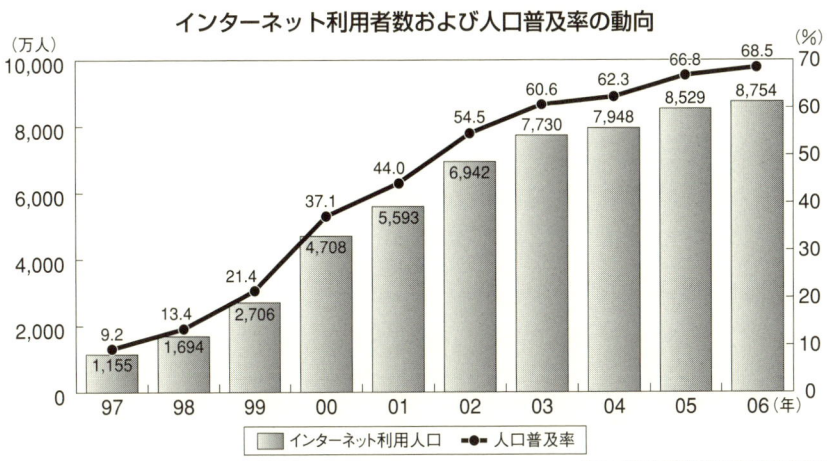

インターネット利用者数および人口普及率の動向

年	インターネット利用人口(万人)	人口普及率(%)
97	1,155	9.2
98	1,694	13.4
99	2,706	21.4
00	4,708	37.1
01	5,593	44.0
02	6,942	54.5
03	7,730	60.6
04	7,948	62.3
05	8,529	66.8
06	8,754	68.5

出典:総務省「通信利用動向調査(世帯編)」

3 インターネット

10 インターネット・ビジネス

POINT

インターネットには、顧客との接点を持ちやすい、あるいは独自のインターフェースを提供できるなどの利点がある。近年、こうした特性を生かした新事業が提案されている。その一方で、高度な信頼性が求められるなどの課題も多い。

◆ネットベンチャーとの親和性

　ネットベンチャーと呼ばれる、インターネットを利用した新しいビジネスが数多く生まれている。その背景には、販売員を抱えなくともインターネットを利用して顧客への接点が持てること、ウェブを通じた情報処理機能をサービスとして提供できることなどがある。これによって、最初から人的資源を確保しなくても、アイデア主体で事業を興すことが比較的容易になる。

　一方、ネットベンチャーの世界には、従来のビジネスとはまったく異なるルールも存在する。たとえばグローバル化が容易でかつ先行メリットも比較的大きい半面、ネット越しの取引になるため、消費者の安心感や信頼感を得る努力が旧来のビジネス以上に必要とされることが挙げられる。

　アメリカでは、1995年頃から多くのネットベンチャーが誕生してきたが、利益の創出という観点から見ると、成功している企業はまだ少ない。1990年代は、たとえ赤字であっても未来の可能性という新しい基準によって企業評価が行われ、高い企業価値（株価）がつけられることが多かったが、現在では企業評価の際に利益を重視した従来型の観点を大きく取り入れるようになり、企業価値や株価も下がってきている。

◆インターネット・ビジネスの成功条件

　ネットベンチャーを立ち上げ、運営していくにあたっては、「自分の会社をどうしたいか」あるいは「10年後の会社のあるべき姿」を明確にする経営者のビジョンと実行力に加えて、リスクの高い事業に積極的に投資する資金が必要である。

　たとえば、ヤフーは、1994年には1日100万ヒットを超える人気サイトになっていたが、ビジネスとして成立するかどうかは不明であった。このような状況下で、シリコンバレーのベンチャー・キャピタルであるセコイヤ・キャピタルが約2億円

を出資し、さらにソフトバンクが約100億円を出資した。その資金を基に、ヤフーはポータルサイトとして確固たる地位を確立した。

投資家の企業評価の基準が厳しくなった今日、ネットベンチャーが資金を集めることは難しくなっている。そのため、ネットベンチャーの経営者は明確なビジネスモデルを持つことがこれまで以上に重要になった。

ビジネスモデルとは、事業のコアとなるアイデアを説明したもので、通常は以下の5つの要素モデルで表される。

❶**市場モデル**：需要の構造と性質がどのようになっているか、顧客の特質はどうなっているかについて現状と将来像を示す。

❷**戦略モデル**：どういう顧客に何をどう魅力づけして、どういう製品・サービスを提供するかを示す。

❸**競合モデル**：ライバルや新規参入者に対してどう競争しようとしているか、その方法を示す。

❹**オペレーション・モデル**：戦略を支えるためのオペレーションの基本構造を示す。

❺**収益モデル**：事業活動の利益をどう確保するのか、すなわち収入を得る方法とコスト構造を示す。

投資家に出資をしてもらうためには、ネットベンチャーの経営者はこうした要素モデルを明らかにしたうえで、実行可能なビジネスプランを作成し、それに基づいた活動を行うことを投資家に説明する必要がある。さらに、投資家を引きつけたり、有効な関係を維持するためには、インベスターズ・リレーションズ（投資家向け広報活動）や情報公開などの活動も欠かせない。

ベンチャー企業と資金提供者

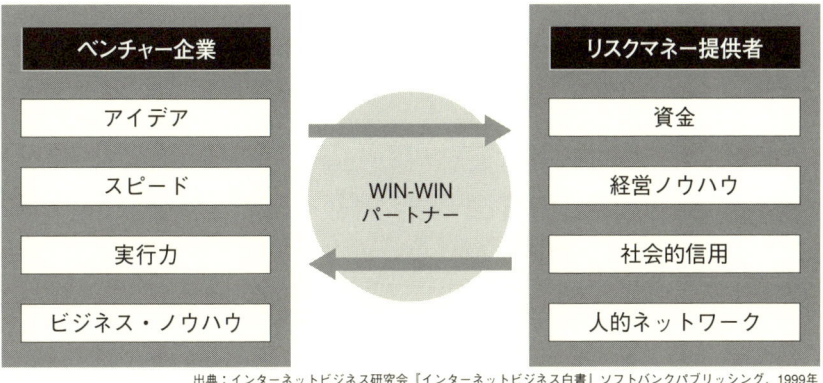

ベンチャー企業	WIN-WIN パートナー	リスクマネー提供者
アイデア		資金
スピード		経営ノウハウ
実行力		社会的信用
ビジネス・ノウハウ		人的ネットワーク

出典：インターネットビジネス研究会『インターネットビジネス白書』ソフトバンクパブリッシング、1999年

● ‥‥‥‥ 3　インターネット

11　バーチャルとリアル

> **POINT**
>
> インターネット・ビジネスには、現実の社会とは異なったビジネスルールが存在する。とくに、コミュニケーションにおける情報の経済性は、現実の社会とは大きく異なっている。これを理解したうえで、現実の世界とうまく結びついたビジネスモデルが求められる。

◘情報の経済性

　いまや企業の情報活動は、インターネット上のバーチャル市場における情報活動と、現実の社会における情報活動の2つの視点からとらえなければならない。その際に、双方における情報の経済性の違いを理解しておく必要がある。

　コンサルティング会社のBCGのP.エバンスが述べているように、現実の社会ではコミュニケーションにおけるリーチとリッチネスのトレードオフと言われる関係が成り立つ。リーチとは、情報を交換しあう人数のことだ。一方、リッチネスは情報の3つの側面によって定義される。第1の側面は帯域幅で、一定時間内に送り手から受け手へ移動させることができる情報量である。たとえば、株価情報は狭い帯域で十分なのに対して、映画の情報は帯域が広い。第2の側面はカスタマイズの度合い、つまり、情報をどの程度カスタマイズすることができるかである。第3の側面は、インタラクティブ性だ。対話は小グループだと可能だが、何百万人もの人々に伝えるとなると、一方的なメッセージになってしまう。

　これまではリッチネスを追求すると、伝える相手に隣接することが要求されたり、専用の伝達経路が必要だったり、費用や物理的制限によって伝えられる対象の規模が限られたりした。逆に、リーチを追求すると、帯域幅、カスタマイズの度合い、インタラクティブ性、すなわちリッチネスの点で妥協しなければならなかった。

　しかし、こうした伝統的なルールはデジタル技術やネットワーク技術によって変わりつつある。バーチャル市場では、インタラクティブ性とカスタマイズ性を維持しながら、大量の情報を多くの人間と交換できる。だれもが他者と、低コストで内容豊かにコミュニケーションを図れる。その結果、上記のトレードオフを前提に行われてきた伝統的なマーケティング手法や資源配分は急変している（＜12＞参照）。

　デジタルによりリッチネスが増大している例としては、番組情報なども併せて参照できるようになってきたテレビ、静的な情報が主体であったインターネット上の

情報共有に動画が加わってきたこと（YouTubeなど）、端末として幅広く普及した携帯電話に対するリッチコンテンツの提供などが挙げられる。

◧現実の世界との連携

　バーチャル市場で取り扱われる情報は、デジタル情報だけである。扱う製品・サービスがデジタル財で、決済に電子マネーを利用できれば、バーチャル市場だけで取引は完結するが、多くのビジネスではそうはいかない。何らかの形で、現実社会のアナログ情報との融合や、物理的取引（物品の配送、受け渡しなど）も必要になる。そのため、経営者は現実の世界の企業活動とバーチャル市場の企業活動との連携・接続を図り、統合的な活動を行うことが求められる。事実、多くのネットビジネスでは、バックヤードのオペレーション設計（在庫管理、配送管理、決済方法など）の巧拙が直接、競争優位に結びつく場合が多い。

　インターネットを活用しながら既存ビジネスを再構築する場合、バーチャル市場をどのように利用するかを明確にしたうえで、自社の現実のバリューチェーンとの統合を図る必要がある。たとえば、インターネットを特定の顧客に対する「販売チャネル」として利用したり、製品・サービスや保守サービスの詳細説明、Q&Aなどを提示する「情報提供の場」として活用することなどが可能だ。

　バーチャル市場と現実の社会をつなぐ際には、そのインターフェースの外観や使い勝手にも注意する必要がある。ウェブ上の表示を見やすくしたり、情報量やスピードなどの点でユーザーの負担を軽減するような配慮を加えるかどうかで、顧客満足度は大きく変わってしまい、ビジネスの成否に大きな影響を与える。自社のユーザーに対するバーチャルなインターフェースの持つ意味合いなどを勘案し、どこまで機能を盛り込むかを判断したり、あるいはさまざまなウェブを利用しているユーザーの持つ期待値に適合させたりする必要がある。

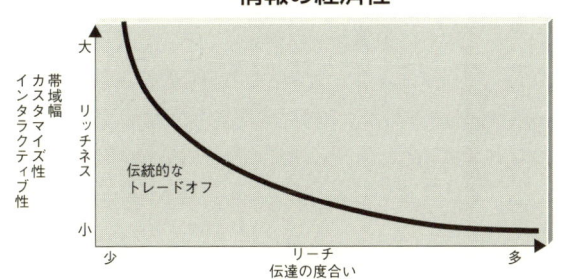

情報の経済性

（縦軸：大←帯域幅／カスタマイズ性／インタラクティブ性→小、リッチネス）
（横軸：少←リーチ　伝達の度合い→多）
（図中：伝統的なトレードオフ）

出典：Evans P. B. & Wurster T. S.「ネットワーク経済が迫るバリューチェーン再構築」ダイヤモンド・ハーバード・ビジネス、1998年11月号

●……… 3 インターネット

12 マーケティングへの影響

> **POINT**
> インターネットが提供するデジタル・ネットワーク環境は、従来のマーケティング・ミックスにさまざまな変化を与える。また、インターネットでは情報の利用が容易であるゆえに、その取り扱いについては注意が必要となる。

◘マーケティング・ミックスへの影響

　インターネットはマーケティング・ミックス（4P）（第2部<3>参照）にもさまざまな影響を与えている。以下、4Pへの影響を個別に見ていく。
■Productへの影響
　音声や映像がデジタル化されることにより、これまで扱いにくかった情報財（デジタル財）をコンピュータで操作することが可能になった。デジタル財においては再生産の限界費用（1単位追加生産するときに必要な費用）や配送コストはゼロに近いため、従来必要であった生産や物流に関する労力を必要とせず、売上げを伸ばすことが可能である。さらに、決済までインターネット上で完結させることができれば、理論上はまったく人手を介さず、受注から納品までを行うことができる。

　また、物理財をインターネット上で販売するサービスも増えている。物理財の場合、購買者は店頭のように実物を見たり触ったりすることができない。そのため、物理財に関する情報をインターネット上で適切に提供することなどに加え、試用期間の設定や返品への柔軟な対応など、消費者にとって安心感を与える購買プロセスを合わせて設計する必要がある。
■Priceへの影響
　従来の価格設定は、基本的には売り手側に主導権があった。顧客が他の店舗で販売されている価格情報を効果的に得る方法は乏しく、不完全な価格情報の下で購買を行っていた。しかし、インターネット上では、価格情報の入手や比較が簡単にできる。企業はこうした状況を踏まえて、競争的な価格設定を行う必要がある。

　また、新しいビジネスモデルとして、さまざまな形のネットオークションや、同じ仕様の商品を購入したい人を募り、まとまった量を購入することを条件に価格交渉を行うビジネスなども出現している。
■Placeへの影響
　インターネットの利用によって情報流が変化することで、従来の流通構造が大き

く変わるケースがある。たとえば、デルは、安い値段でパソコンを購入したい顧客をターゲットに直販するダイレクトモデルを築いた。これまで顧客のニーズに応える製品やサービスがあっても、販売網を築くことが難しく、市場参入がうまくいかなかった中小企業でも、インターネットを用いればグローバルに24時間対応のビジネスを展開することが可能だ。とはいえ、物理財の配送や販売後のサービスは依然として残るため、これをいかに設計するかが成功の鍵となる。

■Promotionへの影響

インターネットは、リーチとリッチネスのトレードオフ（<11>参照）を打破し、顧客の購買プロセスの各段階に合ったコミュニケーションを可能にする。また、個々の顧客のニーズに合った提案を行うことによって、顧客が同じ商品を繰り返し購入したり、新しい商品を購入する機会も増える。

◪新たなセグメント

情報財の提供によって、保管スペースという物理的な制約がなくなった。さらに検索技術の進化によって、企業はこれまで対象とはなりえなかった少数の顧客に対して、製品やサービスを提供することが可能になってきている。ロングテールと呼ばれる現象である。

経営資源の活用という意味で、これまでは、販売数が見込める対象を絞り、その対象に合わせて品揃えを考えるということが一般的な考え方であった。しかし、デジタル財のように、保管の制約がなく、顧客とその顧客が望む商品のマッチングが検索技術で可能になると、1人の顧客しか買わない1つの商品を有することも可能だと言える。

デジタル・ネットワーク環境におけるマーケティング要素の変化

顧客との関係	・インターネット上における顧客行動を識別可能 ・コミュニケーションのカスタマイズが可能 ・プライバシー情報の保護が必要
Product	・情報財（音楽、書籍、ソフトウエア、記事、株、航空券、保険など）のデジタル商品化 ・サイバー空間を活用し、顧客を巻き込んだ新製品開発が可能 ・製品説明などにおいてデジタル情報の利用が可能
Price	・価格情報提供サイトの登場で価格比較が容易になる ・価格変動がリアルタイムに反映される ・消費者による価格決定（オークションなど） ・消費者による価格交渉（逆オークションなど）
Place	・顧客との直接取引が可能 ・直接取引を補完する仲介サービス（保守など）の登場 ・デジタル財のダウンロードが可能になり、配送費がゼロになる
Promotion (Communication)	・顧客との直接コミュニケーションが可能 ・伝統的な情報の経済性を打破

●……3 インターネット

13 情報時代の顧客関係構築

POINT

近年、ITを駆使したワン・トゥ・ワン・マーケティングなどの新手法を用いることで、「個客」との関係を深め、顧客ニーズをより反映させた製品やサービスを低コストで提供できるようになった。
しかし、その一方では、近年の世相を反映し、個人情報保護に対する注意が不可欠となっている。

◆「顧客」から「個客」へ

　ITの発展により情報処理コストが低下した結果、顧客属性の分析や行動分析に加えて、これまでは難しかった顧客とのインタラクティブなコミュニケーションと、顧客情報のデータベース化が可能になった。また、顧客のニーズや好みに関する膨大なデータを蓄積して分析し、フレキシブルな製造体制を導入することで、顧客一人ひとり、すなわち「個客」の要求に応じてカスタマイズした製品やサービスをわずかなコスト増で提供できるようになりつつある。

　企業がこうした変化を活用して、顧客との良好な関係を維持するには、個別に顧客とコミュニケーションをとる環境をつくり出したり、顧客ごとに個別生産を行ったり、マーケティング目標を市場シェアから顧客シェア（1人の顧客から業界全体が得る総額に占める自社の取り分）に変えることがますます重要になってきた。

　これらを実現し、企業活動を「個客」志向へ変える手段が、ワン・トゥ・ワン・マーケティングだ。これは、企業が顧客と接触することにより、顧客は何らかのニーズを企業に伝え、企業は要望に合わせてカスタマイズした製品やサービスを顧客に提供しようとするものだ。顧客との接触回数が増えるほど、企業は学習を重ねるため、ニーズにより近い製品やサービスを提供できるようになる。

　CRM（Customer Relationship Management）も同様の考え方に立つ。CRMでは、顧客情報やコンタクト履歴などをデータベース化し、営業部門だけでなく、コールセンターやサービスフロントなど顧客接点となる全部門が共有することで、顧客からの質問や要望に迅速に対応できるようにする。それによって顧客との良好な関係を築き、長期にわたって継続的に利益をもたらす優良顧客を確保するのが、最終的な目的である。

◘顧客差異化

企業と顧客の長期的な取引に注目し、顧客の生涯価値やある期間価値に応じて、特定の顧客を優遇しようとするマーケティング行動を「顧客差異化」と言う。通常のプロモーションとは異なり、顧客との取引状況に応じて、顧客ごとに優遇の度合いを決定する。たとえば、航空サービスでは、利用状況に応じて特典が増えるFFP（Frequent Flyers Program、通常「マイレージ・サービス」と呼ばれる）があり、利用距離に応じて無料航空券を与えるなど、さまざまな特典を用意している。流通業界では、顧客にカードを発行し、利用金額に応じて無料買物券（金券）を発行して優遇するFSP（Frequent Shoppers Program）などを行っている。これらのサービスを顧客に合わせてタイムリーかつ正確に提供するには大量の情報処理が必要であることから、ITへの投資とそのツールを使いこなす担当者の存在も重要になる。

◘個人情報保護法への対応

2005年の個人情報保護法の施行後は、個人情報の取得にあたっては利用目的をあらかじめ伝える必要があること、本人の許可なく取得情報を取得時に伝えた目的外に利用できないことが、法的に定められた。

情報管理の観点から本人の特定が難しくなっていることなどによって「ワン・トゥ・ワン・マーケティング」の実践については、技術要素だけでなく、情報管理の側面からも検討が必要な状況になっている。また、折からの法令順守への意識の高まりもあって、情報漏洩に対する備えや、いざという場合の対応にも注意を払わなくてはならなくなっている。

ワン・トゥ・ワン・マーケティング実践への4ステップ

第1ステップ：顧客の特定	最重要顧客、重要顧客とのコンタクトのために、できるだけ詳細な顧客情報を得る
第2ステップ：顧客の差異化	企業から見た顧客の価値や、顧客ニーズによって顧客を差異化する
第3ステップ：顧客とのコミュニケーション	顧客とのコミュニケーション効率を高めると同時に、コスト低減を行う。自動化や低コストのチャネルを利用する
第4ステップ：企業活動のカスタマイゼーション	企業活動の一定の部分を、顧客一人ひとりが持っている固有のニーズに適応させる

出典：Peppers D.他「ワン・トゥ・ワン・マーケティング実践への4ステップ」ダイヤモンド・ハーバード・ビジネス、1999年7月号

4 ナレッジ・マネジメント

14 ナレッジ経営と競争優位

POINT
近年の企業に求められているのは、ITを活用して知識を管理する枠組みを構築し、個人の知識や組織の知識と企業戦略を融合させたナレッジ経営を目指すことである。

◖IT時代の競争優位

 企業が競争優位を築くためには、過去のように売上規模をはじめとする量的な拡大を追求するだけでは難しくなり、知的資本など質的な経営資源の活用がより重要になってきた。つまり、企業が持つ独自の知識の創造と活用のための仕組みを提供する「ナレッジ経営」が求められるようになった。
 ナレッジ経営を推進するには、コンピュータ・ネットワークなどのインフラを築いたうえで、従業員の創造性や行動能力、知恵、データベース上に蓄積された知識や情報データを、ばらばらなものとしてではなく「結合した経営資源」として活用する必要がある。また、顧客の知恵やクレームなどを生かすことで、不連続な環境変化に素早く適応できるようになる。また、知識に基づく競争優位を確立するためには、企業全般にわたって知識やノウハウを管理し活用する戦略に対して責任を持つCKO（Chief Knowledge Officer：最高知識責任者）の役割も重要である。

◖SECIモデル

 ナレッジ経営では、知識やノウハウ（ナレッジ）を創造したり共有するためのマネジメントが不可欠だ。このうち、知識創造活動に注目したナレッジ・マネジメントの枠組みとして、一橋大学大学院の野中郁次郎教授が提唱したSECIモデルがある。個人が持つ暗黙的な知識は、「共同化」（Socialization）、「表出化」（Externalization）、「連結化」（Combination）、「内面化」（Internalization）という4つの変換プロセスを経ることで、集団や組織の共有の知識となる。「共同化」とは経験の共有によって、人から人へ暗黙知を移転すること。
 「表出化」とは、暗黙知を言葉に表現して参加メンバーで共有化すること。「連結化」とは、言葉に置き換えられた知を組み合わせたり再配置したりして新しい知を創造すること。「内面化」とは、表出化された知や連結化した知を自らのノウハウあるいはスキルとして体得することだ。ナレッジ・マネジメントとは、SECIのプロセ

スを管理すると同時に、このプロセスが行われる「場」を創造することでもある。

◆ナレッジ・マネジメントの類型

　コンサルティング会社のベイン・アンド・カンパニーのT.ティアニーらによると、ナレッジ・マネジメントは「コード化戦略」と「個人化戦略」に大別できる。

　コード化戦略とは、日常活動から発生する情報を文字などで表し、それを蓄積することで「知の貯蔵庫」を構築し、知識の再生産を行うことだ。営業活動から得た市場情報や顧客からの質問や苦情などを蓄積し、顧客対応や商品開発など将来の活動に役立てることで、情報の「再利用の経済」（情報の使い回しによるコストダウン）を追求する。知識の表出化や再利用を促すために、ITを活用してコード化のプロセスを効率化したり、簡単に情報を検索できるようにすることが大切だ。

　個人化戦略は、個人が保有する知識と対話を重視し、人のネットワークやコミュニケーションによって、コード化できない知の継承や創造を行う戦略だ。コード化されない知は、人と人との対話やブレーンストーミングによって引き継がれたり、創造される。顔を突き合わせた会話や電話だけではなく、電子メール、テレビ会議なども活用する。個人化戦略では「専門性の経済」（専門知識の掘り起こしとその有効活用）を追求していくので、専門家が保有する知識が重視される。

知識変換の活動

暗黙知	
共同化	**表出化**
❶ 社外の歩き回りによる暗黙知の獲得 サプライヤーや顧客との共体験（直接経験）を通じて身体で知識・情報を体験するプロセス	❺ 自己内の暗黙知の表出 言葉になっていない自分のアイデア・イメージを、演繹的分析や帰納的分析、あるいは発想法的推論（メタファー／アナロジー）や対話を通じて言語・概念・図像・形態にするプロセス
❷ 社内の歩き回りによる暗黙知の獲得 販売や製品の現場、社内各部門に出向いて、共体験を通じて知識・情報を獲得するプロセス	
❸ 暗黙知の蓄積 獲得した知識・情報を自己の内部に関係づけながらためておくプロセス	❻ 暗黙知から形式知への置換・翻訳 顧客や専門家などの暗黙知を触発し、理解しやすい形に「翻訳」するプロセス
❹ 暗黙知の伝授・転移 言葉になっていない自分のアイデア・イメージを社内・社外の人々に直接転移するプロセス	
内面化	**連結化**
	❼ 新しい形式知の獲得と統合 形式知化された知識、または公表データ等を内外から収集して結びつけるプロセス
❿ 行動／実践を通じた形式知の体化 戦略・戦術・革新・改善についての概念や手法を具現化するために、OJT的に個人に体得させるプロセス	❽ 形式知の伝達・普及 プレゼンテーションや会議などの形式知を形式知のまま伝達・普及するプロセス
⓫ シミュレーションや実験による形式知の体化 仮想的な状態の中で、新しい概念や手法を実験的に疑似体験・学習するプロセス	❾ 形式知の編集 形式知を利用可能な特定の形態（ドキュメントなど）に編集・加工するプロセス
形式知	

出典：野中郁次郎「組織的知識創造の新展開」ダイヤモンド・ハーバード・ビジネス、1999年9月号

4 ナレッジ・マネジメント

15 ナレッジ経営の要件

> **POINT**
> ナレッジを競争優位の源泉と位置づけ、戦略的に活用していくには、ナレッジ経営を支える基本的なコンセプトやナレッジ経営を有効に機能させる要件を理解するとともに、基本ツールを使いこなす必要がある。

◆ナレッジ経営の効果的運用

ナレッジ経営を推進していく際には、「ナレッジ・マネジメント実践の場」と「ナレッジ共有の仕組み」を創造することが重要だ。

■ナレッジ・マネジメント実践の場

ナレッジの創造や交換を促すには、適切な「場」をつくることが必要だ。これは、物理的な場所だけではなく、他者との交流により相互関係を築くための時間や空間を確保することも意味する。たとえば、メーリングリストなども重要なナレッジ・マネジメントの場と言える。こうした場は、組織などの形で公式に整備されたり、コミュニティなどのように非公式でかつ自発的に形成されたりする。

■ナレッジ共有の仕組み

社内のナレッジを知的資本として保持し、競争力のあるナレッジ型企業をつくるためには、ナレッジを流通させる仕組みづくりが重要である。一般にナレッジの発信者とナレッジの受信者は異なるため、ナレッジの発信者にとって情報発信のインセンティブを上手に設計することが必要である。発信行為に対する評価などは直接的な方法であるが、それ以外にも受信者からのお礼というフィードバックなどでもインセンティブとなりうる場合がある。

最近では、個人の情報発信ツールとして定着してきたブログを、社内の情報共有のためのインフラとして活用できないかといった検討がなされている。また、自由参加型の執筆・編集によってインターネット上で公開されている百科辞典「ウィキペディア」の試みも示唆に富んでいる。

◆ナレッジ経営とIT

ナレッジ経営のプロセスと、プロセスごとに必要なITは以下のとおりである。

■情報の収集、コード化：
ナレッジ経営の第一歩は情報収集だ。知の源泉となる情報には、売上情報や顧客情報、競合情報など、人間の活動によって発生・収集され

る情報と、POSデータのように自動的に収集される情報がある。

　前者の収集や蓄積には、グループウエアやイントラネットを利用し、後者の情報には、受注処理と連動したインターネットやイントラネットを利用する。

■**知の蓄積・検索（知のデータベース）**：蓄積された知の利用を促進するためには、情報を目的に合わせて効率よく検索できるようにする必要がある。情報をスピーディかつ正確に検索するためには、データベース管理システムが欠かせない。リレーショナル型のデータベース管理システムが代表的ツールとして用いられる。

　外部に存在する知へのアクセスにはインターネットが有効だ。また、ウェブ上のコンテンツは、知の貯蔵庫として利用することも可能である。

■**知の解析**：蓄積された情報を検索し、さらに情報を要約して統計的に視覚化するツールとして、データウエアハウスがある。これによって蓄積された情報へのアクセスが容易になり、問い合わせへの対応や報告書の作成などを迅速に行うことができる。

　蓄積された情報からデータの規則性や意味のある情報を見つけ出すツールとして、データマイニング・ソフトウエアがある。

■**知の流通**：企業内で創出された知は、企業内部だけでなく外部にも流通させることにより、グループ企業間やパートナー企業間で共有すること、知そのものを商品として顧客に販売することが可能になる。知の流通を行うための情報インフラとしてもインターネットの活用が期待される。

■**知の交換（コミュニケーション）**：コミュニケーションを行う人間同士が時間や空間を超えて知の創造活動を行うには、電子会議システムやプレゼンテーション・ツール、情報の一時的保管機能やコミュニケーション機能を提供するグループウエアが不可欠である。

ナレッジ経営のプロセスと支援ツール

- 知の収集とコード化（グループウエア、イントラネット、インターネットなど）
- 知の蓄積・検索（データベース管理システム、インターネットなど）
- 知の解析（データウエアハウス、データマイニングなど）
- 知の流通（インターネットなど）
- 知の交換（グループウエアなど）

要件：
- システム思考
- 自律型人材の育成
- 新しいパラダイムへの移行

第7部

ゲーム理論・交渉術

●……… 1　企業経営とゲーム理論

1　企業経営とゲーム理論

POINT

ゲーム理論とは、複数の当事者（プレイヤー）が存在し、それぞれの行動が影響を及ぼしあう状況（ゲーム）において、各人の利益（効用）に基づいて相手の行動を予測し意思決定を行う場合の考え方だ。ゲーム理論は経営や交渉の戦略を考えるときのフレームワークとして役立つ。

◖ゲーム理論とは

　ゲーム理論は、20世紀初頭に数学者のフォン・ノイマンと経済学者のオスカー・モルゲンシュテルンによって基礎がつくられた学問だ。当事者が互いに相手に影響を及ぼしあう状況で自分の利益を追求する行動（戦略）は、本質的に室内で行うゲームと同じだという認識から「ゲーム理論」と呼ばれるようになった。ゲーム理論は数学の一分野として発展したが、その考え方は徐々に経済の仕組みや企業経営における意思決定、さまざまな交渉のメカニズムなどを理解するうえでも有効なことが認識され、社会科学の多くの分野に多大な影響を与えるようになった。

◖ビジネスとゲーム理論

　ビール業界の価格競争や、自動車業界のモデルチェンジ戦略、取引先との納入価格交渉など、競争相手や交渉相手の行動が自己の意思決定に大きな影響を与えるケースでは、あらかじめきちんとした戦略を立てておくことが重要だ。その際に、ゲーム理論的思考は、戦略を体系立てて整理するためのツールとして有効である。アメリカではゲーム理論的戦略がより積極的に採用されており、軍事戦略策定の中枢部門や外交政策の立案部門はもちろんのこと、大企業のマーケティング部門や企業戦略の策定部門などにも、ゲーム理論の専門家が所属しているケースが少なくない。

　ゲーム理論的な考え方は、＜11＞～＜20＞で紹介する「交渉術」においても適宜応用できる。たとえば、交渉の構造を理解しようとするときには、利得マトリクス（＜3＞参照）やゲームの木（＜8＞参照）といったツールを使って交渉を整理してみると、自らの置かれている状況がより明確になるはずである。

◖ゲーム理論の基本コンセプト

　ゲーム理論の検討を行うに先立って、ゲームに現れる基本的な概念を整理してお

こう。

　ゲームの参加者は「プレイヤー」と呼ばれる。プレイヤーは個人とは限らず、1つのチームあるいは会社がプレイヤーとなることもある。

　ゲームの終了時に各プレイヤーが手に入れるものを「利得」（Payoff）と言う。プレイヤーはあくまでも自分の利得を最大化するためにだけ行動すると考え、周囲への義理や遠慮は捨象する。他人を幸福にすることが自分の幸せだという人の場合でも、その人の利得が他人の幸不幸によって増減するという前提を置けば、自分の利得を増やすことが唯一の目標というようにモデル化できる。

　ゲームは通常、何段階かにわたって行われるが、各段階においてプレイヤーは選択可能ないくつかの打ち手の中から特定の打ち手を選択する。ゲーム全般にわたる選択を決めるものが「戦略」である。戦略はゲームを行っている途中で決めるのではなく、ゲームが始まる前にゲーム全体を見通して策定されるべきものとされる。

　ゲームのルール（プレイヤーや戦略、利得などゲームを行ううえで必要な諸要素）が決まり、各プレイヤーが戦略を検討し終わると、次はそのゲームがどのように展開して、結果はどうなるのかを見つけ出さなければならない。ゲームの結果を見つけ出すことを「ゲームを解く」と言う。ゲームを解くにあたっては、各プレイヤーがゲーム理論を熟知しており、ゲーム理論に基づいて合理的な戦略を立て、理にかなわない無茶苦茶な戦略をとるプレイヤーはいないことを前提とするのが一般的だ。こうした前提を批判する理論家もいるが、このような前提を置いたとしても必ずしも現実と懸け離れた結論が導かれるものでもない。また、複雑な人間の行動のある一面を単純化して分析できるという、捨て難いメリットもある。

● ゲーム理論・交渉術 ●

ゲーム理論の位置づけ

ゲーム理論　　数学の一分野として発展→社会科学（政治学・経済学等）への適用

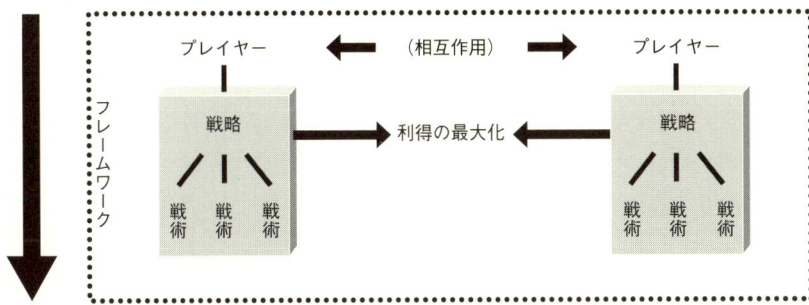

フレームワーク

プレイヤー　←（相互作用）→　プレイヤー

戦略／戦術・戦術・戦術　　利得の最大化　　戦略／戦術・戦術・戦術

交渉術への適用……ゲーム理論のフレームワークで考察できる

●·········· 2　ゲーム理論の基礎概念

2　ゲームの類型

> **POINT**
>
> ゲームに臨むプレイヤーが第1にすべきことは、そのゲームの本質を見極めることだ。ゲームは、プレイヤー間の意思決定のタイミングや利害衝突の度合い、プレイヤーの人数、情報量の違いなどによって分類できる。自分が直面するゲームがどの類型に属するかにより、とるべき戦略も異なってくる。

◖ゲームの類型

　ゲームはプレイヤー間の意思決定のタイミングや利害衝突の度合い、プレイヤーの人数、情報量の違いなどによって分類できる。プレイヤーはまず、自分が直面しているゲームがどの類型に属するかを正確に分析する必要がある。これは一見すると簡単なようだが、必ずしもそうではない。利害が真っ向から衝突するゲームだと思っていたのに協調の余地があったり、2人で争っていたはずなのに第三者が現れたりということは珍しくない。また、相手の行動から、相手がどれくらいの情報を持っているかを読むことが、ゲームを有利に進めるうえで重要なこともある。

◖意思決定のタイミングによる分類

　プレイヤー間の意思決定のタイミングによる分類には、「交互進行ゲーム」（Sequential Game）と「同時進行ゲーム」（Simultaneous Game）がある。

　交互進行ゲームはプレイヤーが交互に判断して行動する。各プレイヤーは、自分の行動に対して相手がどう反応するか、さらにその行動に対して自分はどうするかと、先を読みつつ行動を決める。たとえば、将棋の場合「こちらがここに角を打てば、相手は金を動かして守るだろう。それに対し……」というように考えていく。

　同時進行ゲームでは、プレイヤーは互いに相手の次の行動を知らない状態で意思決定を行う。プレイヤーは、自分以外にもゲームの参加者がいることを知っているので、他のプレイヤーの行動を予測しながら自分の戦略を決定する。たとえば、野球のバッターはピッチャーの次の球が内角か外角か、ストレートか変化球かを予測しながらバッターボックスに立つ。このとき、ピッチャーもまたバッターがどの球種やコースに山を張っているかを予測し、その裏をかこうと考える。

　次に、オークション（入札）の例で考えてみよう。オークションには、交互進行ゲームと同時進行ゲームの両タイプがある。たとえば、ロンドンのサザビーで行わ

れる絵画のオークションは、購入希望者が徐々に値段をつり上げ、最後にいちばん高い値段を言った者が落札する「イングリッシュ・オークション」という方式をとっているが、これは交互進行ゲームに該当する。一方、公共事業の入札のように、建設業者が紙に入札価格を書き、最も低い価格を提示した業者が落札する「シールド・ビッド・オークション」という方式は同時進行ゲームだ。どちらのタイプのオークションかによって、参加者の戦略が異なってくることは言うまでもない。

◧その他の分類

プレイヤー間の利害の衝突度合いによる分類には、「ゼロサム・ゲーム」（Zero Sum Game）と「プラスサム・ゲーム」（Plus Sum Game）、「マイナスサム・ゲーム」（Minus Sum Game）がある。ゼロサム・ゲームは、あるプレイヤーの利益が増えれば、その分だけ他のプレイヤーの損失が増えるゲームだ。室内ゲームの多くや、ビジネスにおける単純な価格交渉などが該当する。プラスサム・ゲームは、あるプレイヤーの利益が必ずしも他のプレイヤーの損失に結びつかないゲームだ。相手と協調することで互いの利益が増える可能性があるので、競い合いながらも協調を図ることが重要になる。マイナスサム・ゲームは両者の利得合計がマイナスになるゲームだ。ビジネスでは可能な限り回避しなくてはならない。

このほか、プレイヤーの数で分類する方法がある。その場合、「２人ゲーム」「３人ゲーム」「多人数ゲーム」といった呼び方をする。また、プレイヤーに与えられている情報量に注目すると、ゲームのルールや自分の置かれている状況などを各人が完全に把握している「情報対称ゲーム」と、完全には把握していない「情報非対称ゲーム」に分類できる（＜9＞参照）。

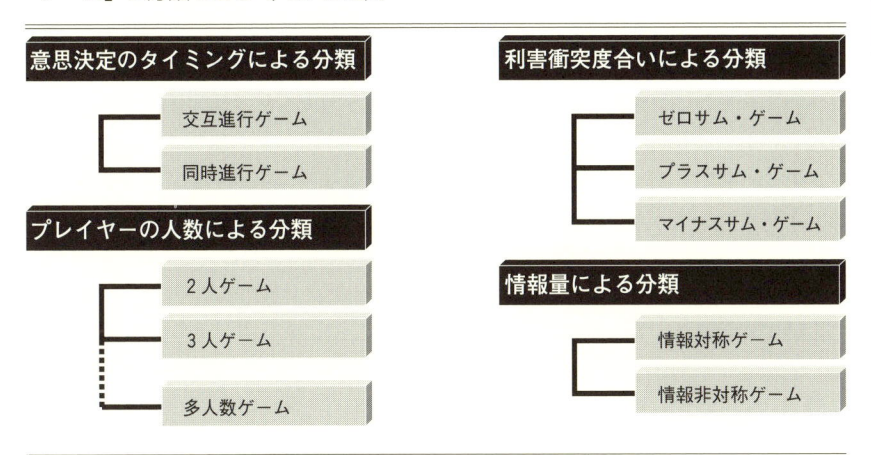

意思決定のタイミングによる分類
- 交互進行ゲーム
- 同時進行ゲーム

プレイヤーの人数による分類
- ２人ゲーム
- ３人ゲーム
- 多人数ゲーム

利害衝突度合いによる分類
- ゼロサム・ゲーム
- プラスサム・ゲーム
- マイナスサム・ゲーム

情報量による分類
- 情報対称ゲーム
- 情報非対称ゲーム

2 ゲーム理論の基礎概念

3 同時進行ゲーム（1）：絶対優位の戦略・絶対劣位の戦略

POINT

同時進行ゲームを解くには、選択肢によって自分と相手の利得がどうなるかを一覧表にした「利得マトリクス」を作成するとよい。自分に絶対優位の戦略がある場合はそれをとればよいし、相手に絶対優位の戦略がある場合は、相手がそれをとることを前提に考察を進める。

◘ トヨタ・日産のモデルチェンジ戦略

　同時進行ゲームとは、プレイヤーが互いに相手の次の行動を知らない状態で意思決定を行うゲームだ。つまり、各プレイヤーは相手の行動を予測しつつ、自分の行動を選択しなくてはならない。自動車のモデルチェンジ競争も実質的には同時進行ゲームと言える。大きなモデルチェンジを行う場合、部品を含めた設計から始まり、試作、製造ラインの整備などを経て実際の生産に入るまでに、通常は3年以上かかる。ニューモデルに関する情報は発表当日まで社外には極秘なので、自動車メーカーはほぼ同時期に出るライバルのニューモデルを予測しつつ、自社の行動を決めなくてはならない。

　このときの意思決定プロセスを、ほぼ同じタイミングでモデルチェンジするトヨタ・マークⅡと日産・ローレルの例で考えてみよう。モデルチェンジに関する意思決定は本来、車のデザインから機能・価格までさまざまな項目について行うが、ここでは単純化して、車のデザインを角張ったものにするか、丸みを帯びたものにするかという2点に絞って考えることにする。

　モデルチェンジに着手した時点で、両社が選ぶデザインによって決まるマークⅡとローレルの予測販売シェアをマトリクス（「利得マトリクス」と言う）で表すと、**図1**のようになるとしよう。販売力に優るトヨタは、日産と似たデザインであれば高いシェアを獲得する。つまり、日産が丸い車を採用した場合、トヨタは丸い車であれば60％、角張った車であれば50％のシェアになる。また、日産が角張った車のとき、トヨタは丸い車なら65％、角張った車なら70％のシェアを獲得する。

　このとき日産は、トヨタの戦略に関係なく、常に丸い車を選択すべきだ。なぜなら、トヨタが丸い車のときでも（日産のシェアは丸い車で40％、角張った車で35％）、角張った車のときでも（日産のシェアは丸い車で50％、角張った車で30％）、日産が高いシェアを獲得できるのは丸い車の場合だからだ。

このように、他のプレイヤーがどの戦略を採用したかに関係なく、自分は常にある一定の戦略をとったほうが高い利得を得られる場合、その戦略を「絶対優位の戦略」（Dominant Strategy）と言う。一般に、絶対優位の戦略があるプレイヤーは他のプレイヤーの選択にかかわらずその戦略を選択すべきである。もう一方のプレイヤーは、相手が絶対優位の戦略をとることを前提に考察を進めるとよい。このゲームでは、日産は当然ながら必ず高いシェアがとれる丸い車（絶対優位の戦略）を選択し、トヨタは日産が丸い車を採用することを前提にしてやはり丸い車を選択する。その結果、図1の左上の象限で落ち着くことになる。

◘モデルチェンジ戦略の発展形

　このゲームを一歩進めて、**図2**の利得マトリクスのように、トヨタには「モデルチェンジを見送る」という第三の選択肢があるとしよう。トヨタにとってこの案を選択することは、日産の選択にかかわらず、他の2案のいずれにも劣る戦略だ。このように、他のプレイヤーがどの戦略を採用しても、自分にとって最も利得が少ない戦略を「絶対劣位の戦略」（Dominated Strategy）と言う。

　図2のゲームでは、トヨタにも日産にも絶対優位の戦略は存在しないように見える。しかし、トヨタが「モデルチェンジの見送り」という戦略を選択することはありえないので、これは除いて考えて差し支えない。そうすると、図2のゲームは図1とまったく同じになり、トヨタも日産も丸い車を選択する結果になる。つまり、絶対劣位が存在するときは、その戦略を除外して考えていけばよいのである。

図1　トヨタ・日産のシェア

トヨタ・マークⅡ	日産・ローレル	
	丸い車	角張った車
丸い車	40 / 60	35 / 65
角張った車	50 / 50	30 / 70

左下がトヨタ・マークⅡのシェア
右上が日産・ローレルのシェア

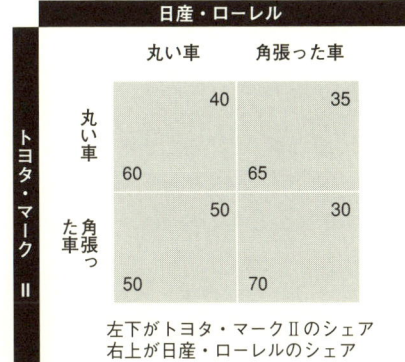

図2　モデルチェンジ見送りの選択肢があるケース

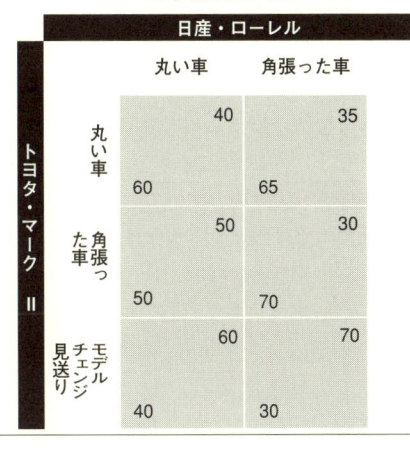

トヨタ・マークⅡ	日産・ローレル	
	丸い車	角張った車
丸い車	40 / 60	35 / 65
角張った車	50 / 50	30 / 70
モデルチェンジ見送り	60 / 40	70 / 30

ゲーム理論・交渉術

●……… 2　ゲーム理論の基礎概念

4　同時進行ゲーム（2）：囚人のジレンマ

POINT

「囚人のジレンマ」の状況では、各プレイヤーが絶対優位の戦略を選択すると、両者が協力してより劣る戦略を選択する場合に比べて、互いに悪い結果を招いてしまう。そうした例は、現実社会でも多く見られる。

◖囚人のジレンマとは

　ゲーム理論の中で最も有名なゲームの1つが、「囚人のジレンマ」（Prisoner's Dilemma）だ。このゲームには、AとBという2人の犯罪容疑者（プレイヤー）が登場する。2人はある犯罪に関連した別件容疑で、警察に捕まった。罪を犯した可能性は高いが、決定的な証拠がないため、2人は別々の部屋で尋問にかけられている。ここでAとBがとりうる選択肢は、自白するか、自白しないかの2つだ（図1の利得マトリクスを参照）。2人とも自白した場合は共に懲役5年、2人とも自白しなかった場合は共に懲役2年の刑が予想される。また、一方だけが自白して他方が自白しなかった場合、自白したほうは情状酌量により無罪となるが、自白しなかったほうは懲役30年の刑になる。このとき、AとBはどのような選択をするだろうか。

　まず、ゲームの類型を考えると、2人は別々の部屋にいて、相手がどのような選択をしたかわからないので、同時進行ゲームになる。Aの立場で考えると、Bが自白しないときは、自白する（無罪）ほうが自白しない（2年）よりも刑期が短く、Bが自白するときでも、自白する（5年）ほうが自白しない（30年）よりも刑期が短い。つまり、Aにとっての絶対優位の戦略は自白することなのだ。同様に、Bの絶対優位の戦略も「自白する」ことなので、ゲームの結果は、両者ともに自白して懲役5年の刑ということで落ち着く。

　しかし、これは最も望ましい結果ではない。A、Bが協力して2人とも自白しなければ、懲役2年で済んだはずであるからだ。このように、各プレイヤーが絶対優位の戦略を選択すると、協力したときよりも悪い結果を招いてしまうゲームを「囚人のジレンマ」という。

　このゲームで注意すべき点は、プレイヤー間に協力の約束ができたとしても、個別の立場ではより劣る（絶対優位ではない）戦略を採用しなければならないため、常に裏切りの動機を内包していることだ。つまり、仮に2人が口裏を合わせて自白しないことを約束したとしても、取り調べのために別々の部屋に行った時点で、相手

を裏切って自分だけ無罪になろうというインセンティブが働くのである。

◘囚人のジレンマの事例

囚人のジレンマのような展開は実際のビジネスでもよく見られる。たとえば、石油化学業界では過当競争体質などから第2次オイルショック後、大不況に見舞われた。そこで通産省（現経済産業省）の旗振りの下、特定産業構造改善臨時措置法に基づき、過剰設備の休廃止などを中心とした構造改善に取り組むことで合意した。各社が協力して減産することで、ある程度の価格を維持しようというわけだ。ところが、個々の企業にとっては減産しないことが絶対優位の戦略だったので、設備の休廃止を本格的に行った企業はほとんどなかった。合意を守らなかった場合の取り決めが明確でなかったことが、業界全体にとってマイナスとなった。

企業が競争する場面では一般に、囚人のジレンマのような状況に陥ることが多い。たとえば、テレビのCM競争や価格引き下げ競争、新製品の投入競争などがそうだ。囚人のジレンマを回避するには、「裏切れば報復する」といった罰則のメカニズムを入れるとよい。ただし、このときの報復は「現実に行われる可能性が高い」と、各プレイヤーが認識できるものでなければならない。報復以外にも、ゲームを1回限りでなく何度も繰り返し行う（1回だけのゲームで勝ち逃げさせない）方法や、サイド・ペイメント（約束を守ったら報酬を与える）などの回避策が考えられる。

皮肉な話だが、少数の業者が同じ顔ぶれで繰り返し競争入札するような業界で談合が横行するのは、（社会正義の面からは問題だが）各プレイヤーが互いに有利な状況をつくり出そうと協力した結果とも考えられる。

図1　囚人のジレンマ

	B 自白しない	B 自白する
A 自白しない	2 / 2	0 / 30
A 自白する	30 / 0	5 / 5

左下がAの懲役
右上がBの懲役

図2　ある石油化学メーカーにとっての選考順位

	他の石油化学メーカー 合意を守る	他の石油化学メーカー 合意を守らない
ある石油化学メーカー 合意を守る	2	4
ある石油化学メーカー 合意を守らない	1	3

● ゲーム理論・交渉術 ●

2 ゲーム理論の基礎概念

5 同時進行ゲーム（3）：男女の争い

> **POINT**
> 「男女の争い」は、協調して行動することには各プレイヤーが同意しているが、協調のやり方には異なる考えを持っている同時進行ゲームだ。このゲームでは複数のナッシュ均衡があり、両者にとってベストではない均衡点でも一度そこに落ち着いてしまうと、相手が行動を変えない限り、自分だけが異なった行動をとるインセンティブが働かないという特徴がある。

◘男女の争いとは

「囚人のジレンマ」と並んでよく用いられるゲームの事例として、「男女の争い」（Battle of Sexes）がある。このゲームでは次のような状況が想定されている。

夕食後、夫はボクシングの試合を観に行きたいと思っているのに対し、妻はミュージカルを観たいと思っている。しかし、2人とも1人で行くよりは一緒に行くほうが楽しいと考えている。つまり、各プレイヤーは協調して行動することには同意しているが、協調のやり方については異なる考えを持っている。これを利得マトリクスで整理すると、図1のようになる。この図では、数字が高いほど満足度が高いことを表している。

◘ナッシュ均衡

男女の争いの特徴は、ゲームの「均衡点」（各プレイヤーが納得する結果）が2つあることだ。これまで考察してきたゲームでは、選ぶべき戦略は1つだった。しかし今回は、「夫婦ともボクシング」と「夫婦ともミュージカル」という均衡点が存在する。しかも、いずれかの均衡点に到達すると、夫も妻も自分1人では選択肢を変えることはない。両者の行動はそれぞれ他のプレイヤーの行動を前提にすれば最適な選択肢なので、変更するインセンティブが働かないからだ。こうした均衡点のことを「ナッシュ均衡」と言う。一般的に定義すると、「各プレイヤーの戦略の組み合わせが一度決まると、どのプレイヤーにも自分が選んだ戦略の組み合わせから離れるインセンティブがない均衡」ということになる。

ナッシュ均衡は、必ずしもそのゲームの最も望ましい結果になるとは限らない。再び先ほどの夫婦に登場してもらい、今度は図2のようにミュージカルか映画かで迷っていることにしよう。このときナッシュ均衡を探すと、「夫婦ともミュージカル」

と「夫婦とも映画」という２点が見つかる。「夫婦とも映画」という均衡点は明らかにもうひとつの均衡点より劣っている。しかし、より劣ったナッシュ均衡であってもいったん陥ってしまうと、両者ともにこれを変えようというインセンティブが生まれないため、これを変更するのは容易ではない。両プレイヤーが協力して選択肢を変更することによってのみ、双方にとってより望ましい均衡点に到達できるのだ。

◧男女の争いの事例

こうした「男女の争い」の事例は実際のビジネスの世界でも見ることができる。たとえば、紙のサイズにはＡ判とＢ判があるが、諸外国ではＡ判が採用されているにもかかわらず、日本では伝統的にＢ判が主流だった。官庁と民間企業は紙のサイズに関して、それぞれ**図3**のような選好を持っているとしよう。官庁も民間企業も紙のサイズを揃えたほうがよいという点で一致している。しかし、民間企業は国際取引などを考えてＡ判による統一が望ましいと思っているが、官庁はＡ判でもＢ判でもかまわないと考えている。その結果、右下象限のナッシュ均衡に陥り、劣った均衡点でありながら前例踏襲という慣習から逃れることができない。そこで実際には、まず民間企業が先行する形でＡ判に切り替え、官庁もそれに追随せざるをえない状況をつくった。一時的にサイズの不統一によるコストが発生したが、書類のＡ判化は官庁・民間企業の双方において急ピッチで進んだ。

ほかにもパソコンのＯＳ（ウィンドウズとマッキントッシュ）のように、２つの規格の共通化を図る状況も男女の争いの例として見ることができる。それぞれのユーザーは規格の共通化が望ましいということでは一致しているが、統一のやり方については異なる考え方を持っている。

図1　夫婦の食い違い

	妻 ボクシング	妻 ミュージカル
夫 ボクシング	9 / 10	1 / 1
夫 ミュージカル	0 / 0	10 / 9

左下が夫の利得
右上が妻の利得

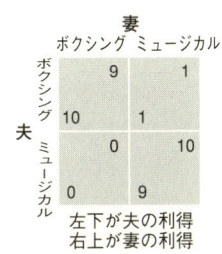

図2　夫婦の食い違い
（ナッシュ均衡点の１つが解でないケース）

	妻 ミュージカル	妻 映画
夫 ミュージカル	10 / 9	0 / 0
夫 映画	0 / 0	5 / 5

左下が夫の利得
右上が妻の利得

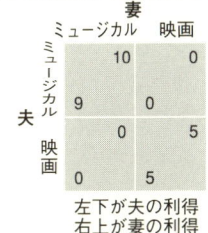

図3　紙のサイズの選択

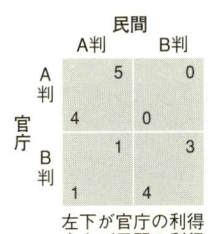

	民間 Ａ判	民間 Ｂ判
官庁 Ａ判	5 / 4	0 / 0
官庁 Ｂ判	1 / 1	3 / 4

左下が官庁の利得
右上が民間の利得

注）点数が高いほど満足度が高い

2 ゲーム理論の基礎概念

6 同時進行ゲーム（4）：混合戦略

POINT

同時進行ゲームにおいて、絶対優位・絶対劣位・ナッシュ均衡という考え方だけで戦略が定まらない場合に、さまざまな打ち手を混ぜて使うのが混合戦略である。一方、ある1つの打ち手のみをとることを純粋戦略と言う。

◐ペナルティ・キックの成功率

同時進行ゲームにおいて、絶対優位・絶対劣位の戦略に基づく考察を行っても、ゲームを解くことができない場合がある。たとえば、互いに相手の出方によって自分のとるべき戦略が異なってくるケースがそうだ。サッカーの例で考えてみよう。

サッカーのペナルティ・キック（PK）では、キッカーがゴールキーパーと1対1でゴールの12ヤード（約10.97メートル）手前からシュートする。キーパーはあらかじめシュートの方向を予測して、キッカーがボールを蹴ると同時に予測した方向に動きだす。したがって、PKは同時進行ゲームと言える。

あるキッカーはキーパーの左サイドを狙うのが得意で、シュートの決まる確率は**図1**のとおりとする。このキッカーが左サイドを狙ったとき、キーパーが右に動けばシュート成功率は90％、左に動けば40％となる。また、キッカーが右サイドを狙った場合、キーパーが左に動けば成功率は60％だが、右に動けば30％となる。

ゲーム理論では、左か右かというように、どちらか一方の選択肢を選ぶ戦略を「純粋戦略」（Pure Strategy）と言う。PKの場合、キッカーもキーパーも相手の出方によって自分がとるべき戦略が異なってくるので、絶対優位の戦略も絶対劣位の戦略も、ナッシュ均衡を満たす純粋戦略も存在しない。

◐シュート成功率を低くする戦略

このゲームでは、キーパーがいつも左サイドに動けば、キッカーはこれを予測して右を狙うので、シュート成功率は60％になり、キーパーがいつも右サイドに動けば、成功率は90％となる。しかし、実はキーパーの動きをランダム化させることで、シュートの成功率をもっと低くすることができる。このように、ある確率に基づいて自分のとる行動をランダム化する戦略を「混合戦略」（Mixed Strategy）と言う。

それでは、PKでシュートの成功率が最も低くなるのは、どのような割合でランダム化を行ったときだろうか。**図2**はキーパーが左サイドへ動く確率を水平軸に

(0％のときは毎回右サイドに動くことを意味し、100％のときは毎回左サイドへ動く)、シュートの成功率を垂直軸にとったものだ。キッカーが左サイドを狙うことを前提にして考えると、キーパーがいつも右へ動けばシュート成功率は90％だが、いつも左なら40％に抑えることができる。この両端を結ぶ直線は、キーパーが左へ動く確率が高いほどシュート成功率が低くなることを示している。たとえば、キーパーが50％の確率で左へ動けば、シュート成功率は（90％＋40％）／2＝65％となる。もう1本の直線は、キッカーが右サイドを狙った場合だ。キーパーが左サイドに動く確率が高いほど、シュート成功率は高くなる。

2本の直線は、キーパーの左サイドへ動く確率が75％のところで交わる。この交点におけるシュート成功率は52.5％だ。この点より左側であれば、キッカーは左サイドを狙うことでより高いシュート成功率を得ることができ、右側では右サイドを狙うことで成功率を上げることができる。したがって、キーパーが左へ75％の確率で動き、右へ25％の確率で動く場合のみ、キッカーがキーパーの動きを予想して成功率を52.5％以上にするのを防ぐことができる。

同じゲームをキッカーの立場から見ると、図3のようになる。2本の直線はキッカーの左サイドを狙う確率が37.5％、シュート成功率が52.5％のところで交わっている。図2、3とも交点がシュート成功率52.5％のところにあるのは偶然ではなく、ゼロサム2人ゲームに共通する特性（詳細は＜7＞で説明）によるものだ。

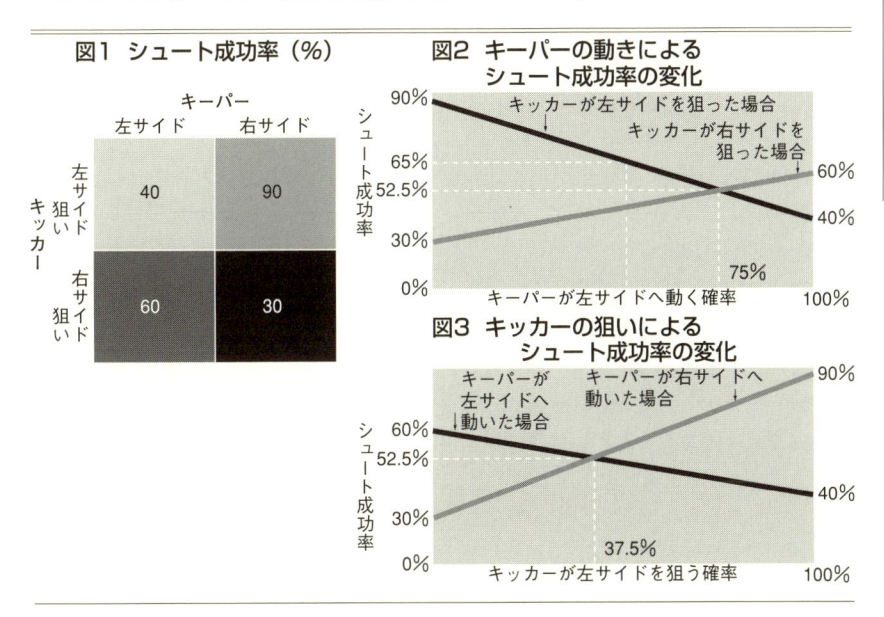

図1 シュート成功率（％）

	キーパー 左サイド	キーパー 右サイド
キッカー 左サイド狙い	40	90
キッカー 右サイド狙い	60	30

図2 キーパーの動きによるシュート成功率の変化

（キッカーが左サイドを狙った場合：90％→40％）
（キッカーが右サイドを狙った場合：30％→60％）
交点：キーパーが左サイドへ動く確率75％、シュート成功率52.5％

図3 キッカーの狙いによるシュート成功率の変化

（キーパーが左サイドへ動いた場合：60％→40％）
（キーパーが右サイドへ動いた場合：30％→90％）
交点：キッカーが左サイドを狙う確率37.5％、シュート成功率52.5％

ゲーム理論・交渉術

2 ゲーム理論の基礎概念

7 ミニマックス定理

> **POINT**
> AがBから利得を受け取るゼロサム・ゲームでは、Aは自分の最小利得が最大となる戦略をとり、BはAの最大利得が最小となる戦略をとるのが最も堅実な行動だ。このとき、それぞれの戦略によって与えられる最大値と最小値は一致する、というのがミニマックス定理である。

◆マクシミン戦略とミニマックス戦略

<6>のペナルティ・キックの例では、キーパーはキッカーのシュート成功率が最も低くなるような戦略、すなわち75％の確率で左サイド、25％の確率で右サイドへ動く戦略をとると、キッカーがどんな戦略をとろうとも、シュート成功率を52.5％に抑えることができる。キーパーのこの戦略は最も堅実な行動と言える。なぜなら、相手が無謀な戦略をとった場合にそれに乗じて利得を増やすことはできないが、相手がこちらの行動に対して常に最適の対応をするという前提の下では、相手の利得を最小限に抑えることができるからだ。ゼロサム・ゲームでは、相手の最大利得（最も有利な場合に得られる利得）が最小になるように行動するのが常道なのだ。

これを、もう少しわかりやすい例で見てみよう。AはBから金を受け取ることになっていて、その金額は図1の変則ジャンケンによって決まると仮定する。プレイヤーA、Bのとりうる選択肢は、グー、チョキ、パーの3つだ。Aがグーを出した場合、Aのもらえる金額が最小になるのは、Bがチョキを出したときだ（したがって、最小値は3となる）。同様に、Aがチョキを出した場合の最小値は1、パーを出した場合の最小値は0となる。

Aがチョキを出せば、もらえる金額は10になるかもしれないが、1になる可能性もある。一方、最小値が最も高いグーを出しておけば、最悪でも3を受け取ることができる。したがって、Aにとって最も堅実な行動は、グーを選択すること、つまり自分の最小利得が最大となる「マクシミン戦略」をとることだ。

Bの立場で考えてみると、自分のグー、チョキ、パーの各選択に対して、支払わなくてはならない金額の最大値はそれぞれ10、3、6となる。このとき、Bの最も堅実な行動はチョキを選択して、支払うべき最大金額を3にすることだ。したがって、Bが選ぶべき戦略は相手の最大利得の最小化を図る「ミニマックス戦略」ということになる。

◆ミニマックス定理

　ゼロサム２人ゲームでは、片側のマクシミン戦略によって与えられる最小利得の最大値と、相手側のミニマックス戦略によって与えられる最大利得の最小値が一致する。これを「ミニマックス定理」と言う。変則ジャンケンの例では、どちらの値も３で一致している。

　マクシミン戦略やミニマックス戦略は必ずしも純粋戦略（＜6＞参照）であるとは限らない。サッカーのペナルティ・キックの例では、キーパーにとってシュート成功率の最大値を最小に抑えるミニマックス戦略は左に75％、右に25％の確率で動くことであり、キッカーにとってシュート成功率の最小値を最大にするマクシミン戦略は左右をそれぞれ37.5％、62.5％の確率で狙うことだった。両者の戦略における最小値と最大値はそれぞれ52.5％で一致していた。このことは、混合戦略においてもミニマックス定理が成立することを示している。

　ミニマックス定理の証明は複雑なのでここでは省略するが、この定理にはいくつかの重要な示唆が含まれている。第１に、ゼロサム２人ゲームには、各プレイヤーにとって最適な純粋戦略または混合戦略が必ず存在し、ゲームを解くことができることだ。第２に、両者が混合戦略を使った場合のそれぞれの利得を知りたいときは、どちらか片方の最善のランダム化確率を計算し、そのときのゲームの利得を求めれば十分であることだ。

　なお、ミニマックス定理はゼロサム２人ゲームのときに成立するものであり、プラスサム・ゲームやプレイヤーが３人以上いるゲームでは必ずしも成立しない。

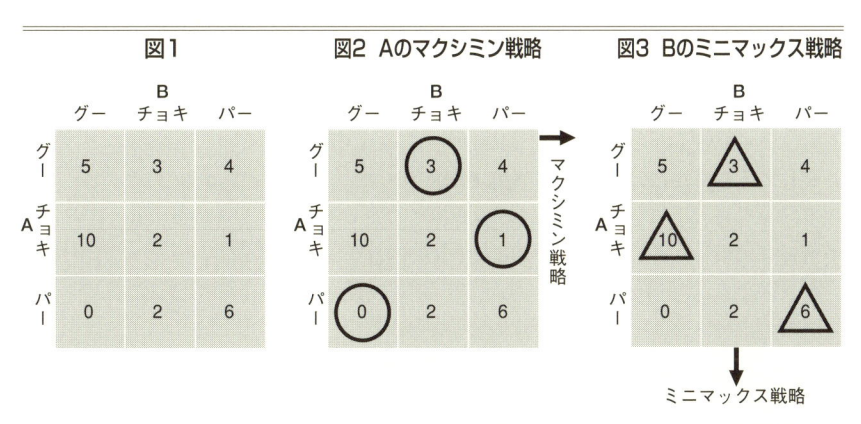

図1

		B		
		グー	チョキ	パー
A	グー	5	3	4
	チョキ	10	2	1
	パー	0	2	6

図2　Aのマクシミン戦略

		B		
		グー	チョキ	パー
A	グー	5	③	4
	チョキ	10	2	①
	パー	⓪	2	6

→ マクシミン戦略

図3　Bのミニマックス戦略

		B		
		グー	チョキ	パー
A	グー	5	△3	4
	チョキ	△10	2	1
	パー	0	2	△6

↓ ミニマックス戦略

○：Aがそれぞれの選択をした場合のAの最小利得

△：Bがそれぞれの選択をした場合のAの最大利得

ゲーム理論・交渉術

●……… 2　ゲーム理論の基礎概念

8　交互進行ゲーム

> **POINT**
> 交互進行ゲームを考えるときには「ゲームの木」を書くとよい。ゲームの木の末端から先端へと、各分岐点における最適戦略を「後向き帰納法」でたどることにより、最初の打ち手が見えてくる。

◘フィルム業界の値下げ競争

　交互進行ゲームはチェスや将棋のように、各プレイヤーがある順序に従って他のプレイヤーの行動を見ながら行動するゲームだ。交互進行ゲームにおけるプレイヤーは、自分の行動に対し次に相手がどう出てくるか、それに対して自分はどう対応するか、先を読んで推量しながら行動を決定する。こうしたゲームを分析する場合、「ゲームの木」(Game Tree)を書くとわかりやすい。次の例で考えてみよう。

　日本の写真フィルムマーケットは、富士写真フイルム（以下フジ）とコニカの2社でほぼ寡占状態にある（このほかは輸入品が若干のシェアを持っている）。フジとコニカ両社のフィルム販売価格はほぼ同水準である。

　さて、フジが利益拡大を狙ってフィルム価格の値下げを検討していると仮定する。現状のフィルム販売から得られるフジとコニカの利益はそれぞれ100億円と50億円だ。フジが値下げに踏み切り、コニカが価格を据え置いた場合、フジのシェアはさらに上がって、フジとコニカの利益はそれぞれ120億円と10億円になる。また、フジが値下げし、コニカもそれに追随すれば、フジとコニカの利益はそれぞれ40億円と20億円となる。この関係をゲームの木で表すと、**図1**のようになる。この図をもとに、フジは値下げを実行すべきか否かを検討してみよう。

　交互進行ゲームの分析には、「後向き帰納法」(Backward Induction)という手法が用いられる。これは、ゲームの木の最後に位置するプレイヤーが選択するであろう行動を分析し、そのプレイヤーの行動を前提として1つ前のプレイヤーが自分の行動を決める、というように後ろから順番にゲームをたどっていく方法だ。フィルムの事例では、まずゲームの木の最後に位置するコニカに注目する。コニカは値下げすれば20億円の利益、価格を据え置けば10億円の利益なので、コニカにとって望ましい選択肢は値下げである。コニカが値下げすることを前提にして考えると、フジの利益は自社が値下げすれば40億円、価格を据え置けば100億円になる（コニカが選択しない「据え置き」に対応するフジの利益120億円は考慮の対象にならない）。したが

って、フジは値下げを行うべきではないという結論に達する。

◘値下げ競争の発展形

この例を少し発展させて、フジはコニカが値下げに追随した場合に、さらに値下げするというオプションがあるとしよう。フジがこのオプションをとった場合、コニカは10億円の損失を出して市場からの撤退を余儀なくされるが、フジは独占企業として50億円の利益を得られる。この場合のゲームの木は**図2**のようになる。

このゲームも後向き帰納法で分析してみよう。まず、図2においてゲームの木の最後に位置するフジの2回目の値下げに注目する。フジはもう1回値下げをすれば50億円、しなければ40億円の利益となるので、値下げをしたほうがいい。これを前提にすると、コニカは価格を据え置けば10億円の利益があるが、値下げすると10億円の損失が出ることから、当然「据え置き」を選択する（フジが選択しない「据え置き」に対応するコニカの利益20億円は考慮の対象にならない）。このコニカの戦略を前提にすると、フジが1回目の値下げを行うと120億円の利益、行わなければ100億円の利益なので、フジは値下げをすべきだということになる。結局、このゲームは、フジの利益120億円、コニカの利益10億円という状態で落ち着く。

ここに示した例は比較的単純でわかりやすいものだが、現実のビジネスはもっと複雑で、ゲームの木を作成すれば多数の枝に分かれた巨木となるはずだ。しかし、状況が複雑であればあるほど、ゲームの木を作成することによって、頭の中だけでは整理できない多数のもつれた関係を整理し直すことができるだろう。

図1 フィルム値下げの樹形図

```
        コニカ ─ 値下げ ─── フジ40、コニカ20
       ╱
フジ ─ 値下げ
       │     ╲
       │      据え置き ── フジ120、コニカ10
       ╲
        据え置き ─────── フジ100、コニカ50
```

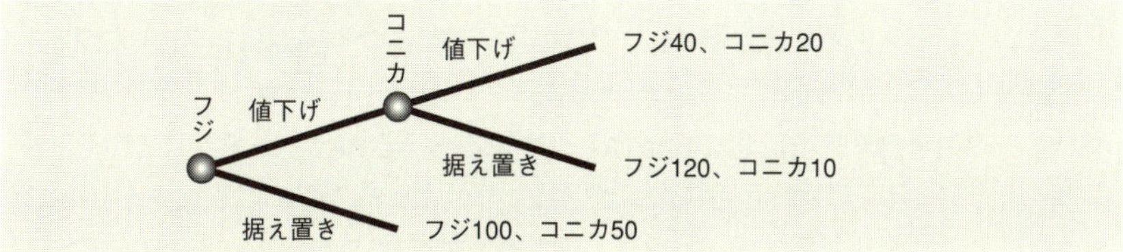

図2 フィルム値下げの樹形図（発展形）

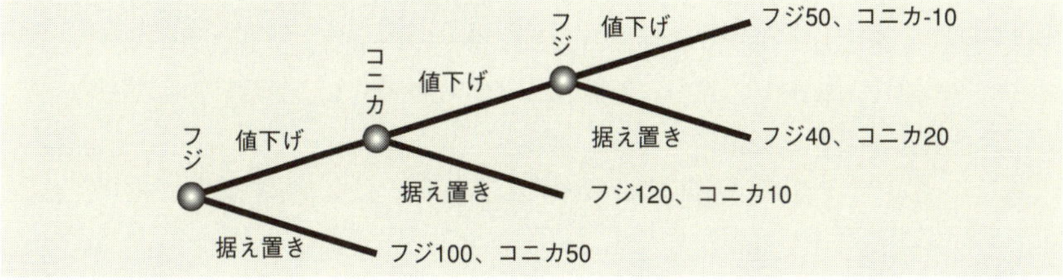

```
                          フジ ─ 値下げ ─── フジ50、コニカ-10
                         ╱
              コニカ ─ 値下げ
             ╱           ╲
            ╱             据え置き ── フジ40、コニカ20
フジ ─ 値下げ
      │    ╲
      │     据え置き ─────── フジ120、コニカ10
      ╲
       据え置き ──────────── フジ100、コニカ50
```

3 ゲーム理論の応用

9 情報非対称ゲームの考え方

> **POINT**
> 情報非対称ゲームにおいては、一部のプレイヤーが情報面で他のプレイヤーよりも有利な立場にある。情報非対称のゲームの分析では、各プレイヤーが相手の行動パターンや現在置かれている状況について、いくつかの可能性を考え、それぞれに確率を割り出して考えることが必要になる。

◖情報対称ゲームと情報非対称ゲーム

これまで見てきたゲームでは、ゲームに参加するすべてのプレイヤーは、ゲームのルールに関して同じ情報を共有し、そのことを互いに承知していることを前提としてきた。こうしたゲームを「情報対称ゲーム」(Game with Symmetric Information) と言う。しかし、実際のビジネスでは、一部のプレイヤーが情報面で他のプレイヤーよりも有利な立場であることが多い。たとえば、商品売買では往々にして、生産者や販売者のほうが消費者よりも多くの商品情報を持っている。このように、プレイヤー間で情報量に差があるゲームを「情報非対称ゲーム」(Game with Asymmetric Information) と言う。

◖ビジネス現場における情報非対称ゲームの事例

「情報非対称ゲーム」の例として、銀行がベンチャー企業に無担保で融資をしようとする場合を考えてみよう。銀行は、将来この企業が貸金を収益弁済できるかどうかを評価しなければならない。財務諸表や会社見学、社長との面談などを通じて、銀行はこの企業の将来の価値を評価しようとするが、その会社の実力について、実際の経営者である社長と同程度の情報を持った状態に到達するのは難しい。

こうした「情報非対称ゲーム」では、情報面で優位なプレイヤーの行動（「シグナル」と言う）を見て、情報面で劣位なプレイヤーが優位なプレイヤーの持つ情報の中身を推測して戦略を選択する。このようなゲームを一般に、「シグナリング・ゲーム」(Signaling Game) と言う。シグナリング・ゲームは、「情報非対称ゲーム」の中でも最も応用範囲の広いゲームの1つだ。

仮に、ベンチャー企業の社長が「新規の投資プロジェクトに資金が必要だ」として、銀行に融資を申し込んだとしよう。このとき、社長自らがこのプロジェクトに資金を投入している場合と、自己資金はまったく拠出せずに銀行の融資のみに頼っ

ている場合を比べると、銀行がより融資しやすいのは前者だ。自分の財産をリスクにさらすという行為が、そのプロジェクトは成功する可能性が高いという情報を社長が持っていることのシグナルになるからだ。したがって、情報面で劣位な銀行は、その会社の社長が自己資金を投入している場合は優良貸出先と判断して融資を行い、自己資金を投入していない場合は融資しないという決定を行う。このように、情報の少ないプレイヤーの戦略が情報の多いプレイヤーの行動に応じて異なってくるケースを「分離均衡」(Separating Equilibrium) と言う。

しかし現実には、分離均衡が成立しない場合も多い。社長が自己資金を投入しさえすれば銀行は安心できるかというと、実際はそれほど簡単ではない。なぜなら、銀行から融資を引き出すには自己資金を投入したほうがよいと社長が知っていれば、融資の呼び水として自己資金を投入し、銀行を欺こうとするかもしれないからだ。銀行がその可能性を加味して、社長の自己資金の投入度合い（シグナル）が不十分だと判断した場合、銀行はその会社が優良貸出先か否かを判断できず、融資をしないという決定を行うだろう。このように、情報の少ないプレイヤーの戦略が情報の多いプレイヤーの行動にかかわらず同じになるケースを「一括均衡」(Pooling Equilibrium) と言う。その場合、本当は優良なプロジェクトであっても断念せざるをえなくなり、銀行も社長も有望な投資機会を失ってしまうおそれがある。

このように、情報非対称ゲームでは情報面で優位なプレイヤーと劣位なプレイヤーとの間で、情報の内容をめぐって熾烈なせめぎ合いが起こり、双方にとって望ましくない結果に陥るおそれがある。そうした事態を防ぐには、互いの協力・信頼関係が欠かせない。また、情報非対称ゲームを分析する際には、相手の行動パターンや現在置かれている状況について、いくつかの可能性を考え、それぞれがどのくらいの確率で起こりうるかを考えてみる必要がある。

シグナリング・ゲーム

情報面で優位なプレイヤー — シグナル（行動）例：自己資金投入 → シグナルを観察 ← **情報面で劣位なプレイヤー**

分離均衡
優良企業のみに融資する：シグナルにより、情報優位のプレイヤーの本質を見抜き、優良貸出先か非優良貸出先か判断できる場合

一括均衡
実態が不明なので融資しない：シグナルが不十分で情報優位のプレイヤーの本質を見抜けない場合

借り手企業の社長：自社が優良企業かどうかを知っている

銀行：貸出先企業が優良企業かどうかはわからない

●……… 3　ゲーム理論の応用

10　ゲームの転換

> **POINT**
>
> ゲームの性質は必ずしも固定的なものではない。たとえば同時進行ゲームは、片側が自分の戦略を宣言することで交互進行ゲームに変えることが可能だ。ゲームを転換させることで、より有利な結果を導ける場合もある。

■デパートとスーパーの広告戦略

　ゲームの転換について、身近な例を使って考えてみよう。ある地方都市で駅前のデパートとスーパーがしのぎを削っているとする。両店とも予算上、テレビCMかチラシ広告のいずれかにしか広告投資ができない。一般に、テレビCMによって消費者の買い物への関心が刺激され、駅前に足を運ぶ回数が増えるが、実際の購買はチラシを見て決めるケースが多いことが知られている。各店がどちらを選択したかは広告の当日まで伏せておくことができる。

　両店の広告活動によって、月間の売上高は**図1**のようになる。スーパーにとって最も望ましいのは、デパートが打ったテレビCMの効果で駅前に人が集まり、チラシの効果によりスーパーで買い物をするというケースだ。次に望ましいのが両店ともテレビ、その次はデパートがチラシでスーパーがテレビ、最悪の組み合わせは両店ともチラシを選び、駅前に客が集まらないケースだ。一方、デパートの場合、両店ともテレビを選んで駅前が活気づくときが最も売上げが多く、それ以下はデパートがチラシでスーパーがテレビ、デパートがテレビでスーパーがチラシ、両店ともチラシという順になる。さて、このゲームの結果はどうなるだろうか。

　まず、両店が広告の準備を秘密裡に行った場合、テレビを選択することはデパートにとって絶対優位の戦略だ。スーパーはデパートがテレビを選ぶと予測できるのでチラシを選択し、結局、右上の象限に落ち着く。これはスーパーにとっては最もよい結果だが、デパートにとっては3番目の結果となる。

■ゲームの転換

　デパートはゲームを転換することによって、上記の結果を変えることができる。たとえば、デパートはスーパーが戦略を決める前に「チラシによる広告を行う」と宣言する。この行動によって、同時進行ゲームはデパートが先手の交互進行ゲームに変化する。図1の利得マトリクスから**図2**のゲームの木へと状況が変わるのだ。

デパートがチラシを使うと宣言した以上、スーパーはテレビを選ぶと120億円、チラシを選ぶと100億円の売上げとなり、テレビを選ばざるをえなくなる。その結果、デパートにとっては2番目に、スーパーにとっては3番目に好ましい結果となる。このときのポイントは、デパートが絶対優位の戦略をあえてとらないことを宣言し、同時進行ゲームの均衡点（各プレイヤーが納得する結果）には到達しないことを相手にわからせたことにある。これにより、スーパーは同時進行ゲームであればチラシを使うところを、テレビに変えなくてはならなかったのだ。

デパートにはスーパーにテレビを選ばせた後で、掌を返して宣言とは違うテレビを選択する手もあり、この場合デパートは160億円の売上げで最高の結果となる。しかし、スーパーもその可能性があると思えばデパートの宣言を容易には信じず、テレビに変更しないこともありうる。したがって、デパートとしては自らの宣言をスーパーに信じてもらうことが重要になる。たとえば、宣言の信頼性を高めるため、宣言を行った後、チラシ広告の準備状況を公開するといった方法が考えられる。

ゲームの転換はほかにも、ゼロサム・ゲームからプラスサム・ゲームへ、2人ゲームから3人ゲームへ、情報非対称ゲームから情報対称ゲームへなど、さまざまなパターンがある。

たとえば、労使間交渉は賃金交渉という争点だけではゼロサム・ゲームで、解決の糸口は見えにくい。しかし、時短や保養寮整備といった要素を加えてプラスサム・ゲームに転じることで、妥協しやすくなる場合がある。また、＜9＞の情報非対称ゲームの事例では、会社に銀行の出向者を受け入れ、その会社の内部情報を銀行と共有することで、優良貸出先であることを銀行に確認してもらい、融資をスムーズに受けられるようにするというゲームの転換方法が考えられる。

ゲーム理論・交渉術

図1 デパートとスーパーの広告戦略

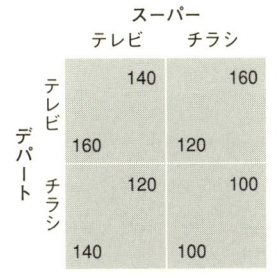

	スーパー テレビ	スーパー チラシ
デパート テレビ	140 / 160	160 / 120
デパート チラシ	120 / 140	100 / 100

左下がデパートの売上げ（億円）
右上がスーパーの売上げ（億円）

図2 デパートとスーパーの広告戦略（交互行動ゲームへの転換）

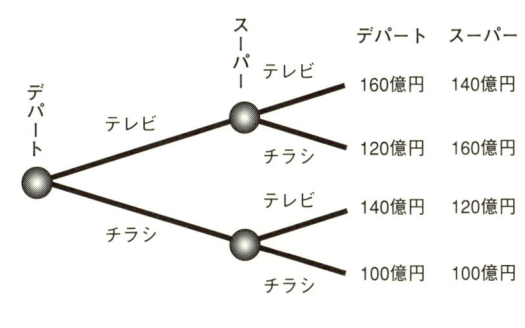

デパート	スーパー	デパート売上げ	スーパー売上げ
テレビ	テレビ	160億円	140億円
テレビ	チラシ	120億円	160億円
チラシ	テレビ	140億円	120億円
チラシ	チラシ	100億円	100億円

●……… 4　企業経営と交渉

11　ビジネスパーソンと交渉

> **POINT**
>
> 交渉の巧拙は、個人や企業の将来を直接左右する重要な要素だ。優れた交渉者になるためには、交渉を構造的・科学的にとらえ、交渉の参加者双方が満足できる妥結点を探る作業が不可欠である。

◪交渉の巧拙が経営に与えるインパクト

　ここからは、「ゲーム理論」に代わって、ビジネスを行ううえで重要な「交渉術」をテーマに考えていく。

　ビジネスパーソンが成功したり、企業が成長するには、周囲との複雑な関係の中で他者に働きかけ、自分や自社の立場を有利なものにしていく必要がある。このときに決め手になるのが「交渉」だ。交渉がうまくできない個人や企業は、本来獲得できたはずの利益を逃したり、周囲との関係の中で自分の立場を悪化させてしまったりする。また、個々の場面では小さな譲歩にすぎなかったとしても、それが積み重なることで全体として大きな損失につながってしまうかもしれない。たとえば、取引相手との商談で、10万円で売れる製品を9万5000円に値切られてしまうことが続けば、大企業の場合、数十億円、数百億円ものロスに達するおそれがある。

　近年、交渉の重要性はさらに増している。第1の理由は、現在の環境下では交渉の失敗により、不利な状況に追い込まれたり、挽回するのに多大な時間がかかったりするからだ。競争が激しくスピーディになった結果、交渉上の1つの失敗により、競争相手と大きな差がついてしまうおそれがある。第2の理由は、グローバル化の進展である。かつての日本人同士の交渉とは違って、外国人や外資系企業との交渉では「阿吽の呼吸」は通じない。しかも、彼らは伝統的に交渉の科学に精通し、場数も踏んでいる。交渉についてもグローバル・スタンダードで臨まなくては、世界の動きについていけなくなりつつある。

◪交渉に関する誤解

　交渉に関するよくある誤解の1つは、「交渉の上手い下手は天性のもの」とする見方だ。実際には、リーダーシップなどと同様、交渉は「学習可能な一連のプロセス」である。基礎的なセオリーさえ学べば、用いる交渉スタイル（＜20＞参照）などに多少の個人差があっても、最終的にはある程度の結果が残せる。

もう1つの誤解は、「優れた交渉者とは、相手に嫌がられるようなハード・ネゴシエーターである」というものだ。この見方が必ずしも正しくないことは、さまざまなケースで実証されている。交渉スタイルが厳しいほど、相手を敵対者としてとらえがちになり、互いに相手の論点を積極的に理解しようとしなくなる。その結果、誤解や偏見を深めて反発しあい、交渉が決裂してしまうこともある。

◘よい交渉の条件

それでは、よい交渉とはどういうものだろうか。交渉でよい結果を得るためには、以下の点に気をつける必要がある。

第1に、それぞれの交渉者が交渉結果に満足できることだ。とくにビジネスにおいては、同じ会社と継続的に取引を行う場合が多いため、双方がある程度の満足を得ることが大切だ。それには、合意内容そのものに満足することはもちろん、交渉者間の信頼関係を確立することも重要となる。

第2に、双方の合計利得が最大化されることだ。交渉プロセスそのものがパイの奪い合いではなく、パイを拡大する作業であることを双方が認識できると、相手との関係も良好になっていく。こうした考え方をWin-Winの考え方と言う（<12>以降で詳しく説明する）。

さらに、スピードも大切である。必要以上の時間を要してしまった交渉は、たとえ最終的に互いに納得のいく結果に落ち着いたとしても、よい交渉とは言えない。今日では、スピードが競争の鍵を握る場合が多いからだ。したがって、最終的な合計利得を考える際には、必ずこの時間という要素も考慮する必要がある。

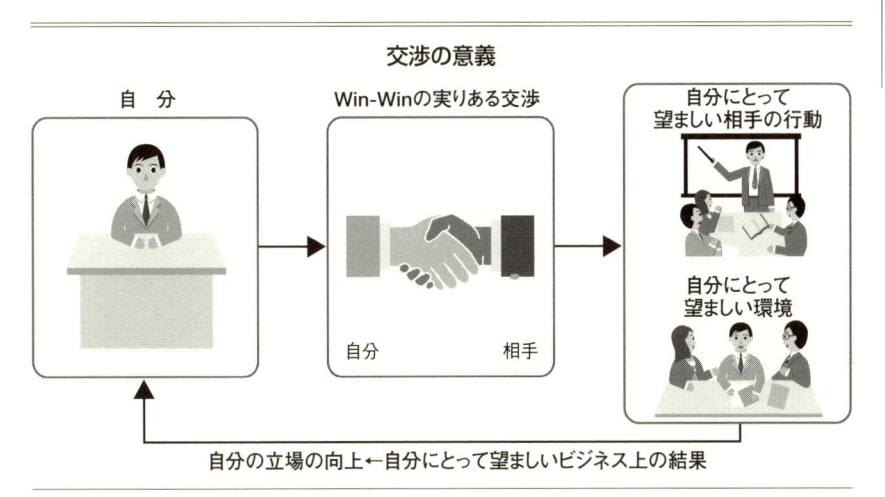

交渉の意義

自分 → Win-Winの実りある交渉（自分／相手）→ 自分にとって望ましい相手の行動／自分にとって望ましい環境

自分の立場の向上 ← 自分にとって望ましいビジネス上の結果

●……… 5　交渉の基礎概念

12　交渉の構造と類型

> **POINT**
> 他の経営フレームワークと同様、交渉を構造的に把握できるようになると、思考のスピードアップや考え漏れの排除につながり、生産性が劇的に向上する。交渉のさまざまな類型を知ることも、生産性を上げるために有効だ。

◘交渉を構造的にとらえる

　交渉にも経営戦略やマーケティングと同様に、その効果を高めるための科学的・構造的な分析手法、実行アプローチがある。これは、単なるその場でのテクニックではない。欧米では、交渉がビジネススクールの1年次の科目に入っているように、「交渉の科学」についての理解が進んでいる。これ以降＜14＞まで、主に交渉の構造を理解するための基本コンセプトについて解説していく。

　交渉がファイナンスやマーケティングなど他のビジネススキルと大きく異なる点は、「計画→実施→フィードバック→計画…」のサイクルがきわめて短い、とくにフィードバックがきわめて早いことだ。交渉では相手の反応を見ながら頭をフル回転させ、当初の計画を速やかに修正し、次の場面に反映させなくてはならない。そのため、現場での機転が重視され、事前の科学的分析が等閑視されてきた。しかし、効果的な機転は十分な事前準備なしには生まれない。交渉の構造をよく理解し、万全の準備をしているからこそ、効果的なカウンター・オファーが出せるのだ。

◘交渉の類型

　交渉では、下記のように類型化することも生産性の向上につながる。
■**交渉者の数による分類**：交渉者が2人（1対1交渉）か3人以上かによって、交渉の複雑さが異なる。2者間交渉では、交渉相手が明確で固定戦略を立てやすいためシンプルな交渉になるが、3者以上の交渉では利害の共通する者が連携しようとするため、パワーゲームの要素が加わり、交渉の構造はより複雑になる。
■**交渉の争点の数による分類**：交渉の争点の数によって、交渉者の関係に影響が及ぶ。単一争点交渉は、価格交渉のように争点が1つのみの交渉である。この場合、交渉者の関係は基本的に対立的だ。交渉者の利害が真っ向から衝突すると、妥協点を見出せずに決裂するおそれがある。複数争点交渉は、従業員の採用をめぐる交渉のように、賃金や勤務時間、休暇、待遇など複数の争点がある交渉である。複数争

点交渉では、ある争点について譲ることで他の争点で相手の妥協を引き出すというように、交渉者が協調しながら相互の妥協点を見出す余地がある。

■**交渉者の意思決定権による分類**：交渉の当事者が最終結論を出せる立場にあるかどうかで、事前準備や交渉方法が異なる。単層的交渉は、交渉者のみで最終結論を出せる。主婦が八百屋の主人と行う価格交渉などがその例だ。複層的交渉では、交渉相手は相手組織の代表者にすぎず、最終合意には相手組織の承認・批准が必要だ。２国間交渉などの際に、相手国（組織）の中で意見や立場の違いが存在することもよくある。相手の最低妥協可能ラインを予想するには、相手国内の利害関係を把握しておかなくてはならない。複層的交渉では、交渉者同士の信頼・協力関係も重要だ。交渉代表が相手の立場に立って、自分の組織の説得にあたる場合もある。

■**交渉者の力関係による分類**：交渉では、交渉者の力関係に注目することも重要だ。シンメトリック交渉では交渉者の力関係は対等だが、非シンメトリック交渉では交渉者の一方の力が極端に強い。親子間の交渉や交渉者の知識量に差がある場合などが後者の例に当たる。非シンメトリック交渉における弱者は、強者以上に自らの最低妥協可能ラインを十分に認識しておく必要がある。最悪の場合でも何を勝ち取るかを明確にしておかないと、一方的に押し切られるおそれがあるからだ。たとえば、中古車の購入に際し、セールスマンは車の過去の事故歴や故障歴を知っているが、客にはそうした情報が与えられていないとしよう。セールスマンには売却価格の最低妥協可能ラインが明確だが、客はいくらであれば妥当なのか判断できない。情報面で弱い立場にある客は、大幅に値切ることよりも、品質・性能の保証を取り付けるなど、相手に最低でも何を保証させるかを考えておくべきだろう。

● ゲーム理論・交渉術 ●

交渉の類型

交渉者の数	争点の数
2者間交渉（1対1） （交渉の構造はシンプルである） 3者以上の交渉 （交渉の構造はより複雑になる）	単一争点 （交渉者の関係は基本的に対立的） 複数争点 （相互の妥協点を見出す余地がある）

交渉者の意思決定権	交渉者の力関係
単層的交渉 （交渉者に意思決定権がある） 複層的交渉 （交渉者に意思決定権がない）	シンメトリック交渉 （交渉者の力関係は対等） 非シンメトリックス交渉 （交渉者の一方が極端に強い）

● ...... 5 交渉の基礎概念

13 交渉構造分析の基本概念

POINT

交渉を構造的にとらえるには、まず限界値、BATNA、ZOPAなどの基本的な概念を理解しておく必要がある。そのうえで、これらの点について、自分と交渉相手がどのような状況にあるのかを確認してみよう。

◘ 限界値、BATNA、ZOPA

交渉の構造を理解するための基本概念として、限界値、BATNA、ZOPAがある。

限界値とは、価格交渉を例にとると、売り手が絶対にこれ以上安くは売らない価格、買い手が絶対にこれ以上高くは買わない価格を指す。BATNAは「Best Alternative to Negotiated Agreement」の略で、交渉相手から提示されたオプション以外で最も望ましい代替案を指す。通常、これがその交渉における限界値を決めることになる。ZOPAは「Zone of Possible Agreement」の略で、交渉が妥結する可能性のある条件範囲を指す。以下、これらを事例で見ていこう。

A社長の立場： A社は部品メーカーだ。最近工場が出火し、半月後に納入予定の完成部品1万ユニットをすべて焼失してしまった。幸いなことに、Z社がその部品を3200万円で売ってくれるという。最悪の事態は免れそうだが、3200万円という価格は高すぎるとの思いがあった。そのとき、B社の社長から同じスペックの部品を売りたい、については商談の場を設けてほしいとの申し出があった。

B社長の立場： 機械部品の発注元が倒産し、1万ユニットの在庫を抱えてしまった。幸運にも、欧州Y社がそれを1200万円で買ってくれるという。とりあえずほっとしたところに、A社の工場火災のニュースが飛び込んできた。B社長はこれ幸いとばかりにA社長へ電話し、すぐに商談に行くとの約束を取りつけた。

このとき、買い手（A社）は、B社から3200万円未満で調達できればB社を、そうでないときはZ社を選択することになる。一方、売り手（B社）にとっては、1200万円で買ってくれる別の顧客を確保しているので、それ以上の売り値であれば、A社に売ろうということになる。

A社は仮にB社との交渉が決裂したとしても、最悪でもZ社から3200万円で部品を購入することができる。これがこの交渉におけるA社にとってのBATNAで、そ

れがそのまま限界値となる。同様に、B社にとっては欧州Y社の購入希望価格1200万円がBATNAであり、限界値となる。最終的な決着点は1200万円と3200万円の間に落ち着くはずで、この範囲がZOPAになる。

このようなシンプルな単一争点交渉では、交渉者はZOPAの範囲内でいかに交渉結果を相手の限界値の近くに持っていくか、つまり、いかに自らの利得を最大化するかということを目指す。交渉者は自らの限界値はわかっていても、交渉相手の限界値を直接知ることはできないため、交渉の過程を通して、可能な限り相手の限界値を予測する。それが、交渉を有利に進める秘訣となる。

◻参照値、目標値

交渉において相手の限界値を探ったり、妥結点を決めたりする際に、参考にする数値（情報）を参照値と言う。上記の事例であれば、過去の類似の状況での取引価格、類推コストに類推利潤を乗せたものなどが参照値となる。優れた交渉者はそうした情報収集の努力を怠らないばかりか、往々にして優れた情報ネットワークを築いている。

目標値とは、交渉者が目指す妥結点である。優れた交渉者は、交渉に先立って現実的な目標値をイメージとして持っていると同時に、交渉の進展に応じて適切に目標値を修正していく。これに対して、交渉下手と言われる人は、自分と相手の限界値や目標値の関係について驚くほど無頓着だ。そのため、自分のことだけを考えて相手が見えていなかったり、最初に設定した目標値に引っ張られすぎて修正できなかったりする。逆に言えば、自分の限界値を理解し、相手の限界値を推定したうえで、常に的確な目標値を設定することが必要なのだ。

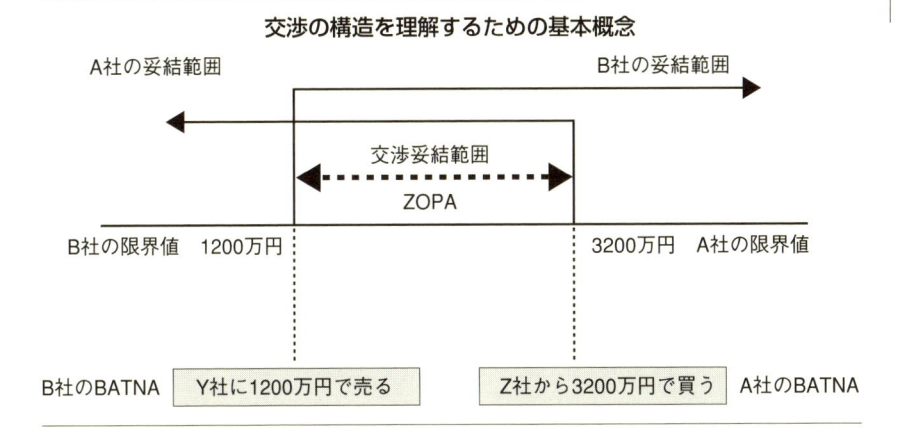

交渉の構造を理解するための基本概念

A社の妥結範囲　　　　　　　　　　　　B社の妥結範囲

交渉妥結範囲
ZOPA

B社の限界値　1200万円　　　　　　　3200万円　A社の限界値

B社のBATNA　Y社に1200万円で売る　　Z社から3200万円で買う　A社のBATNA

5 交渉の基礎概念

14 複数争点交渉

POINT

交渉の焦点が複数ある場合は、単一争点の場合に比べて時間とコストは要するが、創造的解決を図りやすいことが多い。一見すると単数争点と思われる交渉でも、背後に他の争点が眠っている場合がある。そこに自分にとって有利な代替手段を見つけることができれば、新たな交渉領域としてその争点を交渉の場に提示できる。

◆複数争点交渉

　交渉の争点が複数ある場合、単一争点の場合に比べて交渉に要する時間とコストは大きくなりやすいが、互いに納得できる創造的な解決策を見出す可能性も高くなる。このことを、もう一度＜13＞の部品メーカーの事例を使って考えてみよう。
　交渉に先立って、A社長とB社長にそれぞれ以下の電話が入ったとする。
A社長への電話：「はじめまして。こちらはX社と申します。当社は、同じスペックの部品を1万ユニット2400万円で提供いたします」
B社長への電話：同時刻、B社長のもとにも1本の国際電話が入っていた。W社からの電話で、B社の在庫を1万ユニット2500万円で購入したいというものだった。
　さて、両社に対する新たな提示により状況がどのように変わったか確認しよう。すぐにわかるのは、お互いによりよいBATNAが登場した結果、限界値が変化し、ZOPAが消失したことだ。A社は2400万円を超える価格なら無理にB社から買う必要はないし、B社も2500万円を下回ってまでA社に売る必要はない。争点が売買価格のみであれば、このままでは交渉が成り立つ余地はない。
　さて、これに支払条件という第2の争点を持ち込むと、どうなるだろうか。A社は資金繰りがきわめて厳しい状況にあり、金銭を時間的価値でとらえているとする。たとえば、A社は現在の100万円を、1カ月後の102万円（100万円×1.02）、2カ月後の104.04万円（100万円×1.02×1.02）と同じ重みに見なしていたとする（金銭の時間的価値については第4部＜3＞を参照）。これに対して、B社以外の売り手はキャッシュでの支払いを求めている。B社が問題にしているのは2500万円という売買価格で、支払時期にはこだわっていない。
　このとき、支払いを4カ月後にするとしたら、A社にとって現在の2400万円は4カ月後の2598万円と同等なので、ZOPAが生じることになる。すなわち、「支払い

は4カ月後、金額は2550万円」といった妥結点が生じる可能性が出てくる。図は、こうしたZOPAの変化を、横軸に金額、縦軸に支払猶予期間をとって2次元で表現したものだ。斜線で示した部分がZOPAになる。

◆Win-Win

Win-Winとは、交渉者が共に利得を享受できることを指す。

優秀な交渉者は一見、争点が1つで妥結の余地がないように思える場合でも、背後に他の争点が眠っていないかを考える。「自分にとってはさほど重要ではないが、相手にとっては重要な争点」を見つけ出せれば、その争点で譲歩する代わりに肝心の争点で有利な条件を引き出すことができる。

たとえば、プロ野球の年俸交渉において、球団側は「選手の合意なしにトレードせず」の項目に1000万円の価値しか見出していないが、交渉相手の選手は同じ項目に3000万円の価値を感じていることに気づいたとする。このとき、球団側は「この条件はのむから、年俸を希望より2000万円下げさせてほしい」と交渉することができる。トレード条項を加えることで1000万円譲る代わりに、年俸の支払いを2000万円に減らすことができれば、差し引き1000万円のプラスが実現される。選手から見ても、1000万円のプラス(3000万円−2000万円)を実現することができる。

互いに「自分にとってそれほど重要でない項目」で譲る代わりに、「自分が重視している項目」で相手の譲歩を勝ち取り、よりよい妥結点を見つけることができるのだ。これがWin-Winの結果と呼ばれるものである。

複数争点交渉におけるZOPAの出現

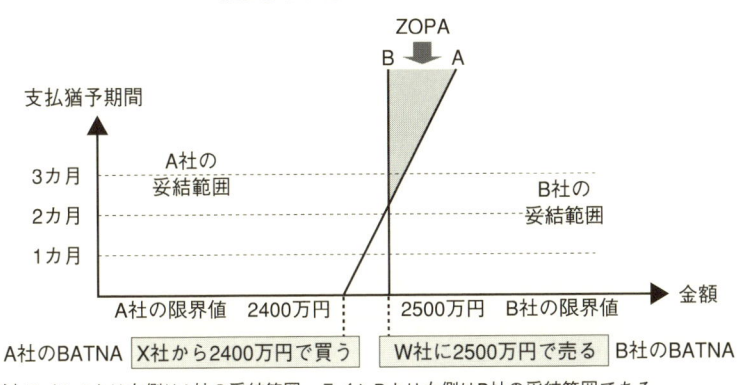

注)ラインAより左側はA社の妥結範囲、ラインBより右側はB社の妥結範囲である。

●……… 6 効果的な交渉

15 交渉と説得の3層構造

> **POINT**
> 実りある交渉を行うためには、相手の感情に配慮し、納得のいくような論理性を持たせ、互いの利害を十分に理解しておくことが重要だ。これら交渉結果に影響を与える「感情」「論理」「利害」の3つの要素を、交渉を妥結に導く「3層構造」と呼ぶ。

◆感情

　人間は感情の動物だ。あらゆる交渉はまず相手の感情を理解することから始まる。たとえば、人質を取った立てこもり犯に対して交渉者が最初に行うのは、「罪を犯すな」という理性的説得でも、その行為の無益を説くことでもなく、犯人の感情を吐露・発散させることだと言われる。相手の主張に同調しながら、相手が感情を表すように促していく。犯人が交渉者を「自分の感情を理解できる」「信頼すべき」人物と認識し始めたら、人質解放に向けて状況は大きく前進する。ビジネスにおける交渉でも、初期段階は「良好な関係を築く」（Rapport Building）ことが最も重要である。そのためには、相手と向かい合うよりも隣に座る、相手の呼吸に合わせる、相手の関心事に興味を示すなど、さまざまな手法が提案されている。

　感情面で交渉者が理解しておくべきことに、相手の自尊心がある。たとえば、自分の存在が無視されたり、軽んじられたり、不当に扱われたと感じた場合、交渉内容が何であろうと、いかに相手に理があろうと、人は納得しないものだ。些細な手順や表現によってそう思い込ませてしまうことも多い。交渉が難航した場合、その原因が内容そのもの（What）にあるのか、それとも、どう扱われたか（How／When／Where／Who）ということが関係しているのかを探ってみるとよい。

　また、問題の解決を重視するあまり、その熱意が相手に対する非難や個人攻撃に転化しないように、気をつけなくてはならない。ハーバード大学ロースクールのロジャー・フィッシャー教授は「問題と人間を分けて考え、問題に対するのと同じ熱意で相手という人間を肯定せよ」と説いている。

◆論理

　人が行動するには、何らかの理由が必要だ。交渉で合意に至るためには一般に、「正当な理由」が要求される。このときによく用いられるのが、「人間は基本的に自

由であるべきだ」「働いた人には報酬が与えられるべきだ」などのように、客観的でかつ、多くの人に納得してもらえる「規範」である。これらの規範は、強制力のある法律として表されることもあれば、成文化されていないこともある。強い交渉力を持つには、説得力のある基準や規範を自分のものとして豊富に持つことが重要だ。それに加えて、本人もそれらの基準や規範に従っていると他者に信じてもらうことがさらに大切である。厳しい交渉の場数を踏むうちに、規範を見極めたり、それを実行する能力が鍛えられていく。「実践の大切さ」はこうしたところにある。

その一方で、「相手が納得する論理は『相手の持っている論理』である」ということも理解しておく必要がある。客観基準や社会規範を重視しすぎると、それだけではうまく説得できないときに、「これがわからない先方が悪い」といった思考に陥ってしまう。その場合、往々にして相手もこちらを同じように見ているものだ。交渉相手に何らかの行動をとらせたいと思っている交渉者には、相手が拠って立つ論理が何であるかを柔軟な思考力で探る能力が要求される。

◘利害

人は利得のためだけに生きているわけではないが、具体的な利害がなければ物事はなかなか進まない。交渉において最終的な合意を構成するのは、やはり利害の設計である。交渉が行われるのは、行わない場合に比べて、双方にとって利得があると信じられているからだ。したがって、交渉は基本的にWin-Winを目指していると言える。このときに重要なのが、相手の真の利害を見極めることだ。言葉に表れなくても、相手が真に欲しているものを見出す洞察力は、交渉者にとってきわめて重要な能力である。

交渉を妥結に導く3層構造

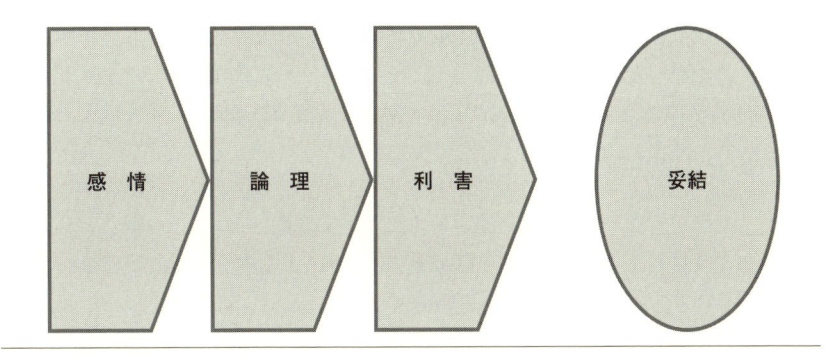

感情 ▶ 論理 ▶ 利害 ▶ 妥結

●……… 7　心理バイアス

16　交渉の準備プロセス：4ステップ・アプローチ

> **POINT**
> 交渉に臨むときには、交渉を妥結に導く3層構造を理解するだけでなく、交渉の構造や交渉相手、交渉目的などについて十分に理解しておく必要がある。交渉の準備プロセスとして、4ステップ・アプローチを用いるとよい。

◘STEP 1：交渉の構造を把握する

　第1ステップは、交渉の構造を把握・再確認することだ。最初に行うことは、交渉者を取り巻く環境の整理である。交渉相手がだれを代表に立ててくるかわからない場合でも、相手組織の分析は欠かせない。

　交渉が不得意なビジネスパーソンがえてして見落としがちなのは、「交渉は単純に1対1の当事者間で行われる営みではなく、関係性、構造の中で行われるものだ」ということである。「関係性、構造の中で行われる」とは、当事者の背後に、組織内の立場や組織からの要求、組織間の力関係などがあることを指す。その場面だけを見れば1対1の交渉であっても、どのような構造や関係の下に交渉を行っているかによって、交渉の行方は大きく変わってくる。当事者レベルではまとまったかに見えた交渉でも、結局は背後にある組織などを説得しきれず、約束が守られないということも起こりうる。

　交渉者を取り巻く環境を整理する方法として、マッピングがある。これは、交渉がどういう関係性の中で成り立っているかを図示する手法だ。たとえば、重要な商談に際して人脈図を作成すると、力関係が明らかになる。

　環境整理の次には、問題（争点）の構造を整理する必要がある。争点をすべて洗い出し、自分なりに優先順位を付け、トレードオフ（一方を取れば一方を失ってしまうという関係）を整理しておくことで、Win-Winの決着を生み出しやすくなる。

◘STEP 2：相手の心象風景に立つ

　第2のステップは、さらに踏み込んで、交渉相手の置かれた立場や関心事項、心理状態などを理解することだ。まさに観察力・洞察力が問われる場面である。その際には、＜15＞に示した3層構造が非常に役に立つ。

　ここでのポイントは、自分と相手では「何を重要と考えているかの基準が違う」

ということをしっかり認識することだ。優れた交渉者は、相手が重要だと感じるものを見つけ出し、それにうまく働きかける。

◨STEP 3：自分のミッションを確認する

自分のミッションを冷静に把握することは意外と難しい。とくに複層交渉の場合、自分にどれだけの権限があり、どのようなミッションを与えられているかを認識しておくことは、非常に重要なポイントとなる。また、交渉に有利になるように状況を改善することができることも忘れてはならない。たとえば、十分な権限が与えられていない場合、相手の交渉に先立って上司に掛け合い、権限委譲をしてもらうことが可能かもしれない。さらに、そもそも自分は何のためにその交渉に臨み、交渉が決裂した場合にどのような選択肢があるか（BATNA）、どこで見切りをつけるのか（限界値）などを明確に意識することも重要だ。

◨STEP 4：Win-Winの妥結点を探る

交渉とは、「一方が勝ち、一方が負けるもの」ではなく、「両者が勝ったと言える妥結点を互いに見つけ出していくもの」である。これこそが、最近の交渉に関する研究が解明した最も重要なルールであり、「Win-Win」と呼ばれる考え方だ（<14>参照）。最近では、さらに一歩進んで、「Win-Win or No Deal」（Win-Winの妥結点が見込めないなら、無理に妥結する必要はない）ということもよく言われる。Win-Winの状態の中でも、お互いの利得や満足度の合計が最も高い状態にもっていくことを「ジョイント・プロフィット・マクシマイゼーション」（Joint Profit Maximization）と言い、これが最高の妥結点となる。最近の交渉術の研究では、交渉者はこの最高の状態を目指すべきだと説いている。

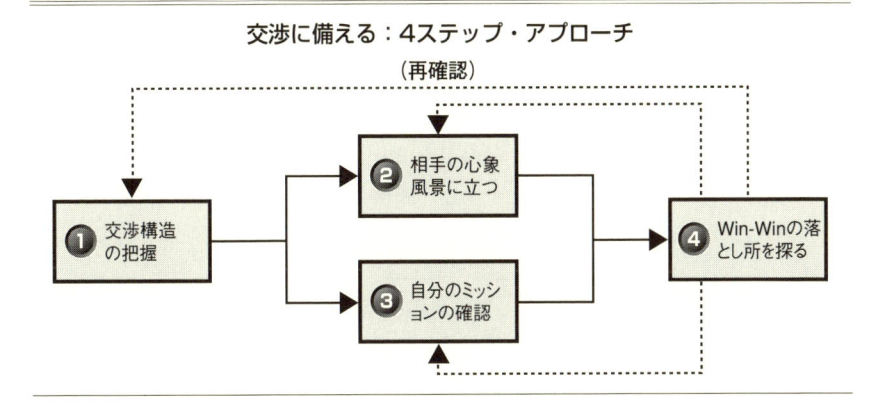

交渉に備える：4ステップ・アプローチ

(再確認)

1. 交渉構造の把握
2. 相手の心象風景に立つ
3. 自分のミッションの確認
4. Win-Winの落とし所を探る

●‥‥‥‥7 心理バイアス

17 合理的な交渉を妨げる心理バイアス（1）

POINT

交渉では「相手に負けまい」とする気持ちが災いして悪い結果を招くことがある。優れた交渉者は、交渉において「勝つ」ことが交渉の目的とは相反する場合もあること、相手より優れていると思いたいという心理的な力が非合理的な行動を惹起しがちなことをよく理解している。

◖非両立バイアス

交渉の過程で、相手に譲歩したり、自分の要求が通ったり、拒絶されたりするなどの駆け引きが続くうちに、「負けるものか」という気分になることがある。交渉の場で互いが「対立的」で「相手の得は自分の損」と考えがちになることを、「非両立バイアス」「総量固定の思い込み」などと言う。この心理バイアスにとらわれると、本来Win-Winの結果になるはずの交渉がうまくいかなくなるおそれがある。

政治的立場が異なる者同士の交渉では、相手の提案がいかに優れていても、そのままでは受け入れにくい場合が多い。こうした、立場を異にする人物の意見や提案だからという理由で直ちに反対したくなる心理を、「反射的価値下げ」（Reactive Devaluation）と言う。これは交渉において非常に危険な心理バイアスである。フィッシャーは、交渉の際には相手を「1つの問題を共に解決するパートナー」と見なし、相手の立場に身を置くシミュレーションを繰り返しながら妥結点を探る姿勢が必要だと強調している。

◖立場固定

一度始めた公共事業はなかなか中止できない。自分が採用した従業員は優秀だと思いたい。すでに決断した海外進出や多角化は、投下資金を回収するまでやめられない──このように、最初の行動が環境変化などによって合理性を失っているにもかかわらず、そのまま堅持しようとしたり、最初の決断を正当化しようとして、疑問を抱きつつも深みにはまってしまうことがある。これが「立場固定」と言われるものだ。組織としての意思決定を行うときなどに、立場固定に陥りやすい。

立場固定が起こる原因の1つに、「埋没費用」（Sunk Cost）がある。これは過去の選択の結果として発生したコストで、その時点の意思決定にかかわらず、すでに確定しているものを言う。事業などに投入した資金や、交渉に費やした時間や労力

などの埋没費用が大きいほど、柔軟な意思決定ができなくなってしまう。

ほかにも、自らが一貫性を持った人間だと思いたい、思わせたいとする「印象管理」や、「メンツ」（これはとくに組織内での意思決定において強く影響する）、意思決定者が過去の成功体験によって行動を固定化する「成功の囚人」（Prisoner of Success）と呼ばれる現象なども、立場固定に至る原因となる。

こうした心理バイアスから逃れるためには、❶「潮時」を見極めるために自ら目安（限界値）を設けておく、❷第三者によるチェックシステムを構築する、❸「意思決定の見直しの手順」をつくっておく、といった方法が有効である。

◻勝者の呪縛

ある有名なゲームを紹介しよう。硬貨が一杯に詰まったガラス瓶がオークションにかけられている。瓶の中にいくら入っているかはわからないが、いちばん高値で落札した人にはその硬貨と同額の紙幣が渡されることになっている。オークションが始まると、ほぼ例外なく実際の額よりも高値でガラス瓶は落札される。落札者は一見「勝者」のようだが、実はその場でただ1人損をしてしまっている。これを「勝者の呪縛」と呼ぶ。似たようなことは、石油の採掘権やプロスポーツ選手の契約金、企業買収などの交渉のときに現実に起こっている。

一般に「勝者の呪縛」にとらわれる原因は、落札すべきものの本当の経済価値に関する情報が不足していることにある。たとえば、商品の価値をあまり開示しないまま、競合の存在をにおわせて売買成約を得ようとする売り込みの戦術は、この心理バイアスを利用したものだ。これを回避するには、判断の根拠となる正確な情報を得ることが必要だ。さらに、判断するだけの十分な情報がない場合には、あえて意思決定をしないという態度も必要だ。

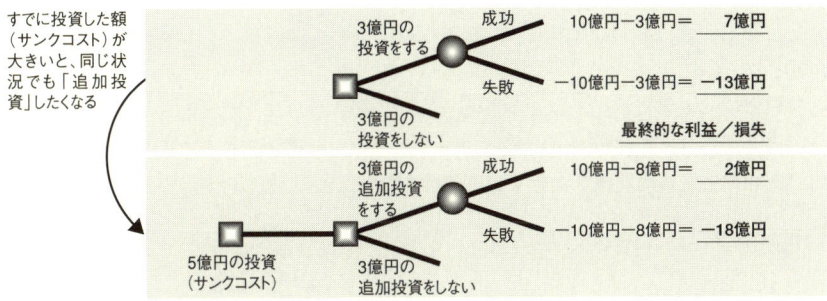

埋没費用（サンクコスト）

すでに投資した額（サンクコスト）が大きいと、同じ状況でも「追加投資」したくなる

- 3億円の投資をする
  - 成功： 10億円−3億円＝ 7億円
  - 失敗： −10億円−3億円＝ −13億円
- 3億円の投資をしない

最終的な利益／損失

- 5億円の投資（サンクコスト）
  - 3億円の追加投資をする
    - 成功： 10億円−8億円＝ 2億円
    - 失敗： −10億円−8億円＝ −18億円
  - 3億円の追加投資をしない

注）投資が成功したときの収益を10億円、失敗したときの損失を10億円としている

7 心理バイアス

18 合理的な交渉を妨げる心理バイアス（2）

> **POINT**
> 交渉における合理的な意思決定を阻むもうひとつの心理バイアスは、「枠付け」と呼ばれるものだ。これは、事態を見るときの（無意識の）枠組みによって意思決定が影響を受ける現象で、しばしば戦略的に利用される。

◪枠付け（Framing）

コップに容量の半分程度の水が入っているとする。それを見て、「水が入っているので嬉しい」と思うだろうか。「半分しか入っていないので残念だ」と思うだろうか。おそらく横に空のコップがあれば、それを基準として「水が半分も入っている」と判断するだろうし、逆にそれが満杯の状態であれば「半分なくなっている」と考えるだろう。つまり、客観的には同じものであっても、どの状態を基準（準拠点とも言う）にするかによって、受け取り方が異なるのだ。このように、ものの見方が特定の方向に誘導されることを「枠付け」と言う。

価格設定では、枠付け効果を利用して割安感を演出し、購買意欲をそそる試みが日常的に行われている。たとえば、1000円ではなく980円という端数を使うことをはじめ、高額な商品を販売するのと同時に比較的小額な（ただし、それだけをとってみると割高な）オプション商品を販売したり、「1日当たりに直すとコーヒー1杯分」と表現する方法など、枚挙にいとまがない。

認識されやすい印象的な情報は、準拠点を形成しやすい。たとえば、過去の経験から知っている情報、先入観に合致する情報、権威者や有名人の発言（「ハロー効果」〈Halo Effect〉と言う）、一連の情報の中で最初と最後のもの、状況を単純化・簡素化したもの、過去の最良の状態（「授かり効果」〈Endowment Effect〉と言う）などが知られている。

枠付けは、人のモチベーションや意思決定にも大きな影響を与える。駄目でもともとと考えさせるか、勝って当然というプレッシャーを与えるかというように、枠付けのやり方次第で結果が大きく異なる可能性がある。

◪アンカリング（Anchoring）

交渉における枠付けとして最も一般的なものは、アンカリング（係留）だ。たとえば、値引き交渉をする場合、最初の言い値を思い切って安く言ったほうが、逆の

ケースに比べて、最終的な妥結額は安くなる傾向がある。この最初の提示は「アンカー」（錨）と呼ばれ、これが交渉結果に影響を与えることを「係留効果」（Anchor Effect）と言う。これは、交渉者が最初の提示条件を準拠点にして、相手に枠付けを与える行為としてとらえることができる。

アンカーとして作用させるには通常、何らかの根拠が必要だ。しかし、まったく根拠のない事柄でもアンカーとして作用することがある。ただし、一般に根拠のないアンカーを使う交渉者は信頼を失うリスクが高い。

◘枠付けの転換（Reframing）

交渉者間で争点に関するとらえ方が違うために、実りある妥結に至らないことがしばしばあるが、「枠付けの転換」を行うことでそれを解消できる場合がある。たとえば、ある土地の所有権をめぐって、互いに自分の土地だと思い込んでいる者同士が争っている状況を考えてみよう。この場合、両者が「もともとすべて自分の土地だ」と主張するなど、準拠点がまったく異なったままでは合意に達することは難しい。しかし、隣接するそれぞれの土地の面積に比例させるなど何らかの客観基準を設けることによって、新たな「準拠点」を共有することができれば、交渉は大きく前進する可能性がある。

枠付けの転換は非常に難しい。しかし、相手との枠付けの違いが問題を困難にしていて、相手に枠付けの変更を促す必要がある場合は、根気強くコミュニケーションを続けるべきだ。交渉における最も重要なスキルが「忍耐強さ」と言われるのも、このような事情に根差している。

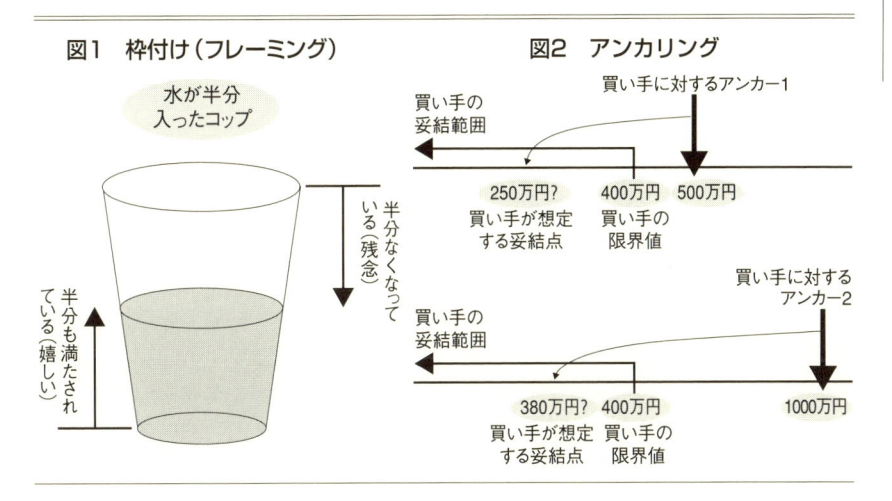

図1　枠付け（フレーミング）

水が半分入ったコップ

半分なくなっている（残念）

半分も満たされている（嬉しい）

図2　アンカリング

買い手の妥結範囲

買い手に対するアンカー1

250万円？　400万円　500万円
買い手が想定　買い手の
する妥結点　限界値

買い手の妥結範囲

買い手に対するアンカー2

380万円？　400万円　　　　1000万円
買い手が想定　買い手の
する妥結点　限界値

ゲーム理論・交渉術

8 交渉の応用

19 交渉の諸戦術

> **POINT**
> 交渉のテクニックを理解しておくことは、自分が利用するというよりも、それらを駆使する相手のペースに不用意に巻き込まれたり、交渉でやり込められたりしないために必要だ。

　ここでは、先人が伝えてきた交渉で優位に立つテクニックをいくつか紹介する。ただし、これらを利用して交渉相手よりも有利に事を進めるアプローチをとろうとするのではなく、あくまで相手の戦術を看破するためのものとして考えてほしい。なぜなら、そうした交渉戦術を用いて局地的に勝ったとしても、長い目で見れば、トータルではプラスに働かないことが多いからだ。

◘脅し（Threat）

　最も単純な戦術は「脅し」である。脅しは1回限りの関係で、かつ自分に望ましいBATNAがある場合に有効だ。

　たとえば、「貸したお金を明日までに返してもらえないのなら、出るところに出ましょう」（裁判沙汰にする）といった脅し文句を、先に説明した構造的なアプローチで説明してみよう。これは、相手にとってのBATNAを「裁判沙汰」にまで後退させる（言い換えれば、裁判沙汰という非常に困った状態になるしか選択肢がないと思わせる）ことで、無理をしてでも金策に走らせようとする方法だ。

　この場合、自らのBATNAをどう演出するかということも問題になる。たとえば、裁判になれば脅す側も大変であることが見透かされてしまえば、相手方は「裁判云々は大げさに言っているだけで、向こうもそこまでの代償を払いはしない」と考えるだろう。逆に、自分が「言うことを聞かないと痛い目にあわせるぞ」と脅された場合でも、「相手は暴力沙汰を起こしてまではやらない」と判断できれば、それほど怖がることはないということになる。

◘瀬戸際戦術

　脅しの中でも、自分と相手の双方を瀬戸際（悲惨な選択肢）に立たせ、相手に後退を余儀なくさせようとするやり方を「瀬戸際戦術」と言う。かつての米ソ冷戦時代に、アメリカは「ソ連が戦いを仕掛けるならば、アメリカはいかなる代価を払ってでも戦い抜く」と宣言することで、最悪の結果に至ることを避けてきた。

しかし、このやり方は大きな危険もはらんでいる。何らかの誤解や一時的な感情の高まり、些細な理由などが引き金となり、破局に向かって走り出すことがあるからだ。瀬戸際戦術はあくまでも「相手が合理的に考える限り、自ら破局に至るような行為はしないだろう」という前提の下に成り立つものだ。したがって、相手が合理的に判断できるか否かを正しく見極めることが必要となる。

◪良い警官／悪い警官戦術（Good Cop／Bad Cop Tactics）

人間関係を悪化させずに厳しい交渉を行う方法として、「良い警官／悪い警官戦術」がある。これは、意図的に悪者をつくることで、自分は交渉相手にとって話のわかる人物として振る舞い、相手の妥協を引き出そうとするやり方だ。たとえば、「私はこの条件で妥協したいのだが、上司が駄目だと言うので」というように、その場にいない上司を悪役に仕立てる場合などがこの典型だ。

◪さまざまな心理戦術

人間心理を利用した戦術として、一貫した態度をとり続けたい（たとえば、最初の要求を承諾したら、次の要求は断りにくくなる）という心理を利用し、最初に簡単な依頼をし、徐々に要求をつり上げていく「フット・イン・ザ・ドア・テクニック」（Foot in the Door Technique）、最初の理不尽な要求をアンカーとしてぶつけ、その後譲歩したように見せながら実は不当な要求をのませる「ドア・イン・ザ・フェース・テクニック」（Door in the Face Technique）、ちょっとした貸しをつくって、お返ししなくてはと思わせて大きな見返りを得る「返報性の原理」などが知られている。こうした心理戦術には、冷静な対応が求められる。

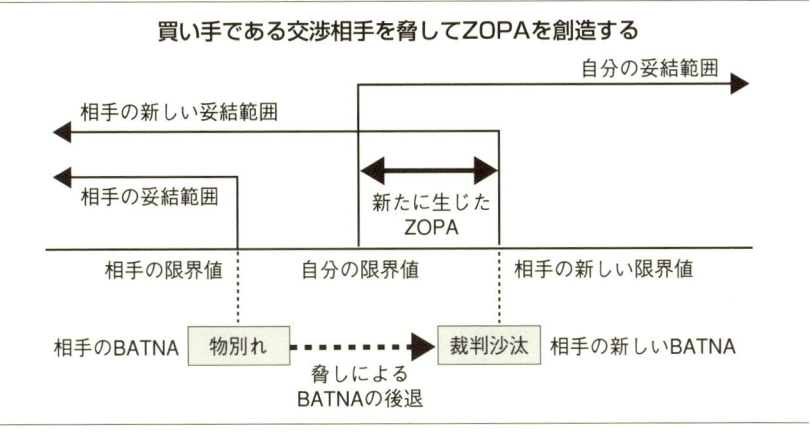

買い手である交渉相手を脅してZOPAを創造する

相手の新しい妥結範囲 ←———————————
自分の妥結範囲 ———————————→
相手の妥結範囲 ←———
新たに生じたZOPA ←→
相手の限界値　自分の限界値　相手の新しい限界値
相手のBATNA　[物別れ] ┄┄脅しによるBATNAの後退┄┄→ [裁判沙汰]　相手の新しいBATNA

ゲーム理論・交渉術

● ·········· 8 交渉の応用

20 交渉スタイル

POINT

交渉者はそれぞれの人間性に根差した交渉のスタイルを持っているので、交渉を行う際には自他のスタイルを認識しておくことが重要だ。また、交渉そのものの性格にもパターンがあり、これを把握することも大切である。

◖交渉のスタイル

交渉のスタイルには、ソフトなタイプ、ハードなタイプ、そしてフィッシャーが提唱した第3のタイプ「原則立脚型」などがある。交渉のスタイルを把握するには、マトリクスで整理するとわかりやすい。ここでは、交渉者が交渉結果（経済的な成果）を重視するのか、相手との人間関係を重視するのかという2軸によって、交渉を4つのパターンに整理した（図を参照）。

❶**バランス重視型**：自分で立ち上げたベンチャー企業の製品を売り込みに行くなどのケースが該当する。この場合、結果も大事だが、相手との関係も良好なものにしたい。したがって、利害関係と人間関係の両方とも大切にする必要がある。

❷**人間関係重視型**：世話になっている隣人に頼まれて週末に犬を預かるなどのケースが該当する。この場合、経済的な見返りよりも人間関係が重視されるので、とくに謝礼金などの条件はあまり考えずに犬を預かるだろう。

❸**取引重視型**：観光地で客扱いが上手な露天商から土産物を買うケースなどが該当する。互いに相手との関係にはさほど関心はないが、客はよいものを安く買いたいし、露天商は高く売りつけたいというように、結果に対する関心は高い。こうした環境では、ゲーム的に値切り交渉が行われやすい。

❹**暗黙の協調型**：エレベーターに見知らぬ人が何人か乗るケースなどが該当する。この場合、よほど急いでいない限り適宜譲り合って乗り込む。乗り込む順番も、居合わせた人との関係もたいして重要ではないからだ。

このように、交渉者が何を重視するかによってマトリクスをつくり、交渉パターンを理解することには意味がある。たとえば、ある交渉について、一方は競争的な取引重視型だと認識し、もう一方は順応的な人間関係重視型だと思っていた場合、相互の倫理観や価値観への信頼が得られず、中長期的にはあまりよい結果をもたらさないことが多い。こうした状況判断を誤らないことが大切である。

この分類は交渉パターンだけでなく、交渉者の人としてのスタイルの類型化にも

利用できる。たとえば、交渉となると競争的になる人もいれば、何事につけ順応的であろうとする人もいる。交渉者は自分の交渉スタイルを認識するとともに、その場で要求されるスタイルを的確に把握し、それらが合っていなければ、自分のスタイルを変えるなどの努力が求められる。もし自分が競争的なスタイルであれば、その場での利得とは別に自分の長期的な目標をしっかりと持ち、相手の話をよく聞き、相手の立場で考えるシミュレーションを絶えず行うなど「順応的になる努力」が必要だ。逆の場合は、高い目標を設定し、それを公言するなどしてコミットメントを高めたり、相手に自分の立場や目標を理解させるなど「競争的になる努力」が必要になる。

◧国際間のスタイルの違い

日本人の多くは国際間の交渉を苦手としてきた。これは単に言語能力の問題だけではなく、どのようなスタイルをとれば満足のいく交渉ができるのか、見当がつかないケースが多かったからだろう。

日本人は従来、「阿吽の呼吸」という表現があるように、言葉にしなくても通じ合う関係を称賛する傾向があった。これに対して、移民・多民族国家であるアメリカでは、必然的に自己主張をしあい、言葉でこれを調整する仕掛けが必要だった。しかし、アメリカ人の交渉者（とくに優秀な交渉者）が常に「競争的」であると考えるのは誤りだ。ある研究によると、アメリカ人の優秀な交渉者は「順応的な」スタイルである割合のほうが高いという。また、フィッシャーなど多くの論者が「相手を尊重すること」の重要性を説いている。

とはいえ、自己主張することを訓練づけられていない普通の日本人は、これまで以上に「競争的になる努力」が必要である。

交渉の状況とふさわしい戦略

	利害関係に関する認識	
	重要性・大	重要性・小
人間関係に関する認識　重要性・大	① バランス重視型 提携、ジョイントベンチャー、合併などの交渉 とるべき戦略： 問題解決を目指す、または妥協する	② 人間関係重視型 仲のいい夫婦間、友人同士、仕事仲間との交渉 とるべき戦略： 相手に便宜を図る、問題解決を目指す、または妥協する
人間関係に関する認識　重要性・小	③ 取引重視型 不動産の売買や市場取引、離婚した夫婦間の交渉 とるべき戦略： 競争する、問題解決を目指す、または妥協する	④ 暗黙の協調型 交差点でどちらの車が先に通過するかの交渉 とるべき戦略： 回避、相手に便宜を図る、または妥協する

参考文献

■第1部　経営戦略
グロービス・マネジメント・インスティテュート編『MBA経営戦略』ダイヤモンド社、1999年
G.ハメル＆C.K.プラハラード著『コア・コンピタンス経営』日本経済新聞社、1995年
小林喜一郎著『経営戦略の理論と応用』白桃書房、1999年
長島牧人著『戦略立案のテクニック』日科技連出版社、1997年
フィリップ・エバンス、トーマス・S.ウースター著、ボストン・コンサルティング・グループ訳『ネット資本主義の企業戦略』ダイヤモンド社、1999年
山田英夫著『デファクト・スタンダードの経営戦略』中公新書、1999年
「『公器』の経営」DIAMONDハーバード・ビジネス・レビュー、2008年1月号
斎藤槙著『社会起業家―社会責任ビジネスの新しい潮流』岩波書店、2004年

■第2部　マーケティング
グロービス・マネジメント・インスティテュート編著『[新版]MBAマーケティング』ダイヤモンド社、2005年
嶋口充輝、石井淳蔵著『現代マーケティング[新版]』有斐閣、1995年
フィリップ・コトラー著、木村達也訳『コトラーの戦略的マーケティング』ダイヤモンド社、2000年
フィリップ・コトラー著、小坂恕、疋田聡、三村優美子訳『マーケティング・マネジメント』プレジデント社、1996年
上田拓治著『マーケティングリサーチの論理と技法』日本評論社、1999年
青木淳著『価格と顧客価値のマーケティング戦略』ダイヤモンド社、1999年
渡辺達朗著『現代流通政策―流通システムの再編成と政策展開』中央経済社、1999年
田中秀樹、須田哲史著『IT時代の売上拡大の決め手　インターネット広告実践法―プランの立て方からポスト・クリック分析まで』PHP研究所、2001年

■第3部　アカウンティング
グロービス・マネジメント・インスティテュート編著『[新版]MBAアカウンティング』ダイヤモンド社、2004年
加古宜士著『財務会計概論　第3版』中央経済社、2000年
櫻井通晴著『管理会計　第2版』同文館出版、2000年

日本管理会計学会編『管理会計学大辞典』中央経済社、2000年
櫻井通晴著『ABCの基礎とケーススタディー』東洋経済新報社、2000年
朝日監査法人編『有価証券報告書の見方・読み方』清文社、1999年
「2001年3月決算総まとめ(1)」企業会計、2001年3月号、中央経済社
「9月・3月決算対策」企業会計、2000年10月号、中央経済社

■第4部　ファイナンス
グロービス・マネジメント・インスティテュート著『MBAファイナンス』ダイヤモンド社、1999年
日本証券アナリスト協会編、榊原茂樹、青山護、浅野幸弘著『証券投資論』日本経済新聞社、1998年
トム・コープランド、ティム・コラー、ジャック・ミュリン著、伊藤邦雄訳『企業評価と戦略経営—キャッシュフロー経営への転換（第2版）』日本経済新聞社、1999年
Richard Brealey, 2000, *Principles of Corporate Finance,* sixth edition, McGraw-Hill
Zvi Bodie, Robert C. Merton, 2000, Finance, Prentice-Hall

■第5部　人・組織
ステファン・P.ロビンス著、髙木晴夫監訳、永井裕久、福沢英弘、横田絵理、渡辺直登訳『組織行動のマネジメント』ダイヤモンド社、1997年
ピーター・M.センゲ著、守部信之訳『最強組織の法則—新時代のチームワークとは何か』徳間書店、1995年
ジョン・P.コッター著、黒田由貴子訳『リーダーシップ論—いま何をすべきか』ダイヤモンド社、1999年
桑田耕太郎、田尾雅夫著『組織論』有斐閣、1998年
波頭亮著『組織設計概論—戦略的組織制度の理論と実際』産能大学出版部、1999年
高橋俊介著『人材マネジメント論』東洋経済新報社、1998年
大中忠夫著「エンパワーメント・リーダーシップの技法」ダイヤモンド・ハーバード・ビジネス、1997年7月号
グロービス著『MBAビジネスプラン』ダイヤモンド社、1998年
Robert L. Mathis, and John H. Jackson, 2000, *Human Resource Management,* South Western College Publishing

Charles J. Fombrun, Noel M. Tichy, and Mary Anne Devanna, 1984, *Strategic Human Resource Management,* John Wiley & Sons
John R. Schermerhorn, Jr., James G. Hunt, and Richard N. Osborn, 1998, *Basic Organizational Behavior,* John Wiley & Sons
Fred Luthans, 1998, *Organizational Behavior,* Irwin/ McGraw-Hill
John R. Schermerhorn, Jr.James G. Hunt, and Richard N. Osborn, 2000, *Organizational Behavior,* seventh edition, John Wiley & Sons
Stephen P. Robbins, 2001, *Organizational Behavior,* 9th edition, Prentice Hall
グロービス経営大学院著『グロービスMBA組織と人材マネジメント』ダイヤモンド社、2007年
佐藤隆著『ビジネススクールで教えるメンタルヘルスマネジメント入門』ダイヤモンド社、2007年

■第6部　IT
御立尚資著「デコンストラクション：バリューチェーンの解体と再統合」ダイヤモンド・ハーバード・ビジネス、1998年11月号
情報処理振興事業協会、アイネス著『ERP導入事例に学ぶ導入の進め方』アイネス、1999年
通商産業省著『日米電子商取引の市場規模調査』1999年
日本インターネット協会編『インターネット白書'99』インプレス、1999年
藤野直明著「サプライチェーン・マネジメントの本質と経営へのインパクト」ダイヤモンド・ハーバード・ビジネス、1998年11月号
SCM研究会編『サプライチェーン・マネジメントがわかる本』日本能率協会マネジメントセンター、1998年
ERP研究会著『SAP革命』日本能率協会マネジメントセンター、1997年
Philip Evans; Thomas S. Wurster, 1997, "STRATEGY AND THE NEW ECONOMICS OF INFORMATION", *Harvard Business Review,* September-October
マーシャル・フィッシャー著「商品特性に合わせた戦略的サプライチェーン設計」ダイヤモンド・ハーバード・ビジネス、1998年11月号
マイケル・ハマー著「単純な自動化・合理化では効率向上はない　情報技術を活用した業務再構築の6原則」ダイヤモンド・ハーバード・ビジネス、1990年11月号

ロバート・ハンドフィールド、アーネスト・ジュニア・ニコルス著、新日本製鐵EI事業部訳『サプライチェーンマネジメント概論』プレンティスホール出版、1999年
ドン・ペパーズ、マーサ・ロジャーズ著、井関利明監訳『ONE to ONE マーケティング』ダイヤモンド社、1995年
マイケル・S.スコット・モートン著、砂田登士夫訳、宮川公男、上田泰監訳、『情報技術と企業変革』富士通経営研修所、1992年
山崎秀夫著『ナレッジ経営―自己革新による日本企業の復活』NRI野村総合研究所、2000年
山口弘明著『「ナレッジ共有」の技術』東洋経済新報社、1999年

■第7部　ゲーム理論・交渉術
グロービス・マネジメント・インスティテュート編、鈴木一功監修『MBAゲーム理論』ダイヤモンド社、1999年
エリック・ラスムセン、細江守紀、村田省三、有定愛展訳『ゲームと情報の経済分析〈1〉』九州大学出版会、1990年
バリー・J.ネイルバフ、アダム・M.ブランデンバーガー著、嶋津祐一、東田啓作訳『コーペティション経営』日本経済新聞社、1997年
リチャード・H.セイラー著、篠原勝訳『市場と感情の経済学』ダイヤモンド社、1998年
アビナッシュ・ディキシット、バリー・ネイルバフ著、菅野隆、嶋津祐一訳『戦略的思考とは何か―エール大学式「ゲーム理論」の発想法』TBSブリタニカ、1991年
マックス・H.ベイザーマン、マーガレット・A.ニール著、奥村哲史訳『マネジャーのための交渉の認知心理学』白桃書房、1997年
草野耕一著『日本人が知らない説得の技法』講談社、1997年
西潟真澄、宮武夫美代著『交渉術7つの原則』ケー・アイ・ピー、1997年
ロジャー・フィッシャー、ウィリアム・ユーリー著、金山宣夫、浅井和子訳『ハーバード流交渉術』三笠書房、1989年
ウィリアム・ユーリー著、斎藤精一郎訳『決定版 ハーバード流"NO"と言わせない交渉術』三笠書房、2000年

＊「ダイヤモンド・ハーバード・ビジネス」は、2000年11月号より「DIAMONDハーバード・ビジネス・レビュー」に誌名変更した

索引

■あ
- アウトソーシング ……………………11
- アカウンタビリティ（Accountability） …92
- アクティブ運用 ………………………159
- 後入先出法（LIFO）…………………122
- アドバンテージ・マトリクス ………26
- アライアンス ……………………11, 36
- アンカリング ………………………294
- アンシステマティック・リスク …148, 150
- アンゾフのマトリクス（事業拡大マトリクス）
  …………………………………………16
- 一括均衡 ……………………………277
- 一般管理費 ………………100, 114, 117
- イノベーション ……………24, 38, 228
- インセンティブ ……53, 77, 194, 212, 214
- インタレスト・カバレッジ・レシオ …119
- ウィーク・フォーム ……………158, 159
- ウォンツ ………………………………49
- 受取配当 ……………………………101
- 後ろ向帰納法 ………………………274
- 売上原価 ………………………100, 114
- 売上総利益 …………………………100
- 売上高当期純利益率 ……………114, 115
- 運転資本（ワーキング・キャピタル）…166
- 営業外収益 …………………………100
- 営業外費用 …………………………100
- 営業サイクル ………………98, 103, 104
- 営業利益 ……………………………100
- エンパワーメント ………………190, 219
- エンプロイアビリティー ……………217
- オークション ………………………262
- オーケストレーター …………………39
- オプション …………………………174

■か
- 外部環境 ………………6, 22, 54, 184
- 買回品 …………………………………63
- 価格弾力性 ……………………………70
- 学習する組織 ………………………220
- 格付け …………………………162, 294
- 加重平均資本コスト（WACC）……154, 168, 170, 172
- カスタマー・バリュー ………………72
- カニバライゼーション ………………65
- カフェテリア・プラン ……………213
- 株式売却益 …………………………164
- 株主価値 ………………………………2
- 株主期待利回り ……………………154
- 株主資本コスト …………………154, 156
- 間接金融 ……………………………152
- 間接費 ………………………………128
- 管理責任単位 ………………………130
- 機会費用 ……………………………141
- 危機管理 ………………………………89
- 企業価値 …………136, 139, 164, 168, 171, 172
- 企業金融理論 ………………………138
- 機能別組織 …………………………208
- 規模型事業 ……………………………18
- 規模の経済 ………………………20, 29
- キャッシュフロー ……13, 119, 124, 136, 142, 144, 168, 172
- キャッシュフロー計算書 ……94, 99, 106
- キャピタル・ゲイン …………………164
- 強制力 …………………………192, 219
- クチコミ …………………………78, 84
- クラウン・ジュエル …………………177
- 繰延資産 ……………………………103
- グループシンク ……………………197
- グローバル化 ……………2, 40, 228, 239

305

経営理念 …………………4, 6, 184, 187, 195, 218
経験曲線 ………………………………………14, 20
経常利益 …………………………………………100
ケイパビリティ …………………………………35
ゲームの木 ………………………………………274
限界値 ……………………………………………284
限界利益率 ………………………………………126
原価計算 …………………………………………128
減価償却（費）……………………100, 102, 124
原価法 ……………………………………112, 123
現金主義 ………………………………………96, 99
権限委譲 ……………………………………190, 237
現在価値（PV）…………………………………140
コア・コンピタンス ………………………8, 10, 23
交互進行ゲーム …………………………………262
行使価格 …………………………………………175
効率的市場仮説 …………………………………158
効率的フロンティア ……………………………148
ゴーイング・コンサーン ………………………96
コーポレート・ファイナンス …………………138
コール・オプション ……………………………174
ゴールデン・パラシュート ……………………177
顧客維持型マーケティング ……………………84
顧客内シェア ……………………………………85
顧客ニーズ ………………………………………49
顧客満足 ……………………………………49, 58
国際会計基準 ………………………………108, 112
コスト・センター ………………………………130
コスト・ドライバー ………………………29, 129
コスト・リーダーシップ戦略 …………………18
固定資産 ……………………………102, 107, 119
固定長期適合率 …………………………………119
固定費 ………………………………117, 126, 128
固定比率 …………………………………………119
固定負債 …………………………………………104

コマーシャル・ペーパー ………………………152
コミュニケーション・プロセス ………………200
混合戦略 ……………………………………270, 273
コンセプチュアル・スキル ……………………216
コンティンジェンシー理論 ……………………188
コンフィギュレーション学派 …………………34
コンプライアンス ………………………………42
コンフリクト ……………………………………202

■さ
再生ファンド ……………………………………178
財務活動 …………………………………………137
財務レバレッジ …………………………………115
授かり効果 ………………………………………294
差別化戦略 ………………………………………18
残存価額 …………………………………………124
シーズ発想 ………………………………………66
時価総額 …………………………………………120
時価法 ……………………………………………112
事業部制組織 ……………………………………208
事業ポートフォリオ …………………………5, 12
事業ライフサイクル ……………………12, 14, 32
自己資本（比率）………………………………118
自己資本利益率 …………………………………115
資産 ………………………………………………107
システマティック・リスク ……………………148
システム思考 ……………………………………221
実現主義 ………………………………………96, 99
シナジー ……………………………5, 12, 16, 65
支払利息 …………………………………………101
資本金 ………………………………………105, 152
資本コスト ………………………………………154
資本市場線 ………………………………………149
社会起業家 ………………………………………44
社債 …………………………………104, 152, 154

306

囚人のジレンマ ……………………266	税引前当期純利益 ……………………101
集団 …………………………196, 198	製品コンセプト …………61, 66, 80
集中戦略 …………………………19	製品ライフサイクル ……………………68
需要供給曲線 ……………………70	政府系ファンド ……………………178
純資産 ……99, 104, 107, 108, 111, 119, 121	制約理論（TOC）……………………241
純粋戦略 ………………………270, 273	セグメンテーション ……………52, 58
償却原価法 ……………………113	セグメンテーション変数 ………………58
証券市場線 ……………………151	セグメント …………………72, 108
勝者の呪縛 ……………………293	絶対優位 ……………264, 266, 270, 278
消費財 ……………………………63	絶対劣位 …………………264, 270
情報非対称ゲーム …………………276	瀬戸際戦術 ……………………296
情報リテラシー ……………………234	セミストロング・フォーム ………………158
正味現在価値（NPV）…………144, 173	セリング ……………………………48
剰余金（内部留保）………………152	ゼロサム・ゲーム ……………………263
賞与引当金 ……………………104	先入先出法（FIFO）……………………122
新株予約権付社債 ………………152	全部原価計算 ……………………128
シングルループ・ラーニング ………220	専門品 ………………………………63
人材調達コスト …………………210	専門力 ……………………………192
人的資源管理（HRM）……………186	戦略オプション ……………………6
シンメトリック交渉 ………………283	増加運転資本（△WC）……………166
衰退期 …………………………12, 32	総資産回転率 ……………………114
スキミング・プライシング …………73	総資産利益率 ……………………114
ステークホルダー …………3, 4, 92, 94, 192	創発的戦略 ……………………34
ストック・オプション ………………213	組織行動学（OB）……………………186
ストロング・フォーム ………………159	組織設計 ……………………206
税金等調整前当期純利益 …………101	組織文化 ……………187, 204, 220
税効果会計 ……………………110	ソリューション志向 ……………………87
成功の囚人 ……………………293	損益計算書（P/L）……94, 99, 100, 106, 110, 112
清算価値 ………………………121, 169	損益分岐点 ……………………126
生産財 ……………………………63	
成熟期 ………………13, 32, 37, 41	■た
製造原価 ……………………100	ターゲティング ……………52, 59
成長期 ………………13, 32, 41	耐久材 ……………………………62
正当権力 ……………………192	貸借対照表（B/S）……94, 99, 104, 109, 110
税引後利益 ……………………168, 171	退職給付会計 ……………………110

退職給付引当金 …………………104	特化型事業 ……………………26
立場固定 …………………………292	ドメイン …………………………8, 17
たな卸資産 …………………102, 122	ドラム・バッファー・ロープ ……241
ダブルループ・ラーニング ………220	取引コスト ………………………233
男女の争い ………………………268	
チャネル ………………………74, 76	■な
チャレンジャー …………………30	内部環境 …………………………6
中心化傾向 ………………………215	内部統制 …………………………132
長期借入金 ………………………104	内部留保 …………………………164
直接金融 …………………………152	ナッシュ均衡 ……………………268
直接原価計算 ……………………128	ナレッジ・マネジメント ……255, 256
定額法 ……………………………124	ナレッジ経営 …………………254, 256
低価法 …………………………112, 123	ニーズ ……………………………49
ディスカウント・ファクター ……141	ニーズ発想 ………………………66
ディスクロージャー ……………92	ニッチャー ………………………31
定率法 ……………………………124	ネットワーク外部性 ……………41
データベース・マーケティング …85	
適応アプローチ …………………225	■は
デザイン学派 ……………………34	ハーズバーグの動機づけ・衛生理論 ……195
手詰まり型事業 …………………27	パーソナル・エージェント ……39
デファクト・スタンダード ………40	ハードル・レート ………………144
デリバティブ ……………………138	配当 ………………………………164
転換社債型新株予約権付社債 ……152	配当性向 …………………………120
ドア・イン・ザ・フェース・テクニック ……297	ハイパー・チェンジ・エイジ ……224
同一視力 …………………………193	パッシブ運用 ……………………159
当期純利益 ……………………101, 106	発生主義 …………………96, 99, 106
当座資産 ………………………102, 118	バリューチェーン ………………28, 38
当座比率 …………………………118	ハロー（後光）効果 ……………215, 294
投資活動 …………………………136	パワーの源泉 ……………………192
同時進行ゲーム …………………262	範囲の経済 ………………………21, 29
投資ファンド ……………………178	反射的価値下げ …………………292
投資理論 …………………………138	ヒエラルキー型組織 ……………208
導入期 ……………………………13	ビジョン ………………4, 6, 184, 191
特別損失 …………………………101	非耐久財 …………………………62
特別利益 …………………………101	非両立バイアス …………………292

308

フォロワー …31	保守主義の原則 …97
俯瞰思考 …86	ボラティリティ …175
福利厚生 …213	ホワイト・ナイト …177
負債 …104, 107, 152	
負債コスト …154	■ま
プッシュ戦略 …79	マーケット・ポートフォリオ …149, 150
フット・イン・ザ・ドア・テクニック …297	マーケット・メーカー …39
プット・オプション …174	マーケット・リスク・プレミアム …151, 156
プラスサム・ゲーム …263, 279	マーケティング・ミックス …52, 250
フランチャイズ方式 …75	マイナスサム・ゲーム …263
ブランド …62, 64, 72, 75	埋没費用 …292
ブランド・ロイヤルティ …64	マキシミン戦略 …272
プランニング学派 …34	マグレガーのX理論・Y理論 …195
フリー・キャッシュフロー（FCF）…166, 168, 170, 172	マクロ環境 …22
	マズローの欲求5段階説 …195
フリンジ・ベネフィット …213	マトリクス型組織 …209
プル戦略 …79	マネジメント・バイ・アウト …177
プロダクト・エクステンション …69	マルチレベル方式 …75
プロフィット・センター …130	ミニマックス定理 …272
分散型事業 …27	ミンツバーグ …34
分離均衡 …277	ムーアの法則 …232
平均法 …122	無形固定資産 …103, 125
ペイバック（回収期間）法 …145	メディア・ミックス …80
ペネトレーション・プライシング …73	メンタル・モデル …221
変動費 …126, 128	モジリアニ・ミラーの命題（MM命題）…160
返報性の原理 …297	モチベーション …194, 205, 294
ポイズン・ピル …176	最寄品 …63
報酬力 …192	
法人税 …100	■や
法定準備金 …152	有形固定資産 …103, 124
ポートフォリオ …14, 148	良い警官／悪い警官戦術 …297
ポートフォリオ投資 …138	
ポートフォリオ理論 …146	■ら
ポジショニング …52, 60, 65, 69, 80	ライセンス方式 …75
ポジショニング学派 …34	リーダーシップ …3, 188, 204

リーチ……………………………248, 251	BSC………………………………………131
リエンジニアリング…………………239	CAD／CAM……………………………229
リスク・フリー・レート……………156	CAPM（資本資産価格モデル）…150, 155, 156
リスク・プレミアム……………156, 162	CIO………………………………………229
リスク資産……………………………146	CKO（最高知識責任者）……………254
リソース・ベースド・ビュー（RBV）…35	CRM（カスタマー・リレーションシップ・マネジメント）……………………229, 252
リッチネス……………………………248	CSR………………………………………42
リテラシー……………………………234	CTI………………………………………229
流動資産…………………………102, 118	DCF法（割引キャッシュフロー法）………142, 166, 169
流動比率………………………………118	EBIT（支払金利前税引前利益）……166
流動負債…………………………104, 118	EC（電子商取引）………………228, 244
レイヤーマスター………………………39	ECR………………………………………242
レピュテーション………………………88	EDI（電子データ交換）………………228
連結会計………………………………108	EPS（1株当たり利益）………………120
	ERP………………………………………238
■わ	EVA（経済付加価値）…………………172
ワーキング・キャピタル（WC）………166, 172	FMS………………………………………229
ワーク・ライフ・バランス……………222	HRM（人的資源管理）………186, 191, 218
枠付け…………………………………294	IR（インベスターズ・リレーションズ）93, 247
ワラント債……………………………152	IRR（内部収益率）……………………144
割引率……………………………141, 143, 168	KBF（購買決定要因）……………58, 60, 87
ワン・トゥ・ワン・マーケティング…85, 252	KPI………………………………………131
	M&A（合併・買収）……………………36
■アルファベットなど	NOPAT（税引後営業利益）…………172
ABC（活動基準原価計算）……………129	NPV（正味現在価値）……………144, 173
AIDAモデル……………………………78	NPV（正味現在価値）法……………144
AIDCAモデル…………………………78	OB（組織行動学）………………186, 191, 218
AIDMAモデル…………………………78	P/L（損益計算書）………………94, 100
AISASモデル……………………………78	PBR（株価純資産倍率）………………121
AMTULモデル…………………………78	PER（株価収益率）…………………121, 169
B to B, B to C, C to C……………244	POSシステム…………………………232
B/S（貸借対照表）………………94, 122	PPM（プロダクト・ポートフォリオ・マネジメント）……………………………14
BATNA………………284, 286, 291, 296	
BPR（ビジネス・プロセス・リエンジニアリング）………………………236, 238	

PV（現在価値）	140, 141
QR	242
RBV（リソース・ベースド・ビュー）	35
ROA（総資産利益率）	114
ROE（自己資本利益率）	115
SCM（サプライチェーン・マネジメント）	228, 240
SECIモデル	254
SFA	229
SOX法	132
SWOT分析	23, 54
TEV（総資産価値）	170
WACC（加重平均資本コスト）	154, 168, 170, 173
Win-Win	287, 289, 291
ZOPA	284, 286
β（ベータ）	150, 156

■数字

1次データ	57
2次データ	57
3C分析	22
4P	52, 250
5つのディシプリン	221
5つの力	24
6R	59

執筆者

■企画・構成・執筆

嶋田毅
グロービス メディア事業推進室マネジングディレクター
グロービス経営大学院教授

■執筆（改訂・増補分）

青山剛
グロービス経営大学院准教授

川上慎市郎
グロービス経営大学院 経営教育研究所主任研究員

岡重文
グロービス・グループ 経営管理本部ディレクター

佐藤隆
グロービス経営大学院教授

新版（2002年2月発行）執筆者（改訂・増補分）

| 井上市郎 | 河尻陽一郎 | 鈴木一功 | 林幹浩 | 江口夏郎 |
| 高見茂雄 | 東方雅美 | 渡部典子 | | |

初版（1995年7月発行）執筆者

堀義人	相葉宏二	川元朗	鈴木一功	樋口泰行
福沢英弘	赤川元昭	小林住彦	中島豊	程近智
加藤隆哉	浅子利明	嶋津祐一	西山茂	八木洋介

[編著者]

グロービス経営大学院

社会に創造と変革をもたらすビジネスリーダーを育成するとともに、グロービスの各活動を通じて蓄積した知見に基づいた、実践的な経営ノウハウの研究・開発・発信を行っている。
- ●日本語（東京、大阪、名古屋、福岡、オンライン）
- ●英語（東京、オンライン）

グロービスには以下の事業がある。
- ●グロービス・エグゼクティブ・スクール
- ●グロービス・マネジメント・スクール
- ●企業内研修／法人向け人材育成サービス
  （日本、中国、シンガポール、タイ、米国、欧州）
- ●GLOBIS 学び放題／GLOBIS Unlimited
- ●出版／電子出版
- ●GLOBIS 学び放題×知見録／GLOBIS Insights
- ●グロービス・キャピタル・パートナーズ

その他の事業：
- ●一般社団法人G1
- ●一般財団法人KIBOW
- ●株式会社茨城ロボッツ・スポーツエンターテインメント
- ●株式会社LuckyFM茨城放送

グロービスMBAマネジメント・ブック［改訂3版］

1995年7月20日	初版第1刷発行
2001年11月21日	初版第32刷発行
2002年2月7日	新版第1刷発行
2008年5月8日	新版第15刷発行
2008年8月28日	改訂3版第1刷発行
2025年8月29日	改訂3版第19刷発行

編著者────グロービス経営大学院
発行所────ダイヤモンド社
　　　　　〒150-8409　東京都渋谷区神宮前6-12-17
　　　　　https://www.diamond.co.jp/
　　　　　電話／03-5778-7228（編集）　03-5778-7240（販売）
製作進行───ダイヤモンド・グラフィック社
印刷─────八光印刷（本文）・加藤文明社（カバー）
製本─────ブックアート
編集担当───DIAMONDハーバード・ビジネス・レビュー編集部（https://www.dhbr.net）

©2008 Graduate School of Management, GLOBIS University
ISBN 978-4-478-00496-8

本書の複写・転載・転訳など著作権に関わる行為は、事前の許諾なき場合、これを禁じます。落丁・乱丁本はお手数ですが小社営業局宛にお送りください。送料小社負担にてお取替えいたします。但し、古書店で購入されたものについてはお取替えできません。
Printed in Japan

資料請求先

グロービス経営大学院
カリキュラムや募集要項、キャンパスライフ等について▶

法人向け人材育成研修サービス
支援実績やサービスの特徴について▶

大好評！グロービスMBAシリーズ

グロービス◯問題解決や意思決定のためのビジネス・バイブル
MBAマネジメント・ブック 改訂3版
グロービス経営大学院 編著

グロービス◯新たに注目される6分野
MBAマネジメント・ブックⅡ
グロービス経営大学院 編著

グロービス◯財務会計と管理会計の基礎知識が身につく
MBAアカウンティング 改訂4版
グロービス経営大学院 編著

グロービス◯意思決定に関わるビジネスリーダー必読
MBAファイナンス 新版
グロービス経営大学院 編著

グロービス◯勝ち残るために「論理的思考力」を鍛える！
MBAクリティカル・シンキング 改訂3版
グロービス経営大学院 著

グロービス◯論理思考をコミュニケーションで実践する！
MBAクリティカル・シンキング コミュニケーション編
グロービス経営大学院 著

グロービス◯リーダーシップ研究の基本を網羅した決定版
MBAリーダーシップ 新版
グロービス経営大学院 編著

グロービス◯すべては「ビジネスプラン」から始まった
MBAビジネスプラン 新版
グロービス経営大学院 著

グロービス◯部下を持ったら、読むべき1冊
MBAミドルマネジメント
嶋田 毅 監修　グロービス経営大学院 編著

ダイヤモンド社

グロービス◯読み継がれてきた"定評の書"を大改訂
MBAマーケティング 改訂4版
グロービス経営大学院 編著

グロービス◯文章で人とビジネスを動かす
MBAビジネス・ライティング
嶋田 毅 監修　グロービス経営大学院 著

グロービス◯グランド・デザイン構築の鍵
MBA経営戦略 新版
グロービス経営大学院 編著

グロービス◯代表的な戦略理論を網羅
MBA事業戦略
相葉 宏二　グロービス経営大学院 編

グロービス◯ビジネスを創造する力
MBA事業開発マネジメント
堀 義人 監修　グロービス経営大学院 編著

グロービス◯プロフェッショナル化の時代に対応する
MBA組織と人材マネジメント
佐藤 剛 監修　グロービス経営大学院 著

◯意思決定の質とスピードを高める！
MBA定量分析と意思決定
嶋田 毅 監修　グロービス・マネジメント・インスティテュート 編著

◯業務連鎖の視点で生産性を向上させる！
MBAオペレーション戦略
遠藤 功 監修　グロービス・マネジメント・インスティテュート 編

◯戦略的思考を鍛え、行動に活かせ！
MBAゲーム理論
鈴木 一功 監修　グロービス・マネジメント・インスティテュート 編

ダイヤモンド社

HARVARD BUSINESS REVIEW

不確実な時代こそ「問いを立てる」ための インプットが必要となる

時代を超えた知見を横断的にカバーする
DIAMOND ハーバード・ビジネス・レビュー

毎月10日発売

- パーパス、ブルーオーシャン戦略、デザインシンキング……掲載された数々のコンセプトやフレームワークが、のちに世界を席巻。
- 入山章栄 早稲田ビジネススクール教授をはじめ、日本の気鋭の学者、名だたる日本企業のリーダーたちも、その経営哲学やナレッジを提供。
- 海外、日本、そして領域を超えた最先端の知見を、横断的にカバーすることは、一歩先を行くうえで大きなアドバンテージとなります。

https://dhbr.diamond.jp/